P9-CIT-015

VENDIDO POR
LIBRERIA HUEMUL
SANTA FE 2237
BuenosAires·ARGENTINA

LA NOVELA ARGENTINA

GERMÁN GARCÍA

LA NOVELA ARGENTINA

UN ITINERARIO

EDITORIAL SUDAMERICANA
BUENOS AIRES

LIBRARY
JUL 20 1971
UNIVERSITY OF THE PACIFIC

240008

IMPRESO EN LA ARGENTINA
Queda hecho el depósito que pre-
viene la ley. Copyright 1952, Edi-
torial Sudamericana Sociedad Anó-
nima, Alsina 500, Buenos Aires.

PROEMIO

Nacieron estas páginas en un curso libre de introducción a la literatura argentina. Mantienen, en esencia, ese propósito y lejos de quien las escribe está la pretensión de que sean inventario de la producción novelística de la patria ni el estudio exhaustivo de toda o cualquier parte de esa producción. Es en realidad una biografía de la novela nuestra, desde que nace con los mitos y fábulas de la Conquista hasta la época actual. Como todas las biografías, recoge mucho de lo que otros sembraron, pero deja también enorme cantidad de huecos que han de llenarse y todo el campo libre para centrar estudios e investigaciones en lo que es de detalles, de intensidad en el trato con el asunto, de ahondamiento en la investigación y en la interpretación, de desarrollo de cualquiera de los numerosos temas que surgen frente al lector y que aquí, naturalmente, apenas han podido ser esbozados, como el análisis de épocas históricas y el estudio psicológico de los personajes que pueblan tantas novelas. El libro puede ser así una guía orientadora para quienes desean entablar por su cuenta el diálogo con los novelistas argentinos o tener una visión panorámica de lo que se ha producido en esa zona de la literatura. En tal sentido era, indudablemente, necesario en nuestra bibliografía.

A veces el estudioso de la literatura nuestra o el simple aficionado a leer sus producciones se pregunta si la Argentina tiene o no una novelística propia. La lectura hecha al *azar, sin método y sin orden, de las novelas que se han escrito, no orienta mucho el juicio, porque falta la visión de conjunto y el recuerdo no siempre 'está fresco para la exacta valoración. Los capítulos que siguen pueden ser auxiliares en la búsqueda y contribuir a la elaboración de un balance que refleje la importancia de esa novelística. Muchos son los nombres que se fijan y más los títulos que se recuerdan. Ello podría significar un índice halagüeño para el cariño y la esperanza que el argentino tiene puestos en la cultura de su tierra, pero nombres y títulos no han de significar por sí solos más que cantidad o número. Lo principal no es eso sino lo otro, el mérito real de lo que se ha producido y para 'establecerlo es necesario el análisis y la valoración objetiva capaces de brindar la conclusión que más interesa. En este caso puede haber discrepancias de detalles, en la escala de valores, pero 'en la esencia difícilmente se irá a los extremos. Lo real es que la Argentina presenta, en cuanto a novelas producidas por sus escritores, un panorama excelente. Los capítulos de este itinerario lo documentan, porque parten de creaciones que, como* Amalia, *son sillares de la novelística hispanoamericana, e incluyen a escritores que se colocan entre los primeros del idioma 'castellano en los tiempos presentes.*

No tendremos ninguno que pueda codearse con los famosos novelistas del mundo, los que encarnan escuelas y arrastran discípulos, como no lo tiene, creemos, ninguna de las naciones hermanadas con la nuestra en sus orígenes y en su destino americano, pero, ¿no podemos ofrecer Don Segundo Sombra *como una evocación poética insuperada del personaje de la llanura? También, como ejemplo de evocación histórica, aunque de otras tierras, y de prosa cincelada con amorosa perfección, una novela puede colocarse en sitio de privilegio:* La gloria de don Ramiro. *El film de nuestra*

formación social estuvo a cargo de un escritor de garra, como
Payró, y costumbres de nuestro campo fueron relatadas por
un maestro en el arte, que tal es Benito Lynch. No que-
ríamos fijar nombres y éstos salieron. Por sí solos podrían
acreditar cualquier literatura de imaginación. Y ésta, aquí,
sigue cultivándose, ahora con tanto o mayor fervor que en
el pasado. Afronta el complejo análisis del poblador que
tiene herencia de todas las razas, documenta el drama de
la hora en que vive y bucea en todos los repliegues de lo
nacional. Se escribe con pasión, con coraje, con decisión.
Está en esto seguramente el mérito principal de nuestra
novela y de nuestros novelistas, que abordan problemas y
no temen poner al desnudo taras o vicios que aquí ven arrai-
gados. Es un rasgo de sinceridad y se une al propósito firme
de centrar en el suelo propio y en la realidad misma argu-
mentos y tipos, lo que destaca a nuestra novelística como
esencialmente documental, humana, plena de savia y des-
pojada, en esencia y pese a sectores que no pesan para dar
una característica, de afanes exclusivos de forma.

Cree el autor que quienes sigan este corto itinerario no
se conformarán con él y esa es una de sus aspiraciones pri-
meras. Si luego de completarlo con la consulta directa de
las obras que se citan arriban a pareja conclusión, se sentirá
grandemente halagado, pero la discusión franca de sus opi-
niones será lo que colme todas sus esperanzas. Es natural
que esto último suceda, pues cada uno tiene su punto de
vista, observa desde su propio ángulo, recibe impresiones
según su sensibilidad y su opinión personal surgirá como
consecuencia de esos y otros factores. El autor confiesa que
su trato con los novelistas que cita lo inició siempre con
simpatía. En algunos casos, esa simpatía se acentuó; en otros
sufrió merma con la lectura de las obras. El juicio derivado
se refleja aquí con sinceridad y no está influído por pre-

juicios, prevenciones ni entusiasmos ajenos a la literatura misma. Si ha errado —lo que habrá ocurrido en muchos casos—, valga la sinceridad como atenuante.

Este trabajo sobre la novelística argentina incluye, como no podía ser menos, el cuento y el relato breve, que todos son novelas y difícil es establecer líneas de separación entre unos y otras. En su mayor parte los cuentos se han confundido con las ficciones de más amplio desarrollo. Obligó a ello la conveniencia de no separar demasiado los temas y de ubicar algunas obras en su lugar de relación con otras, aunque la técnica o el enfoque fueran distintos. Tal vez, extremado el procedimiento, podría haberse hecho así con la producción de todos los cuentistas, pero hemos preferido reservar el capítulo último para lo que encaja exclusivamente en la definición de cuento, *como ha ser lo de Horacio Quiroga y buena parte de lo que escribió Benito Lynch, cuya producción, queriendo agruparla, cabría mejor en la zona del cuento que en la de la novela, pese a la extensión de algunas obras suyas. El relato campero, que tan importante lugar ocupa en la literatura argentina, no podía ser desalojado de su lugar propio, que no es esencialmente el de la novela.*

El Itinerario *termina al cumplirse la mitad del siglo XX. Hubo que fijar un punto de llegada y nada mejor que decidirse por el año que dividió en dos la tormentosa centuria que vivimos. Puede el estudio servir así como contribución a un balance literario de la Argentina en ese instante propicio para establecer cantidad y calidad del trabajo que se lleva hecho en el campo de la cultura, en un país que diera generalmente mayor importancia a lo que se produce en el otro campo, el de las mieses y los ganados, pero que, en el concierto americano, no siempre se ha puesto en lugar señero por su exclusiva actividad económica.*

I

EN LA HISTORIA, SURGE LA FÁBULA

Lo épico venía mejor para esos tiempos y lo fabuloso estaba consubstanciado con los hombres cuyas pupilas se dilataban, asombradas y espantadas, ante el escenario y los personajes que se iban sucediendo en su peregrinación por estas tierras de Indias. No fué épica sin embargo la nota de nuestros primitivos borroneadores de papel, incapaces de legarnos octavas heroicas al estilo de las que don Alonso de Ercilla y Zúñiga brindó a la posteridad, para alabanza de héroes helénicos vestidos con hilachas de jubón o sintético taparrabos, en las faldas del occidente andino. A los que penetraron por el Oriente, por la ancha boca del Mar Dulce, los atrajo también lo fabuloso, pero lo adornaron con ropaje histórico y lo redujeron a fábula, dicha en prosa infantil primero y rimas pedestres después. Hombres candorosos e ingenuos, se mantuvieron, espiritualmente, en la niñez y creyeron —ellos los primeros— en la existencia real de Siripo y la Maldonada.

Pero lo novelesco fué la primera realidad. ¿Qué película, qué folletín truculento serían capaces de traer los escalofríos que penetran en el cuerpo del que lee las páginas de Schmidel, el rudo teutón? [1] Porque aquí, en idioma que

[1] Ulrico Schmidel, o Schmidl, fué un soldado alemán que se incorporó a la expedición de Mendoza como simple sargento de infantería.

requiere traductor e intérprete, no se dice casi nada. Casi nada más que aquellos pobres peregrinos que trajo don Pedro de Mendoza hacían como los náufragos de las islas solitarias, bien que sin sorteo, porque la horca daba las víctimas: se comían los unos a los otros. Los personajes, por sí solos, pedían sitio a la literatura, pero faltó el Calderón que hiciera el drama de Osorio y el Cervantes que creara con aquel Francisco del Puerto y tantos otros golfillos que venían en las carabelas descubridoras y exploradoras, pandillas como las de Rinconetes y Lazarillos que hacían de las suyas del otro lado del charco.

Mala suerte tuvimos, porque el Adelantado no era pendolista, como Cortés, y el cronista nuestro, soldado alemán, carecía de las dotes periodísticas de Bernal Díaz del Castillo. Los viejos conquistadores, en veladas de añoranza, como en los primitivos tiempos de la humanidad, contaron la historia, hecha casi leyenda en la evocación, y los hijos,

---

Vivió en el Plata durante largos años y dejó el relato de todas las vicisitudes de la Conquista, en Buenos Aires y en la Asunción, en prosa difícil de la cual la más moderna y al parecer la más fiel interpretación fué dada por Edmundo Wernicke, cuyo estudio de un manuscrito germano olvidado anteriormente le permitió preparar la ahora corriente edición impresa del *Derrotero y viaje a España y las Indias*. En la Argentina, Pedro de Angelis publicó el *Viage* del teutón en el tomo tercero de su *Colección de obras y documentos relativos a la historia antigua y moderna del Río de la Plata*, precedido de una breve reseña bibliográfica, y posteriormente la Junta de historia y numismática americana, ahora Academia nacional de la historia, lo editó con notas biográficas firmadas por Bartolomé Mitre, traducción y prólogo de Samuel Lafone Quevedo. Schmidel contó lo que vieron sus propios ojos y sus páginas serán siempre, por eso, de consulta obligada para el erudito y el estudioso, pero mezcló en ellas, con admirable ingenuidad puesto que fué el primero en creer lo que afirmaba, relatos de la más pura fantasía. En realidad todo —lo verídico y lo fantástico— resulta documento vivo, cuando no de lo sucedido, del estado mental y anímico de las gentes que vivieron su misma aventura. Germán Arciniegas, en su libro *Los alemanes en la conquista de América*, se ocupa de este personaje, que no fué el único teutón de la expedición del Adelantado y que viajó precisamente en un barco propiedad de los Welser.

adobándola con su salsa, la escribieron. Fueron mejores los héroes de la realidad que los de la historia escrita y los hechos superiores a la crónica y lo que surgió fué la fábula, capítulo a veces para una noche de las mil y una. Ruy Díaz de Guzmán fué el precursor o primer fabulista [1]. Cierto que aquí, como siempre, la fábula tiene un fondo de verdad. Mejor aun puesto que, como en la novela de evocación, lo imaginario se adorna, se entreteje con ella o tiene como asiento la historia verdadera. En este caso, surgieron mezcladas entre soldados y aventureros damas de pro y acaudillando huestes aborígenes caciques henchidos de principios morales, alentados por románticos amores. En las batallas, no los miserablemente humanos dioses del Monte Olimpo, pero sí el apóstol Santiago defendiendo a sus fieles y a cuya sola vista los pobres indios que atacaban Corpus Christi "caían como ciegos y atónitos". Y ya tenemos, como quien no lo quiere, la aparición de argumentos y personajes para la novela: la ciudad de los Césares, Siripo, Lucía Miranda, el país de las amazonas. Se han paseado centurias en libros y papeles, pues la primera dió lugar en tiempos no tan lejanos para que indios, vecinos y exploradores afirmaran ante notarios su existencia en los valles andinos, y en estos actuales a una novela de Manuel Rojas, chileno [2]. Las amazonas campean, peleadoras machazas, en otra de Gastón Cruls, carioca, mientras Lucía, castellana vieja, es

---

[1] Ruy Díaz de Guzmán escribió *La Argentina*, a la que se llamó corrientemente "Argentina manuscrita" para diferenciarla de la otra *Argentina*, la crónica en verso del arcediano Martín del Barco Centenera, ya impresa. Sobre los primeros cronistas puede consultarse *La Literatura argentina*, t. 2, *Los Coloniales*, de Ricardo Rojas, y la apasionada *Historia crítica de la historiografía argentina*, de Rómulo Carbia.

[2] Muchas páginas se han escrito sobre las fábulas y mitos de la Conquista. Concretándonos a la Ciudad de los Césares, guiamos al lector a los diversos textos relacionados con ella que publicó De Angelis (ob. cit., t. 1º): *Derroteros y viages a la Ciudad encantada de los Césares que se creía existiese en la Cordillera al sud de Valdivia.*

explotada por el fecundo Hugo Wast y los tesoros del rey blanco buscados en uno de los últimos libros de Payró. La Maldonada, comadrona de fieras, se redujo al relato milagrero, aunque el nombre —sólo el nombre— lo transmitió don Francisco Grandmontagne a una damisela de fin de siglo, pareciera, aunque no fué así, como trampa en que hacer caer a uno de nuestros más enjundiosos y eruditos historiadores, quien afirmaría solemnemente que el vasco retomó la vieja fábula cuando lo cierto es que esta Maldonada paseó su garbo airoso por el 90 [1].

Uno escribió historia en verso, matizada con pintorescas batallas de hombres con serpientes, descripción de sirenas y biografías de mariposas que se metamorfoseaban en ratones. De él se duda que fuera historiador y no se discute lo de poeta desde que hay acuerdo general en que no lo era, pero inventó, entre otras cosas, un nombre. Eso sólo merece recordación y homenaje, más que las fantasías que fijó su pluma o las rimas de bajo vuelo que se enseñorean de sus capítulos, porque el nombre es nada menos que nuestro gentilicio. Barco Centenera, arcediano, fué el inventor o quien sacó patente de tal; Argentina, su invento, pronto aprovechado por Ruy Díaz, ya citado.

Pongamos freno a la tentación, dejemos en su sitio y con

1 Ricardo Rojas, ob. cit., t. 4: *Los modernos*, trae esa errónea información, que no fué rectificada en ediciones posteriores: "Muchos periodistas españoles, en su mayoría hoy olvidados, merodearon por los campos del género, pero a Francisco Grandmontagne, vasco criado a los pechos de la pampa, argentino por su vida y su espíritu, aunque español de origen, habría de tocarle la gloria de dignificar aquella tradición de sus colegas, con *Teodoro Foronda* ('evoluciones sobre la sociedad argentina', 1896), con *La Maldonada* (novela histórica de la conquista, 1898), y con *Vivos, tilingos y locos lindos*, tres obras novelescas de aguda visión sobre la vida en nuestro medio, y de fuerte color local en cuanto al lenguaje." Es evidente que errores como éstos (*Vivos, tilingos y locos lindos* no cabe en la clasificación de obra novelesca puesto que se trata de semblanzas de tipos del ambiente argentino que el autor así califica) no significan mucho en una tarea tan dura y fatigosa como la realizada por el ilustre historiador y literato.

su medida episodios y cronistas de la infancia literaria y la historia primitiva. Olvidemos los animales monstruosos que acechaban a los soldados según esas leyendas de la historia o historias de leyendas y de imaginaciones, pero tengamos cerca sin embargo a los personajes, porque a lo mejor, cuatro siglos después, a alguien se le ocurre echarles el lazo para presentarlos con galas nuevas. Ningún padre, al dar hijos al mundo, sabe qué será luego de ellos.

Entremos en la realidad.

II

PRIMERO, COMO EN TODO, ECHEVERRÍA

Unos, los cuereadores, andaban ocupados con las haciendas; otros, los soldados, cuidaban la frontera. A aquéllos, como a éstos, poco les importaban las letras puesto que no sabían leer. Pero no eran los de la campaña todos los habitantes de la Colonia, que tenía además los de sus pueblos y ciudades. Aquí, luego del negocio lícito y del contrabando que casi lo era, su labor intelectual iba poco más allá del debate sobre el tráfico exterior. Se matizaba con el intercambio de ideas, opiniones e informaciones en las tertulias veraniegas que se formaban a la sombra de la higuera, o en las invernales, al amor de la llama, y culminaba la actividad pueblerina en los debates del Cabildo tendientes al logro de unos reales con que hacerse de nuevo pendón para las procesiones. El magín, en esos tiempos, no se exprimía para más. Pero vinieron los días angustiosos de la invasión hereje y más tarde los agitados y afiebrados de Mayo en que la tormenta submarina se tornó marejada y esto hizo nacer cantos heroicos y odas grandilocuentes. Llegó después, en el hervidero de soldados, caudillos y montoneros, la época de la tiranía, propicia para el debate de índole política, con historia ya, puesto que lo inició el impetuoso secretario de la Junta desde aquella tribuna admirable de la *Gazeta*, donde vertiera en verbo encendido su pasión por la libertad.

Fué ese —el de la tiranía— el momento elegido por e
destino para dar nacimiento a nuestra novela. Iniciador
como en todo, Esteban Echeverría. Echeverría fué quien des
cubrió nuestro campo para la literatura, Echeverría, el pri
mer buceador en la realidad y substancia de la Argentina y
Echeverría el primero que se apartara por igual de unitario
y federales. Fué sin duda el primer novelista, porque *El ma
tadero* es base pétrea en que se asienta lo que vino después
¿Y qué es, si se pone en prosa, *La cautiva*? Por su argument
y por el vigor realista de muchos cuadros, una verdader
novela. Ya vendrá la oportunidad de recordarlo.

Matasiete saca el cuchillo

La Tiranía dió argumentos para la novela histórica y ro
mántica, pero tan propicia lo era para la creación realista
Y realista, profundamente dramático y realista fué el prime
intento novelesco, nacido precisamente en esos instantes
Caso curioso, brotó de la pluma de un escritor romántico
del introductor del romanticismo en nuestro país. Su alba
cea, don Juan María Gutiérrez, dijo al publicar por primer
vez el aguafuerte echeverriano que las "páginas no fuero
escritas para darse a la prensa tal cual salieron de la pluma
como lo prueban la precipitación y el desnudo realism
con que están redactadas". Fueron como apuntes básic
para escribir el *Avellaneda*, pues el autor del *Dogma* acos
tumbraba realizar estudios sobre la naturaleza del paisaj
y del ambiente para dar fondo real y atmósfera a sus poema
Resulta así que el origen, el trabajo que sirvió de inspira
ción íntima a un poema romántico, fué como su revers
Con otros modelos literarios como referencia que los qu
dieron calor a su pecho y alas a su verbo, ¿qué hubiera pr

ducido la capacidad creadora del extraordinario bardo de nuestro romanticismo? Lo dice la simple lectura de un corto artículo, exhumado también por su gran amigo y padre de nuestra crítica literaria, en el que hacía el elogio del matambre, plato criollo con el que se nutrieron "los pechos varoniles avezados a batallar y a vencer y los vientres que los engendraron". Es propaganda culinaria hecha con frase fresca y entusiasmo comunicativo, que anima, si se tiene diente firme, a hincárselo al matambre de toro, o al de novillito si las encías se han puesto blandas de tanto bregar. Como con la guitarra, también con la pluma sabía don Esteban adentrarse en lo americano.

Y tanto se metió en lo criollo que se llegó al matadero. ¿Hay algo más criollo, más argentino que el matadero? Tal vez no, porque el matadero y no el campo mismo es o puede ser el origen de nuestro progreso. En el instante preciso en que él husmeó las achuras, el matadero era síntesis y esencia de una época y de un sistema: el cuchillo llevaba el compás de la música, la sangre daba el distintivo y Matasiete, degollador de toros y de hombres, era personaje señero y simbólico. El corral de la faena fué protagonista del relato y *El Matadero* su justo título. Es un cuadro de ambiente, vigoroso, de trazo amplio denunciador de mano segura y de aguda observación. La acción se desarrolla en el período de la dictadura, en los mataderos porteños, escuela y lugar de experimentación de esos técnicos estilizados del degüello que se llamaron mazorqueros. Sin animales que faenar por quince días de lluvias e inundaciones, produce algarabía en los corrales la llegada de cincuenta novillos obsequiados por el ilustre Restaurador, que vela paternalmente por la felicidad y el alimento de sus súbditos. Esto da lugar para que se exalte el entusiasmo partidista, no apagado por las desgracias climáticas, porque si los ratones se ahogaron y las negras rebusconas hubieron de sufrir escasez de achuras y emigrar para procurarse cualquier otra cosa comestible, si los huevos se fueron a las nubes y las indulgencias que autorizaban a comer carne en semana santa resultaron inútiles, todo se debió "al demonio unitario de la inundación". Se destina el primer novillo —¡cuándo no!— a la mesa del padre de los pobres, a quien se le llevará el presente en comisión, y se relata, con vigor impresionista, la tarea de la matanza, violenta y repugnante, con hombres y bestias que se mueven en el barro y en los charcos de sangre que produce el degüello. Los canes se embravecen defendiendo sus presas contra los achureros, que se arrojan bofes y cuajos de sangre, en medio de palabras obscenas, propias del escenario donde se mueven. Se refiere la escapada de un toro que corta la soga, cuyo latigazo cercena la cabeza de una criatura, y se perfila la llegada de un gringo, que se empantana para risa de todos. El joven elegante —primer cajetilla de nuestra novela— se presenta en mal momento y el simple hecho de que monte como extranjero y use patillas en "U", distintivo de unitarios, lo cataloga ante los ojos de quienes están en pleno entusiasmo federalista. Se lo desmonta con un solo pechazo, para alegría del coro, y se le acaricia la garganta con la cuchilla, discutiendo de paso si se le cantará el *Violín* o *La Resbalosa*, música de fondo obligada para la faena de ajusticiar enemigos. El juez de los mataderos, delegado allí con la suma del poder, sentencia que no se le mate, pero se le sujeta a una mesa y después de afeitarle las patillas con tijera de atusar yeguarizos, se le desnuda para vejarlo. La víctima realiza esfuerzos enormes para libertarse y en uno de ellos su vida se le va con un vómito de sangre. Lo lamentan los victimarios, pero sólo porque ven malogrado un rato de simple diversión.

La pasión antirrosista dió espíritu al relato, pero el autor logró superarla al realizar un trabajo de hondura, que no tiene nada de panfletario y sí mucho de película documental de un momento, de realismo crudo y vigoroso, muy distante del estilo que afloraría en sus continuadores, amigos de la prosa amerengada y de los personajes enfermizos. Echeverría plantó con él el primer jalón. No es novela la suya sino un cuento, un brochazo, nada más que un pantallazo casi, pero salió de mano maestra y es punto de partida para la obra de imaginación en la Argentina.

EL CANDOR DE LOS PROSCRIPTOS

Lejos estuvieron los restantes escritores de la época, antirrosistas todos, de la vigorosa pincelada echeverriana. Del grupo de los proscriptos salieron los posteriores ensayos y tanteos, que tales fueron más que novelas las producciones de imaginación de quienes, en otro terreno, habrían de destacarse como cultores de nuestra literatura histórica, de la investigación documental o de la crítica literaria. Fué Mitre quien arriesgó primero la entrada en el campo de la novela, escribiendo, en el destierro, *Soledad*, con un prólogo en que apuntó sus ideas sobre el género. Llegó después *El botón de rosa*, simple relato sin pretensiones y sin otro valor, ahora, que la firma del prócer. Es *Soledad* una novela dulzona, alentada por romántico soplo rusoniano, disculpable como ensayo primerizo de un aspirante a escritor, con personajes de corazón tierno y hasta con un duelo a lo Pérez Escrich que hace cambiar de rumbo a la oveja descarriada...

Miguel Cané, padre, del grupo que escribió *El Iniciador*, plantó el jalón primero, entre nosotros, de la novela intelectualista, la del principio estético del arte por el arte o por la belleza, cuya prolongación sería Ángel de Estrada, novelista máximo de la escuela. *Esther*, título de la novela, se desarrolla en Florencia, donde el protagonista, con mucho del autor según parece, pasea su destierro melancólico y triste, del que hace partícipe, por acto de heroísmo, a una "lady" que goza con él los deleites del paisaje florentino, comenta el arte renacentista y se impregna de romanticismo manzoniano. Es punto final el epitafio que llora la muerte de la amada.

A medias se adentró Cané en la tierra nativa, pues *La familia Sconner* tiene la pampa por escenario de muchas de sus páginas. Pero hasta los personajes son extranjeros y a Londres ha de trasladar el relato del pleito sucesorio que le proporciona tema. Para no hacer olvidar que el autor viajó por esas tierras, se recorre Europa y un poco en la ciudad de la bruma, otro poco en la de la torre inclinada y un mucho en la encantadora capital de los Médicis, se va llegando al desenlace, que ocurre en el campo argentino después de largas citas de Dante y Petrarca en su lengua propia. Los personajes son simples y el estilo abundoso en adjetivos. Cosas propias de la época.

Juan María Gutiérrez debió dudar alguna vez entre los personajes reales y los imaginarios y tuvo la ocurrencia de penetrar en el campo de la novela. Pero debió desengañarse pronto y dejar eso en el olvido, como simple pecado juvenil, pues su pluma estaba llamada a otros destinos que el de dar vida a seres novelescos. Sería más firme (también más provechoso) su trato con existencias reales y sus análisis de documentos superiores a los relatos de fantasías. Lo dicen el ensayo sobre Juan Cruz Varela, el bardo rivadaviano, y el enjundioso estudio sobre el autor del *Dogma*. Poco significan, a su lado, las dos novelistas en que afloró su inquietud y su amor a las letras, mucho antes sin duda de enmarcar su rostro la barba venerable que destaca su retrato entre mil. Fué primero *El hombre hormiga*, más artículo de costumbres, al estilo de Fígaro, que relato novelesco, y después *El capitán de Patricios*, curiosa creación de una cultura clásica. El capitán es apuesto y gallardo, como lo exige la escuela romántica y la percha del uniforme, pero, un poco representación o autobiografía del autor, se muestra amigo de citas clásicas, de autores latinos y escritores franceses. El hombre había sido discípulo de Fernández de Agüero y estudió a Platón con Fray Cayetano y con él no rezó aquello de que el ruido de las armas alejaba a la juventud del camino de la sabiduría, según la hermosa frase del secretario de la Primera Junta [1]. Este capitán improvisado salió del aula para ir a la guerra, pero encontró en el camino el ángel bondadoso que lo acompañara en el romance. Y el ángel, sabio resultó también en letras griegas. El amor surgió antes de la primera mirada y fué creciendo admirablemente en tertulia

[1] La *Gazeta de Buenos Ayres* del 13 de setiembre de 1810 publicó un artículo con motivo de la creación de la Biblioteca Pública, magnífica expresión del pensamiento de Moreno sobre la educación del pueblo. Decía en sus primeros párrafos: "Los pueblos compran a precio muy subido la gloria de las armas; y la sangre de los ciudadanos no es el único sacrificio que acompaña los triunfos; asustadas las Musas con el horror de los combates huyen a regiones más tranquilas, e insensibles los hombres a todo lo que no sea desolación y estrépito, descuidan aquellos establecimientos que en tiempos felices se fundaron para cultivo de las ciencias y de las artes. Si el Magistrado no empeña su poder y su zelo en precaver el funesto término a que progresivamente conduce tan peligroso estado, a la dulzura de las costumbres sucede la ferocidad de un pueblo bárbaro, y la rusticidad de los hijos deshonra la memoria de las grandes acciones de sus padres.

"Buenos Ayres se halla amenazado de tan terrible suerte; y cuatro años de glorias han minado sordamente la ilustración y virtudes que las produxeron. La necesidad hizo destinar provisionalmente el Colegio de S. Carlos para quartel de tropas; y los jóvenes empezaron a gustar una libertad tanto mas peligrosa, cuanto más agradable; y atraídos por el brillo de las armas, que habían producido nuestras glorias, quisieron ser militares, antes de prepararse a ser hombres. Todos han visto con dolor destruirse aquellos establecimientos de que unicamente podía esperarse la educación de nuestros jóvenes, y los buenos patriotas lamentaban en secreto el abandono del gobierno, ó mas bien su politica destructora, que miraba como un mal de peligrosas consecuencias la ilustración de este pueblo."

familiar y al conjuro de Horacio, pero el almíbar duró poco porque el capitán se fué al Perú, donde cayó por América, y la novia de pocos días tomó, ajustándose a los cánones de una novela romántica, el sendero del claustro.

Empalaga tanto romanticismo dulzón y lacrimoso y los personajes, con tal levadura, resultan de caramelo, convencionales y derretibles en cuanto se ponen al sol de una exigente crítica. Salva todo, en parte, el profundo patriotismo que ennoblece muchas páginas y los trozos saturados de poesía que campean en su texto.

PIEDAD PARA EL ABORIGEN

Tendremos que seguir con los emigrados. Aquí tallaban los faenadores y para el ejercicio de la pluma bastaba con un extranjero inteligente que, usándola como herramienta, trabajara al modo de un profesional o artesano cualquiera, para quien pagara la consulta o el jornal. Así fué el emigrar y el peregrinar de los otros. Pero así fué también el bombardeo desde fuera. Desigual era, dentro de la patria, la lucha mano a mano entre los jovenzuelos del Salón Literario y los valientes de la Sociedad Popular Restauradora, pero don Juan Manuel, dardeado desde la otra Banda, desde el Alto Perú y desde la costa del Pacífico, debió pensar a veces que las escoriaciones de los hondazos molestaban más que picaduras de tábanos. La historia de la cultura nuestra tiene por eso que pasar por la aduana, irse fuera, por agua y por tierra, para seguir a sus personajes hasta los refugios elegidos fuera de la patria de su nacimiento y de sus amores. Hasta la segunda patria, la que reemplazó a la primera por temporadas que para muchos llegaron hasta el final de sus vidas. *Ubi libertas ibi patria*. Aquí respiro la libertad, esta es mi patria. Uruguay, Chile, Bolivia, en la evocación, resultan la patria grande argentina.

Pedro Echagüe fué uno de esos andariegos obligados y soldado por exigencias circunstanciales. El ejercicio de la pluma debió agradarle más que el manejo del sable y la meditación en el gabinete sería por él preferida a las andanzas por llanuras o entre sierras, aunque el sosiego no le vino con Caseros, como a muchos con igual vocación les ocurriera. Pese a tal agitación, tuvo tiempo para escribir páginas que fueron como prolongación de su brega por la libertad y de sus experiencias en la política; obras teatrales, versos y ensayos novelescos, con perfume de su tierra no nativa sino de adopción, la cuyana: *La Chapanay, Cuatro meses en el mar* y *La Rinconada.*

Ése se fué de San Juan hacia el norte, acompañando los restos del desventurado Lavalle. De más cerca de la frontera partió otro peregrinaje, y en él una mujer que dejaría largo recuerdo, en las letras, de su paso por este mundo para ella de dolor y de lágrimas. Se llamó Juana Manuela Gorriti, nació con sangre de próceres en sus venas y con estrella de trágico destino impresa en su frente. El heroísmo de la hora mecería su cuna y el canto materno llevaría el compás del redoble inmenso que despidieran las caballadas de los gauchos salteños, el año 14. Su padre fué camarada de Güemes y pronto el camino del exilio pondría nostalgias de paisaje en su corazón. El dolor se adhirió a ella como compañero inseparable, dolor avivado en plena juventud, cuando la vida reserva para el común de las mujeres sus más puros deleites, al unirse, ¡nada menos que ella, la que fugara de la anarquía y de la montonera de la propia patria!, con uno de esos seres turbulentos y sanguinarios que produjo, como pocas, esa época terrible de la historia hispanoamericana. Belzú, el caudillo del altiplano, era el hombre y dió a la tierna salteñita la vida de los mártires. Si su vida transcurrió entre tempestades, como alguien recordara, la entrada en ella de ese militar de arrebatos y de enfurecimientos sería como la culminación de todas las tempestades en su pecho tierno y delicado. Juana Manuela se refugió en el amor de los hijos y su desquite, a lo grande, fué brindar los bienes de la cultura a los de las tierras que le ofrecieran el regazo de una segunda patria: las de Bolivia y Perú. Victorioso de todos los embates de la suerte, su corazón tenía aún riquezas que desparramar, en cariño para los aborígenes que reflejó en páginas henchidas de patriotismo y de amor a la libertad de su suelo. Así revivió también los actos de heroísmo de quienes lucharon por crearse la propia patria.

Llevó a la novela su compasión por el indio y reflejó en sus narraciones su culto de la belleza y la justicia. Pero su paso por la tierra fué dramático y, por eso, con las dulzuras de su corazón debió mezclarse invariablemente la tristeza infinita de su vida y la sangre que viera correr a torrentes en la guerra de la independencia y en las luchas intestinas de conglomerados que se desangraban en su intento de encontrar, a ciegas casi siempre, su propio sendero. Juana Manuela Gorriti fué tal vez la primera novelista de espíritu americano y a través de su pluma se siente la presencia del habitante autóctono. Algo como efluvios misteriosos de la tierra saturan toda la obra suya y esa misma sangre que se enseñorea a veces de los relatos y la tristeza que aflora en sus páginas no son, a fin de cuentas, más que la representación de la tragedia patria que ella misma presenciara. Lejos de la perfección están las novelas, pero todas brindan delicadezas de estilo y capítulos de méritos artísticos. No predomina el paisaje sino el más puro lirismo y profunda piedad para los caídos surge de su letra y de su sentido más íntimo. Hondo dramatismo campea en esas páginas y en ellas tiene eco su compasión por la raza vencida, su adhesión total a la causa de la independencia y su odio a la tiranía que se adueñó de la patria. Para atestiguar lo primero basta citar *El tesoro de los incas*, *El pozo de Yocci* en el segundo y *La hija del mashorquero* en el último. Las producciones de la Gorriti adolecen de excesiva declamación y hasta de simpleza, lindando algunas con cierta truculencia folletinesca, con exceso de sangre y de aventuras. Pero no son así todos sus relatos, plenos de delicadeza y reflejos de una extraordinaria sensibilidad femenina. Acertó Juan María Gutiérrez al asentar que "en cada una de sus páginas hay pedazos de un corazón de mujer, olvidados en ellas como partículas de oro sobre una piedra de toque; allí pueden estudiarse la ley, los quilates, el inmenso valor de la sensibilidad femenina". Femenina, exquisitamente femenina nos resulta la salteña ilustre a través de sus leyendas y de sus ficciones literarias. Que lo fuera luego de tanto peregrinar con el dolor a cuestas, es lo admirable. Su acierto mayor puede haber sido plantar aborígenes en la novela, único argentino que lo intentara en ese entonces. No es el suyo el indio que diera vigor y sentido a una novelística americana posterior sino un ser humano humilde, vencido, digno de compasión. De éste al de las novelas de ahora larga es la distancia, pero mucho vale también establecer un punto de partida [1].

---

[1] En colaboración periodística que recogió después en su selección de *Cuentistas argentinos del siglo XIX*, Renata Donghi de Halperin vierte un juicio severo sobre Juana Manuela Gorriti, cuyo romanticismo, dice, está dentro de una tendencia "desenfrenada y de pésimo gusto", cuya filiación establece en lo peor de Víctor Hugo y de Jorge Sand. Basta recorrer las páginas de esa misma selección para atenuar el juicio sobre la escritora salteña, cuya producción, como la de la mayoría de los escritores de su tiempo, no ha de juzgarse desde un punto de vista actual y estrictamente literario. Tiene más importancia, en los relatos de doña Juana Manuela, la incorporación del indio a la narrativa argentina, por ejemplo. Mejor que *Quien escucha su mal oye* la representarían algunos de los relatos que hemos citado.

III

HEREJES Y MAZORQUEROS

El romanticismo, enfermedad de la época, saturaba el campo literario y los hombres mismos vivían y pensaban en romántico. Según el temperamento de cada uno, sus producciones acusaban un romanticismo melancólico y dulzón o iban a la declamación y a lo grandilocuente. Los ensayistas primeros que hemos citado estaban de un lado; en el otro, Sarmiento, por ejemplo, con su evocación a la sombra terrible de Facundo, pórtico de su libro más famoso. Y basta mirar el retrato de Mitre mozo para pensar que las páginas de *Soledad* le brotaban del alma.

El campo de cultivo resultaba óptimo y si la historia vieja no daba tema ni ambiente para la novela al tipo de Scott o de Dumas, la lucha del momento sí y se dió el hecho singular de que en nuestro país, en plena guerra intestina, cuando se estaba viviendo el instante mismo de la acción, se escribiera la obra imaginativa encuadrada en los cánones del romanticismo histórico. Tenía el novelista muchas desventajas, pero contaba en cambio con innumerables factores a su favor, pues si la pasión de la lucha podía quitarle equilibrio para juzgar los hechos e independencia en el reflejo de sucesos y en el retrato moral o psicológico de los protagonistas, vivir la atmósfera de su novela, contemplar el paisaje y mirar cara a cara a los que en él se movían permitía retratar a la sociedad y a quienes la formaban. De lo primero y de lo último da el ejemplo Mármol con su *Amalia*. ¿Quién reflejó después, en la novela, la época de Rosas con tanto colorido y con igual fidelidad? Indudablemente, ninguno. Es que hasta la pasión misma del combatiente contribuyó a animar el mundo heterogéneo que se mueve en su obra.

La ciudad se pinta de rojo

A juzgar por la fecha en que fué escrita su novela (1846), Juana Manso sería el primer novelista de tres que han de destacarse en nuestro romanticismo histórico: ella, José Mármol y Vicente Fidel López. Pero la amiga y colaboradora de Sarmiento en la siembra de abecedario tenía poca imaginación para cultivar el género y a esa poca la temía, como si quisiera ofrecer en *Los misterios del Plata* tan sólo un episodio real de la Dictadura: el de la captura y prisión de Valentín Alsina y de su fuga de las manos del dictador. Por eso aclara y documenta en citas de pie de página cuanto teme que el lector pueda creer exagerado. Hay cuadros que captaría mejor Mármol, con negros y restauradores en su centro, pero es esencialmente infantil e ingenua, con tintes de dramón, esta novela que doña Juana no dejó terminada. Y simple, porque los personajes no tienen complicaciones: los buenos, buenos; los malos, malos.

Daba para más la ciudad vestida de rojo y el filón encontró un minero que supo explotarlo. Fué éste el poeta de los apóstrofes y de las maldiciones a Rosas, rimadas, quien captó todo en relato con influencias de Dumas y esencias manzonianas. Tampoco complicó mucho los caracteres, porque la escuela lo aconsejaba y el propósito mismo del autor no ocultado, lo exigía, y plantó en la escena dos grupos de personajes: los nobles, los patriotas, los honestos y los bellos, en un sector, frente a la escuadra de los asesinos, lo viciosos y los traidores, que formaban en el bando opuesto. Sabemos quién es el autor y cuál su finalidad. No debemos por eso anotar qué posición política ocupaba cada uno. Como novela, es decir, creación de tipos, argumento y realización literaria, puede balancearse *Amalia* entre virtudes y defectos, pero tal equilibrio nace del análisis frío, realizado sin perspectiva histórica. Ubicada la obra en el instante en que fué escrita, ¿qué novela hispanoamericana puede ponerse a su par? Tal vez *María*, muy posterior. En España, el romanticismo tuvo pobres expresiones novelescas, que se concretaron en folletones o libros de aventuras de discutible calidad literaria. En un balance comparativo, aguanta bien un primer sitio el libro de José Mármol.

Lo que queda de la novela no es el romance, el paisaje ni los protagonistas literarios. Algo de más valor dejó el poeta en su obra, y fué el retrato vivo de una época y de personajes reales que en el escenario elegido para su trama se movían. Frente a los seres convencionales, los de la realidad. Y nada valen Daniel Bello, Eduardo Belgrano, Florencia ni la misma Amalia comparados con aquel coronel Santa Coloma, presentado en pocos trazos, la hermana de Rosas, Salomón o Mariño. Rosas, centro de los ataques, resulta más convencional. Pero por sobre los personajes mismos —los reales y los irreales— vale aquí el ambiente, retratado con un colorido por momentos extraordinario. Se mueve la multitud y aparecen en la escena las capas sociales que afloran en esos momentos especiales de la historia. Si eso solo basta para consagrar una novela evocativa, ésta tiene algo que vale más y es la captación esencial del espíritu y método de una dictadura. Bien puede decirse que el miedo

se enseñorea de la escena y por el miedo, bien adminis-
trado, el dictador obtiene lo que no lograría con otros
medios, hasta que el hermano tema al hermano y el marido
a su mujer. Con el miedo y con el halago, la obediencia de
la multitud, "Porque esa multitud oscura y prostituída que
él había levantado del lodo de la sociedad [...] había adquirido desde temprano el hábito de la obediencia irreflexiva
y ciega..." La dictadura era reflexiva y sus golpes estaban
bien calculados. Se daban en el momento preciso, con insensibilidad absoluta para que corriera la sangre, cuando necesario se consideraba que así fuera. Como siempre también,
rencores, odios y venganzas personales se transformaban en
cuestiones de gobierno y la delación era lo corriente, esti-
mulada y fomentada desde arriba. Mármol ha dejado de
todo eso un testimonio que si no fuera verídico en lo episó-
dico, en la anécdota y en la fidelidad externa, lo es totalmente en cuanto a la esencia misma de la época. Habrá
recargado las tintas para hacer más repelente el forajido,
por ejemplo, pero este es recurso de novelista, como lo es
del pintor acentuar un rasgo distintivo en sus retratos.

Es, *Amalia*, una novela política, con una dirección y un
sentido hasta de propaganda, pero lo interesante es que por
sobre esas intenciones visibles la obra literaria quedó realizada y se ha prolongado, fresca, hasta ahora. Rosas no tiene
aquí la grandeza que surge de los apóstrofes que contra él
lanzó el mismo autor. Amalia, la protagonista, resulta algo
que se concibe solamente como ideal, lo mismo que su novio,
pero hay también muchas páginas excelentes, como las que
relatan el viaje del joven argentino a Montevideo y su
emoción profunda cuando, en el café, sabe que está entre
hombres que debieron tener para los enemigos de la dictadura contornos de leyenda. El entusiasmo no lo ciega y
mucho se dice sobre la situación real en la otra orilla del

río, con los desengaños de Daniel al tratar directamente a los emigrados. El poder dominador y aplastante de Rosas flota en el ambiente de todo el relato y es como un aliento de tragedia que va desde la primera hasta la última página. Con buen colorido se describe un baile en Palermo y se presentan soldados de la Sociedad Restauradora no desprovistos de realidad. Gálvez mismo, al reconstruir posteriormente esa época, no ha logrado enfoque tan preciso como el de Mármol para presentar con vida algunos de los allegados a don Juan Manuel.

Una figura femenina pasa muchas veces al primer plano de la novela y se presenta como el ángel bueno de la Federación: Manuelita. Contribuyó mucho *Amalia* para que adquiriera en la posteridad ese prestigio, pero como ser humano esta mujer resulta incomprensible en un análisis objetivo y sereno. Si era tan buena, si tenía tanta bondad en su corazón, ¿cómo no se rebelaba ante ese constante derramar de sangre? ¿Cómplice o simuladora? Porque si le repugnaba el ambiente en que como hija del dictador estaba obligada a vivir, si se asqueaba de los negros delatores y rehuía a las comadres de lengua ponzoñosa, ¿por qué vivía y accionaba en su centro? Manuelita no podía ignorar toda la barbarie que bullía a su alrededor y si no podía ignorarlo no tiene explicación sencilla su papel de instrumento del mal y de amparadora a la vez de los adversarios políticos y de los perseguidos. Una mujer ha oteado ya este problema y hasta un libro escribió sobre ello y a través de Mármol surgen, con poco esfuerzo, reflexiones y conclusiones que a él no le preocuparon [1].

---

[1] De las reflexiones de Pilar de Lusarreta en *Iconología de Manuelita* surge una hija de Rosas muy distinta de la que nos dejó la leyenda cuidadosamente elaborada, sendero trillado que resultó cómodo seguir a los novelistas románticos. Antonio Dellepiane en una obra póstuma (*Rosas*) dedica un valioso capítulo a la hija del tirano, que no fué

La novela tiene exceso de palabras y hasta penetra en la zona del folletín, pero va superándose constantemente y ganando en limpieza de estilo. Con esas fallas y con otras, como el absurdo de mostrar a Rosas en actitudes de hombre de lupanar frente a su propia hija, *Amalia* tiene méritos para perdurar y ha de seguir leyéndose por mucho tiempo.

La Santa Inquisición salva las almas

La Inquisición proporcionó tema para muchas novelas. Los fieles dicen que el afán de salvar las almas, santo y bueno, dió episodios de dolor y de sangre, pero recuerdan que extirpar tumores y cauterizar heridas también produce dolor y cuesta sangre. El fin es uno y los medios otros. La pasión encendida de fe y de piedad para la humanidad doliente que debe salvarse resulta admirable en frailes y fanáticos. El temor, el terror y la angustia de los sospechosos, impresionante. Los sufrimientos y el heroísmo de los herejes para luchar contra todo ese armazón de la organización inquisitorial, admirable. El espíritu ruin, rencoroso y vengativo de quienes la aprovechaban para su uso personal, repugnante. Esas eran las gentes que hacían su juego con y contra la Inquisición y escenario el mundo heterogéneo de clases y de individuos que fué la sociedad limeña, poblada por capas que lucían alcurnia heredada, prestada o robada y estratos en que negros, mulatos, indios y mes-

---

a fin de cuentas sino un instrumento más en las manos de su padre, como lo fuera, seguramente con otra inteligencia natural y hasta con su propio instinto político, doña Encarnación, la madre del "ángel bueno de la tiranía". Cerca anduvo E. F. Sánchez Zinny, quien estudió el personaje en *Manuelita de Rosas y Ezcurra*. Tras ella encuentra siempre la presencia del padre, de tal modo que Manuelita no es sino apenas una leyenda, creación del ansia de bondad que sintiera un pueblo azotado por la amarga realidad de esos instantes.

tizos hacían el extremo inferior para apretar entre medio a la otra clase que pocas veces aparece en la historia ni en la literatura y que había de ser también fermento en una sociedad que estaba en vísperas de transformación. Ahí plantó Vicente Fidel López su escribanía para hacer mover personajes de una novela, que llamó *La novia del hereje*, en la que mezcla, con gracia y con excelente colorido, lo histórico con lo novelesco. Tenía pasta para lo uno y para lo otro. Tanta, que en la historia encajó después mucha técnica de novela y en la novela, ahora, nos hace mover con mucho realismo personajes que tuvieron existencia cierta. El que revivió el mundo limeño de la Colonia, hizo accionar, en otros libros, pandillas y multitudes (¿puede hablarse de multitudes, aquí, en esos tiempos?) en las pampas rioplatenses. Ahí está en parte el encanto de los libros del contrincante de Mitre, en su arte de novelista.

¡Qué película magnífica podría hacerse con esta novia de pirata! ¿Se imagina el lector las andanzas de los negros charlatanes, los encuentros de la ingenua niña María Pérez y Gonzalvo con el rubio hereje, la figura del inquisidor, enconado, haciendo sus acusaciones; el impresionante sótano de las torturas, el abordaje de las naves españolas por los barcos piratas? Eso, todo eso, anda por la novela. Eso y algo más, porque asistimos al desfile de los condenados en una procesión que, tomada en su escenario más teatral, evocó mucho después don Enrique Larreta. Y nos ofrece más aun, relatado en capítulo que refleja su grandeza: un terremoto que asoló a Lima. Ahí andan frailes y tapadas, algún boticario chismoso y tal cual casuista fabricando silogismos.

Todo ese pueblo pintoresco, pleno de color y de movimiento y rico en sucesos de la picaresca que había de explotar más tarde, con humorismo juguetón e ironía punzante, don Ricardo Palma, maestro de la tradición americana y sin par aquí para decir las cosas con gracia, es el que desfila en las páginas de *La novia del hereje*. López mostró en ella su espíritu investigador e hizo revivir con bastante acierto la más movediza de las poblaciones coloniales de la América española. Su argumento se anuda en los amores de Henderson, lugarteniente de Drake, con una joven de la sociedad limeña, tomada prisionera en un abordaje y devuelta por el capitán corsario a su tierra. Pone así frente a frente dos mundos distintos, en tiempos de fanatismo religioso y de lucha por el predominio entre una nación que va dejando de ser grande y otra que entra en el apogeo de su poderío. Se denuncian a la Inquisición esos amores herejes y la niña, la cándida y dulce limeñita, ha de sufrir acusaciones, sospechas y hasta torturas inhumanas, propias de una época y de un sistema. Para presentarlo, maneja una cantidad extraordinaria de personajes, excelentes algunos por su psicología o sus pasiones, pintorescos otros. Se relatan reuniones de mulatos, se destaca la extremada autoridad paterna en la familia colonial y se narran los enredos que los inquisidores, con su casuismo y con su organización perfecta de espionaje, van empleando para atrapar sus víctimas. Más agudizada en Lima que en las demás ciudades, pueblos, villas y cuanto centro poblado se contaba en los viejos tiempos hispánicos de América, la lucha entre el poder civil y el eclesiástico era continua y muchas veces rencorosa. Allí las riñas y peleas entre funcionarios civiles y los de la Santa Hermandad, llenos éstos de privilegios, adquirían tintes sombríos porque ésta no se conformaba con las condenas para la otra vida sino que en la terrena, ya bien cargada de dolores y amarguras, hacía también de las suyas. Esa lucha, con sus angustias, con sus temores y con el terror que ponía en los infelices que se hacían sospechosos o caían bajo el odio de quienes ejercían esa función de oxigenación teológica, está muy bien reflejada, con vigor en la descripción de los actos inquisitoriales, que torturaban almas y cuerpos y hacían temblar a los corazones mejor templados.

Se produce el desenlace de la novela con una expedición inglesa a Lima. Los piratas aprovechan un terremoto para asaltar las prisiones de la Inquisición y libertar a los cautivos. La catástrofe está relatada con maestría. Puede cualquiera imaginarse el instante éste de la orgullosa ciudad, cuando los herejes llegaban por el mar y los infiernos, haciendo temblar la tierra, arrasaban con todo. Beata y pecadora, religiosa y mundana, amiga del rezo y de la jarana, todo a la vez, la gente tenía que sentir esas desgracias como castigo divino y no sería nada el miedo a las herejías de los piratas o al derrumbe de algún muro sobre la cabeza, frente al que traería el pensar en los pecadillos pasados y en el castigo futuro. Por algo todos corrían a la confesión y hacían acto de arrepentimiento, antes de que fuera demasiado tarde.

Hay en la novela páginas que sobran. En muchas la acción se aduerme sin beneficio para el relato y carga demasiado las tintas en algunos personajes, pero lo cierto es que a pesar de ello y del desaliño general del estilo ofrece un conjunto vigoroso, con notas de hondo dramatismo que matizan páginas plenas de humor, y la evocación general de un momento histórico se ha realizado con singular acierto. *La loca de la guardia*, episodio de la gesta sanmartiniana, no hace pensar en lo mismo, pues es más dramón que novela, pero Vicente Fidel López tenía pasta de novelista de la historia. *La novia del hereje* y muchos capítulos de sus libros didácticos o de reconstrucción documental así lo demuestran [1].

---

[1] Alrededor de los años en que se producían las novelas que citamos en el anterior y en el presente capítulo, se daban también otras obras de ese género, buena parte de ellas escritas por manos femeninas. Ricardo Rojas, *Lit. arg.*, Los modernos, caps. XIV y XVII, da la nómina de autores y títulos.

IV

LLEGA EL MICROBIO NATURALISTA

Entramos ahora en una década afiebrada, de transforma-
ciones que por momentos adquieren contornos de cataclismo
social. Es la que vive, en plena fiebre bursátil y con ilusiones que habían de cortarse trágicamente, la llamada generación del ochenta, que brindó al país hombres de gran
talla, constructores de la nueva Argentina, buena o mala,
o buena y mala a la vez, que estamos viviendo. Fué la década
de los ferrocarriles, del alambrado de los campos y de las
primeras exportaciones de granos. La nación, resquebraján-
dose por momentos, tomaba su rumbo. La inmigración creaba
pueblos y, tras las tropas que hacían de puntas de lanzas,
se iban tierra adentro los nuevos pobladores, porque el gringo arrimaba otras costumbres que la prolongada siesta con-
fiada en la reproducción de los ganados. Si eso nos hizo
más felices o no, es cosa que todavía algunos debaten.
Entonces, dominadas las gentes por la fiebre de progreso,
nadie lo discutía, pero lo cierto es que de medio millón de
habitantes que tenía la capital en la época, trescientos mil
eran extranjeros, que venían como alud en busca de la
tierra de promisión, creando problemas insospechados y
contagiando a todos su afán de riquezas prontas, bien o mal
habidas. Había alta temperatura en todo, en la política y
en la economía, por ejemplo, y si la primera tuvo dos cul-

minaciones en la capitalización de Buenos Aires y en la revolución del 90, la segunda destacó el agio y las fortunas asentadas en el tembladeral de la Bolsa, en cuyas fauces caerían todos, aventureros inescrupulosos y financistas ingenuos. Fué la época de mayor transformación nacional, pues si la Revolución del año 10 cambió el régimen político y nos llevó a la independencia, el vivir ciudadano o campesino siguió su mismo tranco, tranco de carreta boyera en algunos aspectos, hasta los años linderos con el fin de siglo. Muchos hombres selectos, de espíritu abierto, de inteligencia clara y de carácter firme, formaron en esa maltratada oligarquía y llevaron su esfuerzo y sus afanes de progreso a todas partes, actualizando la legislación, poblando el territorio para que no siguiera siendo Argentina solamente la realidad de los centros principales, las ciudades de la Colonia, y discutiendo principios sociales que se habían creído inconmovibles. Fué época de fiebre y de busca de rumbo. Había de registrar errores cuyas consecuencias se prolongaran a la actualidad, pero con yerros o sin ellos era una pueblo deseoso de encontrarse a sí mismo, aunque tuviera la mirada fija en el viejo mundo, punto de referencia que se creía imprescindible para saber lo que era progreso.

Todo esto quedaría documentado en la literatura, tanto o más que en los célebres debates parlamentarios sobre la capital del país, el matrimonio civil o la laicización de la enseñanza. Lucio López, gloria malograda, nos brindaría la postal de la transformación de la gran aldea, Julián Martel la que fijaba el derrumbe de tantas ilusiones que también reflejaría, al pasar, Podestá, y relataría, océano por medio, Ocantos. Grandmontagne, vasco acriollado, reviviría los afanes, los triunfos y las caídas del inmigrante, mientras Cambaceres nos hablaría del desamparo espiritual de una generación falta de rumbo, sin principios superiores ni objetivos para su vida, y Payró nos ofrecería el film realista de la formación del nuevo argentino, con robustas raíces en lo picaresco, en la ambición de dominio, en la rapiña y en la ausencia de moral.

Como característica de esta novelística documental ha de destacarse la influencia de Zola. El amigo de las frases irónicas diría que fué una de las tantas plagas que nos trajeron los gringos, con el cardo ruso y los gorriones, pero bien se sabe que esta clase de microbios viene por el aire... Igual que el modernismo y el romanticismo en la prosa y en el verso, el naturalismo zolesco tuvo su eco en las novelas de estas tierras, donde hizo discípulos y encontró resonancia en gran cantidad de escritores. Puestos a clasificar, con las licencias y la elasticidad implícitas en toda clasificación que se refiera a los productos de la mente humana, diremos que caben aquí, íntegramente, cuatro de nuestros novelistas. Los restantes con influencias naturalistas —Martel, Payró y Gálvez entre ellos— pueden ocupar otro sitio que el de adaptadores más o menos fieles de la escuela zolesca. Argerich, Podestá, Cambaceres y Sicardi no han de citarse en cambio sin asociar sus nombres al creador de los Rougon-Macquart, que fué su inspirador y su guía. Médicos el segundo y el último, era natural que sus personajes se colocaran en el terreno patológico, realizando estudios psiquiátricos tanto como argumentos novelescos. Cambaceres no llegó a eso, pero destacó su pluma en el relato de crudezas con las que hubo de brindar su homenaje al maestro y a la moda. La introducción de esta moda, como la de todas, ofrecía resistencias, pero el naturalismo, desbordante de energías y justificando su razón de ser, arrasó con todo. Hasta sus adversarios fueron conquistados y el ejemplo más elocuente había de ser Martín García Merou, que publicó andanadas contra Zola y una novela zolesca, todo en un mismo año. El romanticismo, enfermedad artificial en esa época, se hacía ridículo y empalagoso. Pero el escozor que produjera la literatura opuesta sería mucho también, pues había buena dosis de insolencia en quienes abrazaban la nueva escuela.

Zola se metía en todos lados. Lo ocultaban con vergüenza las damas en sus alcobas y lo discutían los varones en los cafés. Se debatía en las columnas de la prensa y hasta se publicaban en la misma, a la par que en la de París, sus últimas producciones. Barrió el naturalismo con ñoñeces y con la enfermiza literatura que ya nada tenía que hacer, pero las primeras publicaciones de la nueva tendencia no alcanzaron la jerarquía que, en su tiempo y en su terreno, tuvieron las más importantes de la escuela que caía derrotada por el proceso evolutivo natural y por los vientos que venían atravesando el Océano. De *Amalia*, por ejemplo, a *Inocentes o culpables*, hay buena distancia. El proceso de ensayos y aprendizajes tiene siempre estos reflejos.

El terreno, aquí, era propicio para incursiones, intentos y realidades de la nueva literatura. Formaba la sociedad un conglomerado humano integrado en parte por gente de aventura, venida de lejos para hacer rápida fortuna, de ambiciones sin límite y contagiosos afanes de placeres, de dispendios, de lujos y ostentaciones. En algunos aspectos la capital se asemejaría a esas plazas cerca de las cuales se descubren vetas mineras, por su crecimiento acelerado y la variedad de sus tipos pobladores, venidos de todas las latitudes. Trigo limpio y escoria; campesinos y jornaleros que se transformarían en fundadores de pueblos, aventureros internacionales, profesionales de la trampa y del negociado turbio. En realidad, podían ser varias sociedades en una, porque tal aluvión de todas las razas hacía a un lado y por momentos ocultaba esa otra población tradicional, pegada a sus viejas costumbres, de hombres de campo y familias de pequeña industria. Según el enfoque, así habría de verse la Argentina y por eso reflejarían igual la época, en la literatura, Cané, hijo, y Cambaceres, Martel y Lucio López, Podestá y Grandmontagne, Argerich y Sicardi. La escena, variada, pertenecía a un mismo teatro, porque el colegio de *Juvenilia* está enclavado en la misma ciudad que la Bolsa, poblada ésta de aventureros; el conventillo del *Libro extraño* es vecino del teatro donde el protagonista de *Sin rumbo* compra con alhajas a cantantes de discutible voz y conocida escuela, el negocio de ramos generales donde Forondita asienta su fortuna está cerca de los salones dorados de *La Gran Aldea* y entre los inmigrantes que se ven desfilar en *Irresponsable* cabe bien el italiano Dagiore. Y de todo aquello tenemos esto. De la Argentina de entonces, la de ahora. El pasado fué levadura del presente que vivimos y que no es, a fin de cuentas, más que otra levadura, la de la Argentina del futuro.

La damita se viste de largo

Nada mejor, para montar la escena en que se desarrollan todas o casi todas las novelas que acabamos de citar, que dar entrada aquí a la damita que está vistiéndose de largo. Buenos Aires, aldea, se transforma y se llama, en ese instante, la gran aldea. Pronto sería gran ciudad y más tarde urbe de extraordinaria magnitud. A través de *Juvenilia*, la ingenua y fresca autobiografía de Cané el joven, se entrevé un Buenos Aires con las quintas a tres pasos. En Lucio López no se nombran, lo que significa lejanía. Estamos, pues, en *La Gran Aldea*.

Dejamos a un López, el de *La novia del hereje*, y nos encontramos con otro, que no es el segundo sino el tercero de las letras nuestras, porque el primero fué don Vicente, el de *El triunfo argentino* y de la *Marcha patriótica*, que es nuestro himno nacional. Así andaban las cosas y viendo eso de los Cané, de los López, de los Varela y de los Mitre, patricios, y por contraste, el autor está por darle la razón a don Antonio Argerich, cuando dice que de inmigrante de frente estrecha no pueden derivar hijos inteligentes. Pero la reflexión aconseja formular los juicios a posteriori y decir que ahora tenemos algunos nombres que no continúan pero pueden empezar dinastías. . .

Hijo de historiador y nieto de poeta, Lucio fué representante de su generación, inquieta, vigorosa, movediza, inteligente. Fueron los suyos años en que la juventud, apasionada y dinámica, daría carácter al país, en las letras y en la cultura sobre todo. Lucio López empezó pronto y fué catedrático de historia y de derecho, periodista, tribuno, político, novelista. Y en medio de todo eso, como Cambaceres, como Mansilla y como todos los de ese tiempo, el conversador ameno que cuadraba a la sociedad de tales momentos, cuyos hombres elaboraron en el club aristocrático los proyectos de gobierno y planearon los negocios de campos, de títulos y hasta de ferrocarriles. Con buena influencia naturalista, pese a que el autor cargara fuerte en sus artículos contra el que firmara *Naná*, López escribió *La Gran Aldea* para legarnos el documento de ese instante de transformación de Buenos Aires, momento culminante del estirón porteño. Es una novela que no siempre lo parece pero que tiene páginas de permanente frescura y retratos al lápiz de tipos muy de su tiempo. Los capítulos fueron saliendo, apresurados, de la mesa de redacción periodística, entre un artículo de polémica y los apuntes para la lección de derecho del día siguiente. En folletín se iban dando, como muchos de los futuros libros argentinos, cuando no se había secado aún la tinta de la cuartilla. El libro pone frente al lector costumbres porteñas de la época, tertulias familiares, funciones de gala, actividades comerciales, bailes y desfiles. Entre la gente que se mueve, la de la tradición y la del aluvión. Se camina hacia el noventa y bien se ve que el afán de riqueza y el deseo de obtener dinero para derrocharlo no es el caso individual sino la ambición colectiva. Con esas miras buscan novio las niñas y, encandilada la vista por el dorado metal, hay marido que cierra los ojos y no ve las actividades deshonestas de su media naranja. Vive López su novela, que no en vano tiene forma autobiográfica, y de ahí nace la frescura del libro, lo pintoresco de algunos personajes tomados de la mano en la diaria convivencia. Tanto en lo histórico como en lo imaginado cuadra bien sin duda el modo de los recuerdos, y los cuadros que fijara son por momentos como apuntes de pintor impresionista. El documento disculpa las fallas de la ficción, pues en ésta, en los personajes sobre todo, no se perfila el estudio y el análisis sereno de su psicología, aunque hay en ellos muy buenos aciertos y de una línea es don Benito, solterón impenitente y calavera inveterado pero individuo substancialmente bueno. Blanca, fría y calculadora, pasa bien por la novela pero no se la comprende huyendo justamente cuando está a punto de cumplirse el propósito que la llevó al matrimonio, que fué el de heredar la fortuna del marido. Y éste, hombre normal, ¿puede considerarse en plena senilidad cuando apenas ha cumplido cincuenta años?

Documenta *La Gran Aldea* costumbres que tuvieron reflejo en la literatura, como ese de hablar o hacer citas en francés, que se adhirió a la gente con barniz o con savia de cultura. Era la influencia persistente de París, total y no simplemente idiomática, que explica tendencias y estilos, virtudes y defectos de la novelística de fin de siglo.

Observador perspicaz era Lucio López y tan reales como los que caminan por las páginas de *La Gran Aldea* son los personajes de su relato titulado *Don Polidoro*, cuyo protagonista puede muy bien sintetizar los argentinos "de posición" de su época, quienes habían de ir con rumboso tren a la capital de Francia, es decir, al centro del mundo civilizado. Con ironía fina se narran allí las andanzas de un criollo, dueño de tierras en la campaña y de casas en la capital y propietario de diploma de legislador. El hombre, incapaz de otras frases que las corrientes en su idioma nativo, es vomitado en París con toda su familia y tres sirvientes: once personas en total. Lleva ochocientos mil pesos fuertes para gastar y los gasta, como la mayoría de los ricos que entonces hacían esos viajes. El resultado será haber mirado mucho sin ver nada, hacer el ridículo unas veces y ser explotado otras, pero nadie le quitará después al pintoresco personaje el alto concepto social en que se tenía a sí mismo cuanto estanciero o tendero enriquecido corría idéntica aventura. *Don Polidoro* es un capítulo de los *Recuerdos de viaje*, de López.

Inocente pecador

Un pequeño volumen anunció, en 1881, la presencia de un futuro novelista. Llevaba prólogo de Eduardo L. Holmberg y tenía por título *Un poco de prosa*. La firma decía Antonio Argerich y era una recopilación de páginas juveniles, miscelánea recogida de la columna periodística, con intentos de ironía, sátira y crítica social. Había también algunas escenas imaginadas, producto de aficiones novelísticas

Todo intrascendente por cierto frente a lo que vendría tres años después, en un tomo de pequeño formato, grande ambición y cumplido propósito: encajar el naturalismo en la novela del Plata. Bien eligió el escenario y escogió los personajes, pero uñas le faltaron para hacer una gran novela.

El inmigrante, la herencia biológica y las pústulas del cuerpo y del alma. Tal es el tema que se desarrolla en las páginas con que Zola entró en la novelística argentina. Audacia sobraba para arremeter con el asunto y no faltaron ideas, estudios, observaciones y meditaciones antes de poner el nombre de Dagiore en la primera escena. El prólogo dice mucho y en él lamenta el autor no poder continuar en notas adicionales explicaciones y razonamientos. Entonces, se nos ocurre, el libro fuera un tratado de antropología y las notas lo novelesco. "He estudiado una familia de inmigrantes italianos y los resultados a que llego no son excepcionales sino casos generales; los cuales pueden ser constatados por cualquier observador desapasionado", asienta Antonio Argerich al presentar *Inocentes o culpables*. Cita a Darwin, hace alusión a la política inmigratoria del gobierno y apunta: "¿Cómo, pues, de padres mal conformados y de frente deprimida, puede surgir una generación inteligente y apta para la libertad?" Dagiore, naturalmente, tenía la frente deprimida y sus hijos sufrirían las consecuencias. Para aclarar un poco, digamos que al autor apuntó al individuo inferior de la inmigración que llegaba.

Valentía tuvo mucha Argerich para abordar las más escabrosas escenas de crudo realismo. El libro se mete en los lupanares, describe enfermedades adquiridas en ellos, relata adulterios y corona tanta miseria con un suicidio. García Merou, antes de declararse vencido en su riña con Zola, dijo que esta novela, más que al naturalismo, pertenecía al romanticismo del mal, pero el biógrafo de Alberdi cambiaría después el juicio, aunque no lo dijera, como cambió de escuela. Es *Inocentes o culpables* un interesante documento, porque señala la introducción total de la novela experimental en el Río de la Plata y porque no deja de reflejar ambientes y costumbres. Por primera vez, creemos, se presenta en un libro la patota porteña y personajes hay que habrán sido arrancados del ambiente real; se documenta el lenguaje del hampa y se retrata la vida de los bajos fondos. Ninguno de esos personajes adquiere sólida personalidad, pero es indudable que pocos retoques más hubieran hecho de Dorotea, el femenino de primer plano, una magnífica creación. El estudio mismo de esa familia podía haberse concretado, con pluma más avezada, en excelente documento de una época. En otro aspecto, le falta al libro consistencia literaria, porque el relato es frío y descarnado; carece de médula.

¿Inocentes o culpables? El cura y el abogado discurren al final de la obra sobre la inocencia o culpabilidad de toda esa gente arrastrada por fuerzas biológicas. Sobre el autor también podría discutirse. La intención fué buena y si pecador también fué inocente. Para nosotros la novela, por su sitio entre las precursoras de una tendencia, mucho vale.

PALOMAS Y GAVILANES

De corte realista y con mucha influencia zolesca es una novela que debió de aparecer en Buenos Aires poco después de 1880 (la segunda edición, que tenemos a la vista, lleva data de 1886) y que firma un ficticio doctor Ceferino de la Calle, tras el cual estaba un joven médico español, según el *Anuario bibliográfico* de Navarro Viola. Se titula *Palomas y gavilanes* y trata nada menos que de actividades celestinescas. Se abre el libro en 1874, en ciudad de provincia, donde la violación de dos criaturas provoca escándalo mayúsculo, con tumultos que agrupan "miles" de personas. Las víctimas pertenecían a la mejor sociedad y los victimarios, personajes influyentes, se valieron de los oficios de una mujer que se dedicaba a tan indigna tarea, oculta tras sus aparentemente piadosas y honestas costumbres. La policía puso sus manos sobre la dama y encerró a uno de los varones, al menos influyente, desde luego.

Ese es el prólogo. Los actos siguientes del drama se desarrollan años después, en Buenos Aires, a donde se trasladó la Celestina, que cambió de nombre y no de actividad, y las dos niñas, hijas ambas de un prestigioso padre de la patria. La trama es de folletín y el destino de la familia provinciana se entrelaza con el de otra de figuración cuyo jefe, rico financista, emplea sus ocios en la conquista de menores, desde luego que con los oficios de la vieja Catalina, la misia Juana de las primeras páginas, quien le ofrece un día nada menos que el plato de la propia hija, caída en el lodo. Murió este hombre cuando descubrió la horrorosa realidad. Su hijo se casó al poco tiempo con una de las provincianitas y el mismo día de la boda llegó el violador de ésta, individuo que cayera en la más baja plataforma social, para demandar al padre de la niña dinero por su silencio. Y el pobre anciano, enloquecido por el drama, mata al atorrante borracho con el propio cuchillo que éste desenvainara.

Cuenta más en la novela el ambiente que refleja. La organización de la tarea por estas mujeres servidoras del vicio; la existencia de caftens que explotan a quienes trafican con el cuerpo, la miseria de pobres mujeres que han de vivir con centavos que proporciona la costura para los "registros", la vida en los conventillos y la sociedad de la resaca humana que se aloja en abyecta promiscuidad en las alcantarillas de las aguas corrientes, donde tuvo origen precisamente la palabra "atorrante". El autor, aunque un tanto llorón a veces, no repara en dar pasos para descubrir lacras y relatar episodios de que gustó la novela naturalista.

Don Ceferino se hizo zafado, burlón y un tanto cínico para relatar escenas que a veces recuerdan las del picaresco Paul de Kock. Lo hace en otro libro suyo, que dedica "A la muy noble y muy heroica Sociedad Batuqueira", se titula *Perfiles y medallones* y lleva como cabecera de portada palabras que pueden servir de advertencia para los timoratos: *Panorama bonaerense. Salón reservado.* Edición de 1886. Es un panorama licencioso y si propósito del autor fué, como lo manifiesta, "descubrir las costumbres y pasiones de esta sociedad", lo cierto es que no observó sino las costumbres que pueden verse por el ojo de la llave, en las habitaciones de casas de citas. Amagó este abogado de menor cuantía con otras seis novelas, a las que los *Perfiles* servirían de prólogo. No sabemos que las publicara. A lo mejor se arrepintió de tal propósito, como se arrepintió el calavera Ceferino de su vida galante cuando la novia lo abandonó por pervertido y se vistió de monja.

El hara-kiri en la Pampa

Como Lucio López, Eugenio Cambaceres representa bien a la generación del ochenta, inquieta y buceadora. Hombre de letras, de política, de estancia y de gran mundo, defendió en el parlamento principios liberales y su brega por la separación de la Iglesia del Estado provocó casi tanto escán dalo como la aparición de sus libros, de uno de los cuales alguien diría —García Merou lo asentó— que era una letrina decorada con tapices de Persia. Las vacas, que se reproducían regularmente, le daban libertad para pasear su aburrimiento y su diletantismo por la gran aldea y por las viejas ciudades de Europa. Era hijo de francés y visitante continuo de la patria de Hugo, hasta dar allí, en idioma que manejaba mejor que el nativo, su último suspiro. Cuatros libros publicó Cambaceres, influídos por la novela experimental francesa. De ellos, dos son totalmente novelas: *Sin rumbo* y *En la sangre*. La última, de estrecho parentesco con la de Argerich, estaba destinada a demostrar que el hijo de inmigrante lleva como herencia lo innoble. Fué su último libro, pero no el que señalaría su puesto destacado en las letras nuestras. Hay en las novelas de Cambaceres algo de autobiográfico (mucho en *Sin rumbo*, fuera de duda) y personajes de la vida real porteña quedaron encajados en ellos con nombres que no fueron disfraz para ocultarlos a quienes los trataban a diario y conocían sus andanzas.

Novelas autobiográficas, novelas con clave, pero ¿qué novela no lo es? Cada novela tiene un poco de autobiografía y en cada novela andan también las gentes que su autor trata y observa de continuo. Y ahí está precisamente una de las habilidades de quienes escriben, en sintetizar esos personajes y en captarlos en lo esencial. Aquí fueron muchas las novelas con clave, desde *La Gran Aldea* hasta *Adán Buenosayres*, pasando por *Pago Chico* y por *El mal metafísico*.

Libro documental es sobre todo *Sin rumbo*. Los capítulos porteños nos dejaron reflejadas costumbres de Buenos Aires y los de la campaña los primeros tal vez que recogen, en la novela ya lograda y no en tanteos, caracteres de las viejas estancias criollas. Se ofrece, de entrada, una escena de la esquila que perdurará como crédito del libro. También lo es la breve del rodeo y ese viaje del protagonista en medio de la inundación, con su paso por el cuarto pulguiento de la fonda. Hay vida, realidad, animación. Se ve a los personajes andar y moverse. Andrés, el protagonista, representa bien una juventud despreocupada, que goza de toda clase de comodidades y no encuentra sentido a la vida. Todo le hastía, porque todo le resulta fácil de conseguir. La chinita Donata, ingenua flor silvestre, tomada al pasar, sin detenerse en ella para otra cosa que ponerla al servicio del patrón, queda como un documento humano y social de la época, por lo que es y por lo que sugiere. El dueño de estancia, señor feudal, dispone de la tierra, de los animales y también de los seres humanos. Así es el trato que da a la peonada y tal el uso que hace de las mujeres. Cuando alguien se rebela a sus caprichos, a sus arbitrariedades o a sus deseos, es gaucho malo, como el esquilador vejado que tomaría venganza para dar, con el incendio del galpón, telón de fondo a la escena patética del final. El padre de Donata, ño Remigio, sumiso, obediente, otrora instrumento del caudillo-patrón para las patriadas, deriva, como gaucho viejo, en elemento servil, y si antes diera su sangre para que el de arriba medrara, ahora ha de dar la sangre de su sangre para placer pasajero del que ordena.

Desordenado en el estilo, con ser *Sin rumbo* la obra que lo tiene más cuidado, cuenta muchos injertos de palabras extrañas. Pero, lo apunta bien Roberto Giusti, si Cambaceres no sabía el español de la vieja Castilla sí conocía el de Buenos Aires. Captó el desenfado en el hablar, el olvido de reglas gramaticales, el lenguaje gráfico, pintoresco, salpicado de intención del habitante porteño en momentos en que tantas influencias extrañas chocaban con el engolado español de la Colonia. Si por el idioma, por el escenario y por los tipos que se mueven en ella *Sin rumbo* es novela totalmente argentina, lo es más por su atmósfera, que es nuestra y queda como saturando las páginas del libro. El personaje central, Andrés, aburrido de teatros, de reuniones y de amantes, se va al campo. Hay allí una muchacha que ha de servir para satisfacer un capricho más, y, hastiado también de esa infeliz campesina, regresa a la ciudad, a reintegrarse a la vida de siempre. Pero aquí, enterado de que la pobre criollita dejó un hijo suyo al irse de la tierra, siente la emoción de la paternidad y entrevé un objetivo a su vida. Vuelve para hacerse cargo de la criatura, pero ésta se muere pronto, cuando dejaba de ser ilusión y se transformaba en esperanza. En el extremo del pesimismo y la amargura, Andrés termina bestialmente su vida, que para él ha perdido todo sentido, con un suicidio que, agregando un apéndice innecesario en el que el suicida tira como de piolas de sus propias tripas, relata así el autor:

> "Volvió, se sentó, se desprendió la ropa, se alzó la falda de la camisa, y tranquilamente, reflexivamente, sin fluctuar, sin pestañear, se abrió la barriga en cruz, de abajo arriba y de un lado a otro, toda..."

El más tradicionalista funcionario japonés no hubiera practicado el hara-kiri con igual perfección ni con tal serenidad.

EL CAMINO DE BUENOS AIRES

Algo de folletín tiene el producto de la incursión novelística de Matías Calandrelli, que tan abundante cosecha dejara de sus investigaciones filológicas. Su novela *La sociedad y sus víctimas* es de largo argumento, que se inicia en la Rusia de los zares y termina en la capital del Plata. Hay en el país de las estepas amores contrariados y el azar lleva a los jóvenes amantes (ella, casada contra su voluntad, escapando del esposo; él, corriendo mundo en busca del olvido) hasta playas lejanas. Pero esto no es lo que vale para nosotros sino algo más importante, pues Calandrelli documenta en su novela la actividad de tenebrosos que alguna vez diera fama no envidiable a Buenos Aires: la trata de blancas. La noble rusa, que lleva en sus entrañas el fruto del matrimonio, es conquistada en París por gentes que hacían sus viajes en busca de carne fresca y es traída a la Argentina con un grupo de jóvenes alemanas. Por fortuna, el día que son presentadas a la clientela se encuentra en la casa el novio de la primera hora, que la rescata. Éste, neurótico por tantos padecimientos, estrangula después a la criatura que nace. Llega en este instante, tras afanosa búsqueda de corte detectivesco, el marido agraviado; Ernesto, el infanticida, se mata y ella enloquece...

Buenos Aires, a través de la pluma de Calandrelli, resulta una ciudad de aventureros y malandrines. Ernesto, el joven ruso, es metido en negocios ilícitos, de agencias de cambios y operaciones de bolsa, por delincuentes que lo conquistan ya en el barco y lo dejan librado a la cárcel como falsificador de papeles públicos; los "niños bien" tienen todos los vicios y si se encuentran individuos de nobles sentimientos no son los más. La sociedad está agusanada y las víctimas son muchas.

V

EN EL REINADO DE ZOLA

¡Qué tentación, Zola, para los médicos aficionados a manejar la pluma con otro destino que la receta! Las leyes de la herencia, las pústulas del cuerpo, el alcohol, la locura, la enfermedad y la muerte, más la miseria económica, la mugre, la promiscuidad de los conventillos, las salas de hospital y tantas otras cosas, observadas por ellos a diario, brindaban tipos, argumentos y escenarios excepcionales para intentar la novela realista, plena de crudezas y rica en experiencias científicas. Dos galenos nuestros fueron influídos por el creador de la escuela: Manuel T. Podestá y Francisco A. Sicardi. Escribieron además en momentos en que culminaba el prestigio de Lombroso y hacía de las suyas, aquí, el neurópata Ramos Mejía.

El hombre de los imanes

Leyendo las obras de Podestá surge la sospecha de que fuera al naturalismo de Zola no tanto por inclinación natural o temperamental como por seguir la moda o bajo la influencia inmediata y pasajera de lecturas recientes, pues si una obra suya, la que más se recuerda y caracteriza mejor la época, está íntegramente dentro de esa escuela, se cuentan dos que ajustan mejor en los cánones del romanticismo. *Irresponsable* fué la primera, *Delfina* y *Alma de niña* las otras. En éstas hay delicadezas, corazones puros de niñas que se mueren literalmente de amor, jóvenes apuestos, de corazón grande, y bribones que hacen resaltar más la bondad y la ingenuidad de los otros. Las muchachas protagonistas de las dos últimas novelas acusan estrecho parentesco. Figuritas delicadas, sensibles y puras, tienen ambas triste destino. Adela, de *Alma de niña*, va consumiéndose por el contraste sufrido al abandonarla el novio, quien corre tras la fortuna a costa de un casamiento, y termina en un ataque de locura que corta su vida. Delfina, que da título al otro libro, tiene más suerte, porque, muerto el prometido, encuentra un consuelo y otro motivo a su vida, que entrega a los niños. Delfina es maestra, primer antecedente del gremio en la novelística argentina.

Antes que esos dos, Podestá editó otro libro, muy distante en técnica, en argumento, en ambiente y en personajes. Estos, los protagonistas, no tuvieron nombre y la novela apenas de una palabra, que mucho decía: *Irresponsable*. Volviendo a Argerich, podría completar una frase excelente para catalogar a tantos anormales por herencia como andan en estas novelas y que no son ni inocentes ni culpables. Irresponsables, simplemente, hombres y mujeres que nacen predestinados y que nada pueden contra esa ley de la herencia tan grata a los novelistas de la época. Ella pesa sobre los hombros del "hombre de los imanes", que tal es el nombre que se da al protagonista, hombre sin rumbo, vencido cuando otros surgen a la vida plenos de energías. Lo acompaña el alcohol a diario y una perdularia, también con el destino prefijado al nacer, de vez en cuando. Los personajes andan por la calle, en la Facultad, el manicomio, la comisaría y los comités políticos, lugares que brindan al autor motivos para ir documentando el instante en que se mueven. El libro se abre en día de exámenes, en el aula de medicina, con un capítulo que tiene mucho de *Juvenilia*. Tras presentarnos a ese hombre acabado en plena juventud, se pasa a la sala de autopsias y el contraste no podía ser mayor, pues llega el cadáver de una mujer para que los estudiantes practiquen en él, y esto es ya "un caso", como lo es el hombre de los imanes, una mujer nacida para enfangarse, envilecerse y prostituirse, "como no podía ser de otra manera si su organismo estaba conformado así". Adquiere el varón significado humano a veces pero en ocasiones cae en la caricatura. Lee a Zola y aunque no puede fijar una idea o un concepto de las materias que ha de estudiar sí es capaz de comentar *L'Assommoir* en los momentos de mayor depresión. Su análisis patológico está a cargo de un amigo a quien no viera en muchos años y que le relata, a primera vista, todo el proceso de su enfermedad alcohólica, sus actos de epiléptico y de loco. Termina, como era lógico y fatal desde que apareciera con tal estigma, en el hospital de alienados. Después de todo, un final moralizador, por si las reflexiones, los monólogos y los discursos diseminados en toda la obra no hubieran sido suficientes para inculcar horror a la bebida. Así, por ejemplo, cuando, después de mostrarnos a un portero de la Facultad capaz de tragarse el alcohol mezclado con las inmundicias de los experimentos, aparece alguien que dice al hombre de los imanes, mirando al lector: "por una copa de licor entregabas un jirón de tu organismo moral que has ido destrozando y enajenando poco a poco para quedar reducido, como tú decías hace un momento, a la animalidad". Ejemplos vanos, porque si el lector, como el protagonista, es aficionado a la bebida, la culpa no es suya y a cualquiera le podrá decir, explicando el caso, que no es más que "un desgraciado, uno de tantos en que se cumple fatalmente una ley de herencia de la que pocos pueden sustraerse"...

Fuera de la biología, Podestá hace interesantes estudios de ambientes y de tipos. El Presidente, el Secretario, el Amigo, son personajes que se toman del vivir diario; se trata la política con ironía y se relatan desfiles en Florida, la tradicional, o se recuerda la llegada de inmigrantes plenos de vigor y de fe. Hay en la novela exceso de discursos y de monólogos y contrastes entre páginas de fina observación y capítulos de excesiva crudeza. Queda *Irresponsable* como documento de una época de nuestra literatura y como la novela en que mejor puede pesarse la influencia zolesca en nuestro país.

Un libro extraño

Zola estuvo presente también en una obra de Martín García Merou, uno de los críticos más severos de la escuela cuando hizo su aparición en el Plata, pero a la vez uno de los escritores que primero firmaron novelas que se clasifican en esa tendencia. Hizo acto de contrición y como penitencia del pecado juvenil escribió el libro, que lleva data de 1885. Un poco es antecedente su protagonista del Andrés de *Sin rumbo*, hastiado de todo, aburrido de todo. Pero no es a la postre su trayectoria, y su fin, muerto en duelo, más que el cumplimiento de la *Ley social* (tal fué el título), violada por él al romper ligaduras de una moral que no estaba de acuerdo con su temperamento. Poco de argentino tiene esta novela, que se desarrolla en Madrid y con personajes que no son de aquí sino en su hábito de viajes y de placeres, como los de la burguesía terrateniente de aquella época. Es un brochazo de la vida, nada más, y el tema no pasa del episodio amoroso, relatado con crudeza en ocasiones.

Otra cosa hizo Francisco A. Sicardi, médico como Podestá pero de otra amplitud en cuanto a plan y realización de una obra novelística. Vivió Sicardi una época de transformación, la observó atentamente, por fuera y por dentro, y se propuso documentar, en una obra cíclica más que en una novela, todo ese bullir de pueblo, la palpitación de los cuerpos y el vibrar de las almas. Su inspiración toca todos los extremos. Escribió poemas, uno de ellos en dos gruesos volúmenes, y obras dramáticas que vieron las tablas de los teatros argentinos. Su vida, de estudio y de trabajo, se inició al promediar el siglo xix y se adentró en el xx lo suficiente como para incluirlo entre quienes testifican el encuentro de los siglos. "Su día era el trabajo, su noche el estudio", según dice de uno de sus personajes, autobiográfico sin duda, quien "tenía una fantasía vivísima y era un extraño y salvaje poeta, que acometía todos los libertinajes del arte con extraordinaria audacia, rompiendo en sus escritos forma y ritmo". Habla del doctor Carlos Méndez, misántropo, poeta, sangre de suicidas recibida de los antepasados y legada a los sucesores. Está este personaje en *Libro extraño*. ¡Y bien extraño! Es novela, es poema, es documento para la historia de la transformación argentina, estudio sobre las razas componentes de su población, buceo en las almas, planteo de la cuestión social. Es también la expresión de un espíritu realmente excepcional y análisis de la esencia de nuestra formación. Porque hay de todo en ese extraño libro. Poemas que exaltan líricamente la naturaleza o el espíritu del hombre y trozos de cruda prosa salpicados del matete de las calles; conventillos donde hierven los gérmenes de las más repugnantes enfermedades y viento de la pampa; hombres con alma de poetas y traidores asesinos sedientos de sangre; mujeres que se llaman Santa y perdularias que llegaron al mundo para andar sin descanso por el sendero de la prostitución. Son todos estos tipos anormales, atormentados, locos, alucinados; alcoholistas unos, morfinómanos otros; gentes que andan tras el amor y la ternura, que rezan y dicen plegarias, místicos y perseguidos. Todo un mundo. ¡Nada más y nada menos! Quien se propusiera tal cosa había de tener un poco, ¡o un mucho!, de fronterizo y encarnar él en la realidad más oculta algo de esos personajes. Por eso la gente cuando lo veía pasar exclamaba:

—¡Ahí va el loco Sicardi!...

¿Qué se propuso Sicardi con este libro? Encajar en él un mundo precisamente. Oigamos unas palabras que nos dirige desde el prólogo:

"Habrá en el libro pasiones, de esas que por casualidad se visten de carnes; zonas de fuego, que marchan en la vida, sin que la educación roce y atenúe ninguna de sus cosas salvajes; corazones sacudidos por todos los instintos, tétricos actores de la catástrofe horrenda... Y hombres que viven en la vida humana —redimidos— y hogares con luz de sol, sombras de arboledas y trinos armoniosos de pájaros y penumbras de alcobas y cánticos tiernos de madres al lado de las cunas y uno que otro cajoncito de ébano, que se va para siempre por la puerta con llantos y plegarias... Y locos, mártires de la ambición de renombre, bregando por la luz en sus extravíos intelectuales, con las puertas del manicomio abiertas de par en par."

Y sigue escribiendo, ¿por qué?

"Yo escribo, porque en la vida hay madrugadas, noches, casas, caracteres, pobrezas y dolor... porque se vive al lado de las muchedumbres que se agitan y revuelven y gritan bulliciosas el cántico de la existencia vertiginosa; porque hay cielo y sol y niñas enamoradas [...] Yo grabo todas estas cosas con los frag-

mentos lastimados de mi corazón y se derraman en
las páginas del libro todas las afectuosas soledades del
espíritu, porque si yo no escribiera tendría siempre
reverencias en las pupilas de mi alma, para esas pobres
criaturas consagradas en las congojas inacabables [...]
Vengan las frases y los deliquios de los amores inmortales... y Genaro y Enrique Paloche, pasiones des-
nudas, zonas de fuego enloquecidas que cruzan el *Libro
extraño* como reguero de muerte... y criaturas humildes que viven en los conventillos [...] Ellos van
a sostener el libro en su camino azaroso."

Una selva... Se adentró en ella con decisión, con audacia,
con ímpetu, como si él también hubiera nacido con un destino y una misión que cumplir. Penetró en la maraña,
avanzó, retrocedió, dió vueltas alrededor de los mismos árboles cuando pensó tomar el sendero que lo llevaría en línea
recta al otro extremo. Y topó en su deambular con esa multitud de personajes que viven en las páginas del raro libro.
Con Genaro, sirviente por nacimiento, poeta por vocación
y cuchillero porque tiene el sentimiento del honor familiar;
con Paloche, que aspira a ser mago de la medicina y termina en mano santa, es decir, en la locura. Y con Méndez...
pero no, con Méndez no topó, porque lo llevaba dentro de
sí en el momento de la partida. No topó con él sino que lo
descubrió al tomar la pluma para el primer párrafo. Encontró individuos en su camino, pero vió también desfilar
multitudes que entonaban cantos de esperanza; sintió el
palpitar de las masas cuyo instinto las llevaba, un poco a
ciegas, hacia su lugar en la historia. Y observó las razas que
venían a vivificar la de aquí. A cada una, un canto. Llega
Sicardi a claros del bosque donde ve agitarse la vida y transformarse la sociedad y cruza suburbios de cielo luminoso
y suelo de barro pútrido. Así, sin orden, porque lo inesperado era la sorpresa. Un paso adelante, otro atrás. Se dió

cuenta de ello y lo asentó en el prólogo del último volumen, *Hacia la justicia*:

> "Estos tres libros nacieron de un tronco común: el primer tomo. Ha sido hecho a la diabla. No tiene plan, el último capítulo antes que el primero, un borbotón de palabras, de cuadros, de olores y de sonidos, una zinguizarra brutal de la mente calcinada como un volcán, un hervidero de escoria y de metales, un vértigo de creación en que fueron lanzadas al estudio cuatro familias de psicópatas, suicidas como Carlos Méndez, homicidas como Genaro, locos morales como Valverde, megalómanos, perseguidos y místicos como la familia de don Manuel de Paloche."

El documento humano y el documento social. Seis años entre el primero y el último tomo mucho significaron para la evolución porteña, y la transformación de Buenos Aires se retrata, queriendo y sin querer, en los personajes y en el ambiente mismo. La parte final de la obra "será para los que sufren y delinquen porque son pobres". Los que vinieron por la inmigración pasan al primer plano y el proletariado se agita, va tras los caudillos, escucha y acciona. Es curioso esto. A través del *Libro extraño* hay siempre un hombre que se dirige a la multitud o hay una multitud que escucha discusiones y toma su parte. En las frases, es como el coro de la tragedia griega; en el accionar, la masa de estos tiempos, que domina la verba encendida del caudillo o se mueve como corriente impetuosa, alentada por fuerzas ocultas. Salen de ella alucinados y endemoniados. De pronto, una prostituta se pone delante de la columna y hace de musa de la revuelta...

Todavía hay algo más. Hay inquisiciones sobre nuestras cosas y por momentos salta en la ruta el pensador que anatematiza a los que hicieron la capital monstruosa tal como es:

"Hubiera torcido el Río de la Plata en cualquier parte y lo hubiera precipitado con su brutal corriente por calles y aceras como una enorme escoba que los barriera chirriando. Le parece que los constructores han sido insuficientes. Dijeron en su medioeval caletre: —Hágase una ciudad que no tenga cielo, ni sol, ni aire sano y quede suprimida la naturaleza. Por eso fué construída toda arrugada, amontonada, gravitando dos casas sobre la misma pared... una ciudad fortaleza, como para esperar asaltos de moros o sarracenos."

Tiene la obra protagonistas hondamente humanos, como el personaje central, Méndez, su madre y su mujer. Otros resultan casi infrahumanos, desechos de la sociedad, escoria. No teme Sicardi entrar en ningún ambiente ni vacila frente a ninguna lacra. Ahí está su zolismo. Pero tanto como de Zola por el realismo con que nos muestra su mundo, el mundo que él ve y que él siente palpitar, tiene de Hugo, por lo poemático de su prosa, por su inspiración de alto vuelo, y de Dostoievski, por ese afán tan suyo de escarbar en las almas torturadas y adentrarse en mentes de alucinados. Tal vez más del eslavo que de ningún otro, hasta por el fondo religioso y el fervor místico de algunos personajes, que llegan a martirizar su carne pecadora. El rezo y la plegaria son frecuentes como desahogo, descanso y purificación y el afán redentor llega hasta hacer que Goga, la prostituta, muera con la Eucaristía. Sicardi fué sin duda un hombre de fondo religioso, cristiano. Vivió fuera de la iglesia oficial, pero con ella se reconcilió al final de su vida. Lo mismo que Méndez, médico como él y encarnación esencial de su creador, que vuelve a la religión cuando ha llegado el instante de principiar el viaje sin retorno.

Conviene insistir en el valor documental de *Libro extraño*, pues si el relato adquiere a veces tétricos aspectos y se habla en él de esqueletos humanos, de hediondeces, de purulencias de todas clases, de atmósferas densas de cortar con cuchillo y de vahos que levantan del suelo todas las contaminaciones, también se registra, al recordar el nacimiento de una nueva era, la entrada de otras ideologías venidas con las masas de trabajadores, se canta para ellos el poema del trabajo y se entona el himno de la revolución, lo que podría destacarlo como escritor social.

Perdida fué el título de otra novela de Sicardi, hija un poco tardía de *Libro extraño*. Los personajes tienen el mismo sello, la herencia biológica señala su destino, se pasean por el hospital y buscan de noche los burdeles. En el centro, la figura delicada de la protagonista, pobre ciega que nació para la bondad y el amor. Hay afanes redentores en lo alto y miserias sobre la tierra. Otro médico anda por aquí que se vuelve loco y, endemoniado, marcha hasta caer en el osario común. Pero una luz asoma en esta novela, una de las pocas luces que nos brinda Sicardi, y es la resurrección de Lidya, corazón disecado por el sufrimiento que renace al amor.

Tocamos el tema y damos un paso atrás. Ni Sicardi, ni Podestá, ni Argerich alegraron con una sonrisa sus libros. En ellos el dolor pone sombras y las lágrimas cortinas. Es amargura lo que destilan sus capítulos, con plena conciencia de los autores y un poco por su afán de ir contra las "épocas en que el romanticismo melifluo era de buen estilo". Por algo don Manuel de Paloche y otras alcurnias, en su discurso de la Sociedad de Artes y Letras, lanza su perdigonada contra el arte afeminado y decadente, para proclamar el triunfo del arte macho. Y el autor declara a su vez que sus páginas tienen aletazos de alma y rugidos de bestia y que "mientras los escritores hagan servir el divino arte para la

miniatura insulsa y los lánguidos desmayos y el numen de
la fuerza que conforta y levanta no agite y sacuda las cuerdas
del plectro, esta virginal tierra de América no tendrá nada
que agradecerles".

Empieza aquí la polémica sobre el objeto y destino del arte.

Las fauces de la Bolsa

La década del 80 al 90 se documenta, panorámicamente,
en la producción de Sicardi, cuyos libros destacan el surgi-
miento de las masas, a las que se incorporan los elementos
llegados de fuera, con la corriente inmigratoria. Entre sus
caudillos puede estar Alem, encarnado en Desiderio, el líder
honesto que descubre la podredumbre en la gente de gobierno. Se entrevé que todo ha de desembocar en la Revolución, seguramente la del noventa. El período álgido de
la crisis final tuvo otro cronista. Más de un cronista, mejor
dicho, pero uno de ellos había de ser quien dejara la más
viva síntesis de ese alocado y vertiginoso período de nuestra
historia política y económica. Fué Julián Martel. En la vida
real, José Miró, español de nacimiento que llegó a estas
tierras en el canal que se tendiera entre la vieja Europa
y la nueva América para traer brazos y que provocaría aquí
un hervidero de angurrias, de deseos, de despilfarros y, también, de riqueza real, porque de la crisis se salvó algo: una
densa población laboriosa que siguió, tesonera, con el arado,
con la cuchara del albañil, con la garlopa, con la pluma,
con el pequeño negocio, en la naciente industria y en la
sólida empresa. En cinco años (1886-1890) entraron a la
República 591.383 inmigrantes. Toda esta gente no se traía
porque sí, ni aun mostrando sólo la realidad de la riqueza
virgen de explotación. Las masas se mueven por algo más

que eso. Tal vez empujadas por la ilusión más que por ningún motivo real. Así fué cuando la Conquista y así será siempre. Para pocos, como siempre también, la ilusión se concretaría en lo verdadero.

Empezó la danza de los millones, el juego de la Bolsa, los negocios de tierras y títulos y los negociados de concesiones y monopolios. Todo se compraba y todo se vendía, hasta la honra de las gentes honestas. Sin tomar posesión del bien recientemente adquirido, el comprador se lo pasaba, ganando el doble, a un tercero. Y éste a un cuarto... y así, todos, vendedores y compradores, corriendo tras la fortuna. Oigamos lo que dice Juan Balestra, uno de los que vivieron esos instantes:

"La fiebre económica conmueve la moral social. Los hábitos pausados y solemnes, al par que sencillos, y la conformidad con un modesto pasar, heredados de la colonia y no alterados en los tiempos posteriores, dedicados más a la virilidad que al deleite, son sacudidos por el vendaval. Se aprendió a vivir de prisa y a mirar la dignidad como un estorbo y los escrúpulos como majaderías: la riqueza se tuvo por honor, la modestia por disimulo y la austeridad como hipocresía. Bajo la magnificencia corría oculto el cable conductor: el juego. Los 1.500 millones de las pizarras de la Bolsa no son regocijos reales, sino en pequeña parte: son 'pura tiza', según la frase del día. Se juega a las diferencias: se hace con locura la cotización de las locuras. Algún incidente escandaloso revela que los corredores de bolsa no son sino agentes de antiguos virtuosos cansados de serlo. A diario se producen diferencias de 40 a 50 puntos, que enriquecen o arruinan. Pero nadie quiebra: la confianza, o la fiebre, mantienen inflado el globo. Las diferencias pasan de un mes a otro; en último término van a salvarse con el dinero de los bancos, que prestan a mano abierta.

"El dinero ya no sirve para representar el trabajo

o las necesidades: es un naipe y un elemento de placer: ¿Sobre qué se juega más que sobre el valor de la moneda? Ser rico, es gastar en vez de guardar, como se creía antaño. ¿Acaso no se seguirá ganando cada vez más? ¡Ahorrar es desconfiar del porvenir!" *(El noventa.)*

Sobre todo eso se edificó *La Bolsa*, de Julián Martel. Como agregado documental, para mejor ver el fondo de realidad de este libro de ficción, agreguemos que el autor mismo, periodista pobre con veinte primaveras y un amor de ilusiones, se dejó llevar a su vez por la corriente. Se desvaneció su esperanza puesta en el maremágnum bursátil y quedó diluído como sueño lo que él creyó había de ser realidad con la primera sonrisa de la fortuna... Puede ser él mismo el comisionista Ernesto Lillo, arrastrado por la correntada. José María Miró tenía veintidós años cuando escribió *La Bolsa*, cuya publicación se inició el 30 de diciembre de 1890, penúltimo día del año del derrumbe económico y de la Revolución política que fuera gestándose a su par, alentada por el civismo del pueblo y las angustias de la juventud argentina. Poco después, el autor del libro sentiría agudizarse el mal que iba royendo su organismo y que lo llevó a la tumba en 1896. Otro escritor que se nos fué en la plenitud, como Lucio López, como Cambaceres.

Murió el escritor, pero quedaba lo perdurable, que era su obra, documento histórico y mojón en el camino de nuestra novelística. Su título mismo fué tal vez el mejor de sus muchos aciertos, porque de entrada significó hacer de la Bolsa el protagonista primero de su novela. Ella ocupa el centro, está siempre presente ante el lector y no es escenografía, ni siquiera escenario, sino el monstruo que demanda el primer lugar, que da esperanzas, alegrías y dolores. Millones por la mañana y miseria por la tarde. Ese es su juego, que había de terminar mal porque endiosar un fantasma no puede llevar a feliz término. En esta especie de novela épica, la casa de la oferta y la demanda de papeles, de jugadores del alza y de la baja, ocupa el lugar de Moloch. La Bolsa aparece ya al principio, y en medio de discusiones, gritos y cifras que van y vienen se hace desfilar una mezcla de gente, de todos los apellidos, de todas las razas y de todas las trazas, que hablan correctamente o emplean jerigonza propia de quienes no han asimilado todavía un idioma extraño. Con el desfile de los personajes, Martel relata sus antecedentes y sus actividades. Desde el comisionista novel e ingenuo que quiere atrapar la fortuna para brindar comodidades a la esposa futura, hasta el explotador de mujeres. En este torbellino se ha metido el doctor Glow, inteligente abogado que fué olvidando el ejercicio profesional para dejarse arrastrar por el vértigo del juego con títulos. Con él ha logrado una fortuna pero lo va adentrando, poco a poco, en un círculo donde se desconocen los escrúpulos, rodeándolo de elementos de toda laya, que crean ficticias sociedades para robar a los bancos o inventan licores fabricados con el agua maloliente del Riachuelo. En verdad que el doctor Glow, cariñoso padre y amante esposo, de tranquilo espíritu burgués en esencia, resulta personaje un tanto extraño en medio de tales bandas de arribistas y aventureros, a quienes endilga de vez en cuando discursos moralizadores, escuchados como quien oye llover, con sonrisa sobradora a flor de labios, por hombres que hacen negocios turbios con los que están en el poder, hermanos que engañan al hermano e hijos que juegan la fortuna de la madre. Glow, una vez puesto el pie en la rueda, fué arrastrado por ella. El autor lo explica: "Cada día iba dejando, sin darse cuenta de ello, un nuevo jirón de su sentido moral en la peligrosa pendiente por la que se deslizaba, aunque con esto no hacía más que seguir la corriente general".

Sin embargo, puede discutirse un poco sobre todo esto. Glow, que fué buen estudiante y hubo de cursar la Facultad ganándose la vida, aparece de inmediato como individuo un tanto cínico, pues se desliga de un estudio y pone su propia oficina jurídica al servicio de clientela que conoce bien su habilidad para dar interpretaciones de la ley de acuerdo con el interés de quien le paga. Y luego, apenas terminada la frase de condenación y agravio para los judíos, escandalizado de sus maniobras, ¿qué hace él? Entra en un negocio de cualquier clase, sabiéndolo deshonesto, como aquel de levantar un pueblo de engaño. Sus discursos pueden parecer trampa y una trampa última quiso hacer, jugando el millón logrado en el instante final de su carrera de financista a las patas de un caballo que ganaría por acomodos previos. Son contradicciones, pero, en general, el personaje está bien logrado, como está bien, aunque poco aparece, su mujer, y esos aventureros sin escrúpulos ni entrañas, algunos simples personeros de otros que tallan más alto, en la maniobra internacional. La Bolsa produce fortunas, levanta, como espuma, a hombres de humilde oficio, pero eso es la locura y la hora del derrumbe llega. Entonces queda el tendal de víctimas, Glow entre ellas, y éste, en su propio palacio, que fué castillo en el aire, enloquece.

Hay mucha vida en *La Bolsa*. Se ve moverse las gentes en las calles, en las fiestas, en las exhibiciones de lujo y ostentación que hacen en Florida. Andan allí los ricos y los pobres, los piratas y los pordioseros. Es el conglomerado humano del que ha de salir la raza futura, mestiza, entreverados los tipos y mezcladas las sangres. Con acusar influencias de Zola y de Balzac, Martel puso bien su sello en el libro. Como novela se resiente muchas veces por el exceso de declamación y el afán admonitorio que empieza en los primeros párrafos y sigue hasta el final. Oigamos el principio:

"De pronto los rugidos [del viento] cesaban, se amortiguaban, degeneraban en femenil lamento plañidero; y era al pie de las columnas de la Catedral donde iba a desvanecerse bañado en lluvia, alzando antes una especie de ruego fervoroso en que parecía pedir un poco de compasión para la patria saqueada y escarnecida bajo el manto de oropel que la especulación y los abusos administrativos habían echado sobre sus espaldas, manto que tarde o temprano debía caer para siempre, arrancando, como la túnica de la leyenda, pedazos de su propia carne a los mismos que con él se cubrieran."

Leyendo *La Bolsa*, al lector se le ocurre preguntar: ¿pero es que no había nada sano en Buenos Aires? Claro que había, pero no era propósito del autor mostrarlo. Tuvo, Martel, el acierto de concretar en su obra el pensamiento generalizado sobre esos años de especulación y de crisis. Otros escritores centraron en la Bolsa sus argumentos, los estudiosos y los literatos dieron voces de alarma y frases de condenación. A todos los tapó, porque él captó mejor que ninguno la esencia de la época. Lo habría reemplazado Carlos María Ocantos con su *Quilito*, de aparición casi simultánea, en París, cuyo parentesco con *La Bolsa* es realmente extraordinario. Presenta este novelista de extensa producción sucio manejantes de las finanzas y políticos venales y el drama hondo de un muchacho criollo que se lanza a la aventura del juego de bolsa, pero su escenario es más reducido, su plan más simple y el tono general más apagado. La novela fué bien lograda, construída al modo español, cuidada hasta poner en cursivas palabras criollas como *atorrante, che*, *sabés*. El contraste entre *Quilito* y *La Bolsa* está en que ésta se pobló con la gente recién llegada y aquélla es la historia de una familia tradicional que se derrumba. Pero hay en el libro de Ocantos, también, arribistas, aventureros, nego ciadores; población heterogénea que lucha con mordiscos y arañazos, y hasta indios, miserables parias de una sociedad que los despreciaba y trataba como a bestias. Unas frases de Quilito, el protagonista, reflejan bien ambiciones y esperanzas de los hombres de entonces:

> "No sé, yo quería ser rico, pronto, pronto, y no pasar la vida trabajando, para comer pan negro de viejo, como sucede casi siempre... ¡Luego, mi amor por Susana! Yo me decía: Si me hago millonario, ni los Esteven se opondrán, ni en casa me harán la guerra: el rico es libre y el dinero todo lo alcanza."

¡Pobres ingenuos éstos, encandilados por los fanales de la Bolsa...!

VI

ENTRE MOREIRA Y FORONDA

Todo lo que se ha visto es mucho, pero es un mundo pequeño aunque variada gente lo puebla. La Argentina era algo más que eso y otros personajes se movían en zonas que no eran de la capital, o que eran de ella pero de otros barrios. En las espaldas de la Bolsa estaban los conventillos poblados de voces extrañas; en las orillas, los huecos de las ánimas que escondían forajidos; más allá, la pulpería de los orilleros y algo distante la aldea y su almacén de ramos generales. Con un paso más encontramos a los milicos y otros trancos nos llevan a la vida de fronteras y a la cancha donde los montoneros hacen su juego. Son muchos mundos en un mundo. ¡La Argentina de entonces! ¿Qué era la Argentina de entonces? Era mucha tierra, pocos habitantes y, de éstos, una extraña mezcla. Ingleses, alemanes, franceses, rusos, polacos, italianos, españoles... Del norte, del sur, del este, del oeste... También criollos, claro está, y algunos indios, para no perder contacto con la tierra. Todos estos personajes, más otros que daban aroma o ponían un poco de pimienta, como algún holandés o media docena de americanos del norte, estaban en la batidora: el resultado es lo de estos momentos.

Lástima grande que el documento pictórico más valioso sea de épocas anteriores, pero de cualquier modo las láminas de Vidal, las de Pallière o las de Pellegrini son buenas para ver los tipos, del campo y de la ciudad, bien que preparados para la acuarela bonita. La ciudad limpia, el campo luminoso, parejo siempre, los hombres con su galera de siete pisos, las mujeres con el percal planchadito, las parejas prontas para bailar el Gato. Lo que hay detrás y debajo de eso, no se ve, pero se supone sin mucho exprimirse el cerebro y un poco de imaginación basta para completar el panorama. Un poco de imaginación y la ayuda de lo que escribieron los viajeros, los ingleses sobre todo. Unos vinieron antes, otros después, pero se aproximaron la mayoría a la época de las láminas. ¿Hay documentos más importantes de ese pasado que los viajeros? Lo dudamos. Pero de todos modos el suyo también es un mundo y falta generalmente ocupar el escenario con otros personajes que los criollos y fué porque la película se tomó antes de que se produjera el aluvión. Buena empero para ubicar la fauna de don Eduardo Gutiérrez, rapsoda de la chusma.

Gauchos, malevos, milicos y montoneros

Cuando se trata del autor de *Pastor Luna* y de *Hormiga Negra*, el debate se centra en si eso es o no es literatura. Las opiniones se dividen, pues unos dicen que sí y otros votan por la negativa. Inició la polémica Martín García Merou con una fuerte carga contra los dramas policiales, y ahora mismo hay quien, en el otro extremo, echa la culpa del juicio despectivo a las láminas sangrientas y espantadizas de Tomasi, editor de las primeras tiradas. Pero la realidad es que don Eduardo Gutiérrez, que fué soldado en la Frontera, nos toma de la mano para llevarnos con la partida, a charlar con gauchos que "se desgraciaron" o acercarnos al hueco de las ánimas con el propósito de que nos curemos de espanto. Yendo más lejos, nos hará cabalgar por los llanos de La Rioja para presenciar las cargas de la montonera o asistir a las escenas espeluznantes que protagoniza Facundo, el terrible Tigre de los Llanos. El lector, como los protagonistas de los episodios, debe templar el ánimo para no abandonar la brega, que muchos peligros ofrece, porque si los duelos entre esos varones de nervio tenso dejan rúbrica en la cara el del lector con el libro puede dejar su huella en sitios más hondos... Pero mucho dicen y mucho sugieren las obras de Eduardo Gutiérrez, que es bueno leer para sacar algunas conclusiones sobre una época que fué la de Martín Fierro. También, en muchas obras, el escenario en que éste se movió. Cuando Gutiérrez montaba los caballos patrias y comía empanadas amasadas sobre las sudaderas de su recado, formaba parte del fogón, escuchaba, observaba, tomaba apuntes entre mate y mate. Luego, pluma en ristre, sobre el pupitre de *La Patria Argentina* revivían los cuchilleros, maniobraban los grandes ladrones, se aparecía Juan Moreira y daba sus cargas El Chacho. Don Eduardo, como se cuenta, sin adornos, escribía y escribía. Frase corta, palabras vulgares, según iban saliendo, con repeticiones y con desaliño extremo, así fueron surgiendo esos tipos suyos, tomados de la realidad, de los procesos policiales y de la leyenda. Con ellos dió personajes al pueblo, los personajes que al pueblo le gustan. Nació Juan Moreira, para el teatro de los primeros pasos, Pastor Luna para las compadradas verbales de los paisanos y Juan Cuello para los gauchos del corso carnavalesco.

Gutiérrez es, esencialmente, novelista policial. Su personaje típico es el gaucho bueno, el muchacho un tanto ingenuo y enamoradizo que rehuye la camorra, que quiere mucho a su *mama* y arrastra el ala a una prenda con los más honestos propósitos. Pero la fatalidad lo topa en la primera encrucijada y le obliga a "desgraciarse". Luego la policía le pone los grillos, el sargento lo agravia y el juez de paz intenta birlarle la dama. Empiezan las aventuras: los encuentros de caminos donde se hacen carreras son mojones que señalan con sangre su paso; las pulperías de la zona escenario de payadas y "mamúas" que terminan con la lucha de uno contra doce y en la cual el infeliz perseguido por la mala suerte da cuenta de adversarios al barrer. A veces la traición hace caer al gaucho en una redada y su destino es la Frontera. Vive allí entre indios y entre aindiados, hay malones y hay comandantes mucho peores que los llamados salvajes de las pampas. Se produce siempre la fuga y de inmediato la venganza del agravio que le infirieran el juez y el gauchito traicionero, el de la jugada sucia con la china. . . con la otra china, porque el gaucho se enamoraba de una en cada estación, siempre con sinceridad. Ese gaucho se llamaba Pastor Luna, por ejemplo. No fué exactamente el caso de Moreira, pero el de éste anduvo cerca. "El gaucho habitante de nuestra pampa tiene dos caminos forzosos para seguir — uno el camino del crimen. . . otro es el camino de los cuerpos de línea, que le ofrecen su puesto de carne de cañón", dijo el autor. Moreira eligió el primero.

Gutiérrez dejó una producción plena de valor documental. Por sus personajes, por sus episodios y hasta por su modo de relatarlos, porque en este estilo desaliñado y con esta fraseología lo tenía que contar de viva voz el narrador del corro que se formaba en la pulpería. Esos militares que pone en la serie del Chacho, por ejemplo, son todos de la realidad más cruda. La insensibilidad para el dolor era igual en un bando que en otro, en el cuerpo ajeno que en el propio, y esa ferocidad de las guerras intestinas, donde el degüello es el episodio más simple y hasta el acto más humano con el adversario vencido, mucho dicen. Cuando nos muestra al coronel Sandes viviendo como si tal cosa con unos centímetros de cuchillo dentro del cuerpo, nos damos cuenta de que lo del degüello era simple deporte. En cuanto a costumbres rurales, ¿no nos enseña más que muchos libros de historia? El gaucho bravo aparece como simple guardaespaldas del estanciero, señor en su casa hasta prohibirle la entrada a la justicia que va a rescatar al asesino. La jurisdicción de esa misma justicia desaparece en los límites del propio partido. Para quien había cometido un crimen, trasponerlos era librarse de la persecución.

En los libros de Gutiérrez está reflejada una época argentina, con exageraciones, con deformaciones, en la zona rural. Esa exaltación del bravo no es invento del escritor y la frase del estanciero Areco, que detiene a un equipo policial armado, vale mucho: "¡En mi casa mando yo!" Las costumbres desfilan con bailongos en los burdeles, con el juego, con las borracheras, con las fiestas de los velorios "con beberaje y guitarra". La mujer, bien se ve, era una pobre infeliz. El triunfo del machismo, disfrazado de amor, a eso la relegaba. A veces a poco más que una bestia embrutecida, pensionista del prostíbulo rural, inspiradora allí de bárbaras pasiones que se regaban con sangre. El odio al inmigrante se desprende de las páginas donde se le pone y significa valioso documento. Sardeti es un ejemplo y el mercachifle preso, único detenido que no liberta Luna cuando su asalto y carnicería a la casa donde están bien sujetos estos infelices, "por gringo y porque se mete con los hijos del país para explotarlos vendiéndoles por 80 lo que vale 1", otro.

Si quiere encontrar belleza, el lector se siente defraudado. Hay, alguna vez, una pincelada que nos hace ver la pampa o una frase que puede sugerir más que una cuidada página, pero no es lo que prima. Falta un mínimo cuidado, hasta una relectura de lo escrito, y la repetición de palabras vulgares en una misma frase es corriente. El párrafo es descarnado y se divide arbitrariamente. Tanto punto y aparte cansa al lector, que encuentra pedestre el estilo. Hay contrasentidos, como decir de un personaje a quien nadie conoce: "Nunca había visto a un paisano tan famoso y tan soberbiamente empilchado". ¿Puede tener aquí "famoso" otro sentido que el exacto de la palabra misma? Hay vocablos y frases que gustan mucho al autor pero que a su lector le aburren y cansan, como inmenso amor, inmenso aplauso, inmensa mano. O la otra palabrita que la acompaña aunque dice lo mismo: "soberano": flete soberano, amor soberano. Y si no, "infinito". Al finalizar su lectura, el cansancio del paciente lector acostumbrado a otros textos puede ser, como consecuencia de tal fraseología vulgar y repetida, tan grande que se traduzca en uno de esos adjetivos...

Abundante fué la producción novelesca de Eduardo Gutiérrez, que escribió más de treinta volúmenes. Mayor valor documental tienen sus obras de temas históricos y los dramas rurales que las de argumento policial. Despreciadas generalmente, están esperando el estudioso que haga su análisis desde otros puntos de vista que el literario, pues buen material brindan para quien deba analizar el proceso evolutivo de nuestra formación como agrupación humana, al modo que lo intentó Juan Agustín García con el período colonial. José Ingenieros se dió cuenta de ello al escribir su *Evolución de las ideas argentinas*, donde alguna vez hace su recuerdo para evocar el ambiente de la época, arriesgando sin duda la sonrisa irónica de los historiadores solemnes.

Llega el gringo

Hemos tratado al inmigrante sólo de paso. Mejor es decir que nos salió al paso, porque se cruzaba en nuestro camino, nos llamaba, nos tentaba, quería desviarnos de nuestra senda. Ya en la novela de Argerich se nos puso delante y en las de Cambaceres nos quiso sustraer a la pampa. Luego, en *La Bolsa*, alemanes y judíos, que todos son gringos aunque al criollo le guste llamar así sólo a los italianos, se mezclaron con el hijo de gringo, Glow, y en Gutiérrez se nos apareció Sardeti, ¡nada menos que Sardeti! Así, como en el relato, se iban adentrando los gringos en la patria. Un poco más atrás dimos algunos números para recordar la cifra de los que llegaron en pocos años del fin de siglo. Fué una verdadera invasión, alentada entusiastamente por los gobiernos, que dictaron leyes especiales para atraerlos y fomentaron la inmigración con el mayor interés. Esto produjo confusión, creó problemas de toda índole e hizo nacer, como reacción y natural impulso de defensa, una posición agresiva en el viejo habitante, criado en otro ambiente y que debió sentirse arrollado por los que llegaban. El desprecio de Martín Fierro, el ensañamiento de Eduardo Gutiérrez, el afán de Argerich y Cambaceres de presentarlo con taras hereditarias, como individuo de inferior constitución biológica y espiritual, contrastan sin embargo con el canto que Sicardi entona a cada nación representada en ese conglomerado de recién venidos. Los que llegaban traían sus costumbres, que eran extrañas, imponían un ritmo distinto a la vida, evidenciaban un dinamismo y unas ansias que los hacían multiplicarse, expandirse, entrar en todas partes. Era como una revolución en las costumbres y los retratos de Garibaldi y Humberto 1º colgados en las paredes de las piezas de inquilinatos que visitaba el doctor Méndez, significaban algo más que simples cuadros de adorno. Todos eran motivos de choque, como lo era el hecho histórico probable de que llegaran aquí los desechos humanos de las viejas naciones, los que en Europa fueran desplazados por razones morales, capaces éstos de contaminar a los nativos. Pero también habían de llegar los del otro extremo, los hombres que más confiaban en la propia capacidad y en las propias fuerzas, los de más iniciativa, los ansiosos de libertad, que corrían la aventura del trasplante seguros de sus propios méritos o habilidades personales. Hombres de aventura y hombres de trabajo, individuos para los menesteres más humildes y elementos para iniciar las más riesgosas empresas. Al inmigrante, el pueblo lo vería como lo vió José María Ramos Mejía:

> "Me asombra la dócil plasticidad de ese italiano inmigrante. Llega amorfo y protoplasmático a estas playas y acepta con profética mansedumbre todas las formas que le imprime la necesidad y la legítima afición. Él es todo en la vida de las ciudades y de las campañas, desde músico ambulante hasta clérigo; con la misma mano que echa una bendición, usando de la cómica solemnidad del que lo hace como oficio y no por vocación, mueve la manivela del organillo o arrastra el carrito de verdura; nos ofrece paraguas barato cuando chispea, hace bailar el mono hábil sobre el trípode y abre la tierra que ha conquistado con su tesón y fecundado con su trabajo. Como son tantos todo lo inundan..." (*Las multitudes argentinas*.)

Inundaron también la novela.

El galleguito asciende a banquero

En uno de los tantos barcos cargados de hombres y mujeres deseosos de aire, de luz y de fortuna, llegó a estas playas Francisco Grandmontagne, inmigrante insigne y padre literario de Teodoro Foronda. Primero, hablemos un poco del padre, que conviene conocer la casta. Vino pobre y se instaló en un cuchitril de tres por tres, techo de cinc en canaleta y piso de tablas viejas, según lo contara después él mismo, en *Los inmigrantes prósperos*:

> "El autor de estas líneas vivía, casi a la intemperie, en un cuarto, zaquizamí o cuchitril, situado en el fondo de un 'conventillo' (casa de vecindad), en la calle de Rivadavia, frente al mercado y plaza Lorea. La avenida de Mayo no era todavía más que una ilusión municipal. El cuartucho, por ser el último de aquel cuartel civil, rentaba muy poco: seis pesos. Me habían subido uno el mes anterior, de cinco a seis, perturbando seriamente mis finanzas. Los otros palacios, múltiples y seguidos, en dos líneas fronteras, los ocupaban gentes pudientes: peones, barrenderos y ayudantes de los matarifes del mercado. A mi desmantelado y mísero habitáculo no alcanzaban las losas del patio, quedando enclavado en la tierra; cuando llovía, daba un brinco desde la última baldosa al umbral para librarme del bache, y entraba enjuto y limpio a mi alcázar. Mi ajuar era digno de un heredero de Carabase, el primer banquero del país en aquella época; se componía de un catre de tijera y una silla de paja, con una de las patas inválida, sostenida, a manera de ortopedia, con unas cuerdas anudadas; sobre esta silla arrojaba el traje (no era de levita) al acostarme..."

Allí se gestó *Teodoro Foronda*, aunque se escribiera mucho después, con miras a documentar en la obra la biografía de muchos inmigrantes, de los inmigrantes prósperos. Indudablemente, Foronda puede reflejar, en sus primeros años de vida americana, la propia vida del autor, quien no en la empresa comercial pero sí en otra que condena a pobreza perpetua pero que hace el surco más profundo y necesita otro vuelo de la inteligencia, llegó tan alto como el pinariego de la novela, pues fué Grandmontagne periodista de fibra y escritor de buena talla.

Don Francisco, añorando años vividos y mirando a los muchos golfillos que llegaban, a veces de contrabando, hizo con la imaginación el viaje de vuelta a la tierra nativa, tomó a un rapaz de la mano y lo embarcó rumbo a Buenos Aires. Al desembarcar, el aspirante a indiano rico fué interpelado por el empleado de aduana. Oigamos un poco del diálogo:

"—Y de dónde sos vos? ¿De Galicia? ¿Eres gayego?
—No, señor. Soy pinariego.
—¡A la gran flauta! ¿Y dónde queda eso?
—En la provincia de Soria.
—Entonces, ¿sos soriano?
—Sí, señor; pero primero soy pinariego, y dispués soriano y aluego español.
—Los españoles son todos muy regionalistas —afirmó el empleado aduanero.

No entendiendo el muchacho aquel término, quedóse callado algunos instantes, hasta que su interlocutor volvió a preguntarle:

—¿Y qué quiere decir pinariego?
—Allí nos llaman pinariegos a todos los que hemos nacido en unos pueblos donde hay muchos montes de pinos.
—Está bueno... ¿Cómo te llamás vos?
—Teodoro Foronda... y el apellido de mi madre es Cantalavieja.
—Teodorillo entonces, ¿eh?
—Sí, señor.
—Y ¿qué piensas hacer en Buenos Aires?

—Trabajar.

—¿En qué?

—En cualquier cosa, en lo que salga.

—¿Sabés leer y escribir?

—Muy poco, porque casi siempre estuve ayudando a mi padre a arar las tierras; pero tengo buena cabeza y pronto he de aprender bien hasta sacar las cuentas."

Forondita, pinariego primero, soriano después y por último español, se va a la campaña, empleado en un almacén de ramos generales, donde se acriolla y, un poco con viveza de pícaro castellano, un mucho con actividad y contracción inagotables, va ascendiendo hasta asociarse en el negocio con el antiguo propietario. Entretanto se hace hombre y los amores con una china le brindan la paternidad de dos vástagos, que llaman a su corazón y le obligan a casarse para evitarles el dolor de criarse guachos, como pobres animalitos de la pampa. Pero la esposa no se aclimata a la vida semicivilizada que lleva en el pueblo y la tisis contraída en la época de olvido la vence. La despide el autor con páginas hondamente humanitarias. María Bolívar —ese era su nombre— resultó prototipo de la mujer criada en los puestos rurales de entonces, más cerca de la animalidad que del ser femenino que nosotros conocemos, y tiene estrecho parentesco con otras muchachas campesinas de la novelística nuestra, como Donata, de Cambaceres. La china intuía su situación de inferioridad en un ambiente social como el de Buenos Aires y esto aceleró su fin para antes del viaje preparado por Teodoro, llamado éste a un escenario más amplio. Aquí se encuentran otros tipos, asociados al pinariego. Unos, inmigrantes como él, vivos criollos otros. Foronda, el galleguito de otros tiempos, se coloca en la cima y ve colmadas sus aspiraciones económicas. Esto le hace bendecir, agradecido, el nombre de América.

Mas no todo ha de ser alegría. Los hijos vanse criando y pronto se avergüenzan hasta del apellido, que tiene tufo de almacenero. La niña es una pobre chica ilusionada con el lujo y la figuración; el hijo se doctora y, poco a poco, va dejando de lado el plebeyo Foronda para convertirse en un Bolívar. Simón Foronda primero, Simón Foronda Bolívar después, Simón F. Bolívar más tarde y por último, pavoneándose descendiente directo del Libertador, el sonoro Simón Bolívar. Estalló el padre al fin para aclararle que ninguna relación había entre esa sonoridad y la miseria de la mujer que le legara el apellido ilustre. Es la tragedia del inmigrante, que ha de pagar con el desprecio de los hijos su triunfo en la patria de adopción.

La obra está escrita con agilidad y la influencia de autores españoles, Pereda en primer término, se evidencia de continuo. La fluidez se diluye a veces en divagación y se incluye buena dosis de crónica, de la que no podía desprenderse Grandmontagne, periodista instintivo. De todos modos, *Teodoro Foronda* es un documento extraordinario para el estudio de nuestra formación social, en una faz distinta de la que estudiaran Martel y Payró. Es lástima que desentone en el instante último, de mal gusto, al epilogar un intento de suicidio con ronda de vigilantes, escena propia de una pieza jocosa y no de una producción cuya jerarquía es, en general, elevada.

De *Teodoro* derivó *La Maldonada*. Es una continuación cronológica más que de argumento o personajes, ya que de aquélla no intervienen sino ambos hijos del pinariego. De paso, no como protagonistas. Se documenta ahora el noventa, con el ambiente de la época y la presencia de hombres y mujeres que parecen tomados de la realidad. Ya no se ponen inmigrantes sino tipos del ambiente porteño, no desligados del campo por cierto. Hay caracteres femeninos delicados, como el de la Maldonada, llamada así porque la madre, una campesina pobre como la mujer de Foronda, hiciera donación de ella; la traviesa, picaresca y encantadora Emilia, su amiga íntima, y una matrona con temple de patricia. También hay mujeres de otra laya: venenosas como víboras, hipócritas, envidiosas. Lo mismo en los hombres, como en la realidad, pero el criollo bondadoso, criador de gallos y capaz del más grande sacrificio por un amigo, es el primero. El colorido del relato cuando habla de los cuidados que se tenían con los pollos de riña, deporte ciudadano de la época, tiene su equivalente en el vigor y la viveza con que se narra la tarea de la hierra en una escapada al campo. Como eje de todo esto, la Revolución, culminación de una época. No es en el libro de Grandmontagne, observador fino y espíritu crítico sutil, toda grandeza. La reconoce en los hombres que saben morir como héroes, defendiendo con su sangre principios e ideas, pero vió también su aprovechamiento por quienes quisieron tan sólo dar desahogo a su instinto, como los que se dedican a voltear a tiros, desde detrás de las celosías, a infelices vigilantes, para mirar el gesto que hacían "los gallegos" al recibir los balazos.

Como arquitecturación literaria, *La Maldonada* está por encima de *Teodoro Foronda*. Hay mayor agilidad en el relato, más variedad de personajes y sobre todo tipos femeninos ausentes de la primera novela, que había de ser así porque el inmigrante venía solo, sin maneas que le trabaran los movimientos. Pero en documento histórico andan parejas, con ventaja para el texto que relata las aventuras del español que viene con ansias de hacer fortuna.

Del Dagiore inventado por Antonio Argerich al pinariego de este vasco-criollo que se llamó Francisco Grandmontagne hay mucha distancia. La distancia que media entre el ser anormal y el individuo que encontramos a diario en la calle. Hecho a un lado el tema de la riqueza o pobreza ulterior del hombre que viene como inmigrante, el galleguito puede quedar muy bien en el lugar del prototipo. Pero ambos se observaron directamente y no fueron en realidad producto de la imaginación. Tienen por eso valor de documento, bien que con distinto alcance social. Como doctrina, falla la tesis de Argerich, lo mismo que la de Cambaceres, pero el estudio individual de su personaje puede tener raíz efectiva. En el caso de Grandmontagne, la observación, además de directa sobre personajes, lo fué también sobre sí mismo.

VII

EL COSTUMBRISMO Y SU REVERSO

La característica más general de la novela argentina, hasta los días de las guerrillas entre Florida y Boedo, ha sido tal vez su propósito de reflejar costumbres y retratar ambientes. El costumbrismo está presente en los primitivos ensayistas y dentro de esa producción cabrían las novelas de los más difundidos escritores, como Benito Lynch y Martínez Zuviría. Al penetrarse en el siglo veinte, dos novelistas —Carlos María Ocantos y Enrique de Vedia— volcaron su ingenio en páginas que tuvieron tal propósito de mostrar costumbres y ofrecer personajes de su tiempo, casi siempre literarios, sin complicaciones, pero que no dejan de traernos, a la distancia, documentos valiosos de la vida argentina y de los tipos que la protagonizaron. Ese costumbrismo tuvo su réplica en una novela que se hizo con otras miras, más cerebral, y se orientó hacia el estudio psicológico de sus personajes, hacia la crítica social o la satisfacción de afanes de belleza. Ésta acusó su representación primera en Alberdi, sociólogo, jurisconsulto y pensador máximo de nuestro período de organización institucional, quien escribió una novela con propósito político. Aunque su *Fruto vedado* tiene mucho de novela de costumbres, la producción de Paul Groussac cabe también en el reverso del costumbrismo, donde está, en lugar de privilegio, Ángel de Estrada, nuestro escritor renacentista, cuyo antecesor, en la Argentina, podría ser don Miguel Cané, padre.

LA FAMILIA PORTEÑA, EN ESTILO ESPAÑOL

Casi setenta años de labor literaria, a través de los cuales se fueron dando a las prensas alrededor de cuarenta volúmenes, reflejan sin duda una vocación y una pasión de novelista. Tal fué don Carlos María Ocantos, a quien hemos citado ya por su novela sobre la crisis del noventa. Ocantos publicó su primer libro en 1883 y el último al mediarse el siglo, poco antes de morir. Vivió Ocantos casi siempre fuera del país, y si sus temas, personajes y escenarios son argentinos, porteños mejor dicho, en la mayoría de sus obras, el trazado de ellas dice de total influencia hispánica. Alarcón, Valera y Pereda pudieron ser sus maestros.

No fué propósito suyo el enfoque de grandes problemas ni el desarrollo de temas trascendentales, sino reflejar costumbres y retratar hombres y mujeres del ambiente. Sus novelas se leen como agradable entretenimiento y son de prosa cuidada. La familia porteña tradicional está presente en sus páginas, casi siempre en lucha con una decadencia económica derivada de la transformación social a la que no quiere amoldarse. Es la familia que tiene sala para recibir a las visitas y una chinita que va y viene con el mate y con los mensajes de los enamorados.

Ya hemos hablado de *Quilito*, documento de la crisis económica, y en su lugar citaremos *Promisión*, novela de inmigrantes. Ocantos gustaba relacionar los personajes de unas novelas con los de otras o pasear a los mismos en distintos libros, cambiándoles de plano en sus papeles. Así escribió *Don Perfecto* y luego *Riquez*, que es su sobrino. A Riquez le hace viajar tierra adentro, luego de fundirse, y hacer de tenorio en la aldea campesina. *León Zaldívar* es otro hombre joven, pero éste, romántico, se enferma cuando lo desprecia una damisela, aunque no de enfermedad crónica ni mortal, puesto que la convalecencia se completa con el descubrimiento de que el verdadero amor estaba en la muchacha criada en la propia casa. *León Zaldívar* tiene mucho de documental, en el material humano y en las costumbres. En lo primero cabe destacar la presencia de un aventurero francés, condenado a trabajos forzados en su patria y perseguido por la policía de muchos países, que aquí se hace pasar por conde, estafa al futuro suegro, criollo, se casa siendo ya casado y fuga al final con todo lo que de valor había reunido en su hogar. En el segundo aspecto, nos habla de cómo vivía una familia tradicional argentina: el padre, nieto de gaucho "de pata en el suelo", pasa la mitad del tiempo en la estancia y la otra mitad entre la mansión porteña y su chalet en el Tigre. La familia, no muy amiga del campo, veranea a la orilla del río y gasta sus ocios invernales en la capital. Era la vida de los dueños de estancias, cuando no se aficionaban a los viajes largos.

Ocantos reflejó aspectos distintos de la vida argentina, entre ellos el de la política, que trató en *Entre dos luces* y *El candidato*, intrascendentes y sin complicaciones.

DE "MANDINGA" A "LOS ENVENENADOS"

Enrique E. Rivarola publicó en la última década del siglo diecinueve *Mandinga*, una novela que está muy por debajo de las que ya se contaran en esa época, de humorismo simplón y, ahora, totalmente envejecido. La trama, ingenua, gira alrededor de la vida de dos solterones que son tentados por el diablo, encarnado en la gobernanta francesa que toman para que los atienda. Son también de corte humorístico sus relatos de *Meñique*, de época posterior.

Mayor jerarquía tiene *La novela de Torcuato Méndez*, de Martín Aldao, publicada pocos años después, sobre todo porque nos trae el reflejo de una frívola sociedad adinerada, donde se apodera de los estancieros enriquecidos un orgullo aristocrático que no tiene más base que la riqueza. Hay en el relato una mujer adúltera, como era de rigor, y las familias hacían su viaje a París, algunas por largas temporadas y no como simple acto de ostentación, es cierto, pues otra cultura, más refinada que la del común de las familias rápidamente enriquecidas, es la que se evidencia en el círculo donde el autor desarrolla su argumento.

Carlos Octavio Bunge, sociólogo, tuvo inquietudes que lo destacaron en diversos campos de la cultura y dejó una obra literaria de singular mérito, en la novela de reconstrucción histórica, psicológica e imaginativa. Influencia de Anatole France tiene una titulada *El capitán Pérez*, personaje cuyo origen se entronca en el jardinero Putois, del célebre ironista francés. Lo inventó en momento de buen humor una niña que hubo de dar el nombre de su novio hipotético, y el capitán tomó pronto la existencia del mito, en Tandil, donde se desarrolla la novela, pero —esto la aparta de la de France y la malogra en parte— lo curioso fué que andando los días el capitán Pérez se apareció en la realidad y... hasta se casó con la chica.

Otro significado tiene *Los envenenados*, un estudio de costumbres y a la vez psicológico realizado por Bunge. Son los envenenados hombres y mujeres amargados y resentidos, que destilan veneno contra todo y contra todos. Está llena de estos tipos la sociedad de esa época (fin de siglo) y cuenta con muchos en la hora que vivimos. Centra el autor su observación en Manuel Gámez Turcal, que novia con una muchacha sólo por despecho, luego de haber sido rechazado por otra, y que no tiene el menor reparo en abandonarla cuando ella, ilusionada, había dejado la casa de los padres para casarse con él. Frente a ese personaje se coloca otro, que tiene distinta alma pero está a punto de naufragar en el agitado mar de los envenenados: León Valdés, artista que viviera en Francia, donde se consagrara, y que había de chocar aquí con ese ambiente de incomprensión de la obra del espíritu, de envidias y rencores disfrazados. Alrededor de éstos, muchos personajes se mueven con su propia psicología, con sus inclinaciones y con su conducta. La sociedad vive ansiosa de lujo y los principios morales nada pesan cuando se trata de lograr una posición, dar satisfacción al instinto o llegar a un casamiento ventajoso. Las mujeres saben ser honestas por fuera, más que por dentro.

Empaña literariamente esta obra el exceso de palabras en idiomas extraños, puestas casi siempre sin necesidad.

LAS NOVELAS DE ENRIQUE DE VEDIA

Tuvieron mucha difusión las novelas de don Enrique de Vedia, quien describió la sociedad bonaerense y tuvo también predilección por el interior de la patria. Personajes del gran mundo porteño, de la sociedad tradicional casi siempre, son los suyos. Entrelazados con amores de la gente moza, se refieren a veces enjuagues políticos, como en *Alcalis*, donde anda un personaje de esos que tienen especiales condiciones, conocimientos y experiencia para ser ministros de guerra, o de hacienda, o de cualquier otra cartera, que así son nuestros padres de la patria. Y como los ministros, los subsecretarios, los asesores y los demás técnicos. Hay en esta novela escenas pintorescas y episodios reales, como esos de las "renuncias" que no se presentaron y fueron sin embargo aceptadas.

Mucho parentesco hay entre Vedia y Ocantos, en el trato de los personajes, en el ambiente y en el desarrollo de sus fábulas. Sus novelas son casi siempre ingenuas y a veces dan la impresión de haberse escrito con exceso de velocidad. *Transfusión* refiere el viaje al campo de tres muchachos, uno de los cuales —el patrón— lleva a los otros dos para curarles la neurosis de la ciudad. En la estancia se produce la cura de los enfermos, pero también la enfermedad de quien hiciera de médico, dominado éste por el ambiente en que penetra, de peonadas incultas. Concepción muy artificial, principiando por la caída de ese hombre, a quien todos tratan de patroncito, con mimos que vienen desde su niñez, y que, habituado evidentemente a andar en ese medio, no podía caer de tal modo. La estancia fué retratada al estilo viejo, con pobladores que hacen gala de todo servilismo hacia el patrón y sus amigos.

También está el campo de los patrones en *Quintuay*, donde se presenta una familia tradicional, estanciera, que se traslada a Buenos Aires. Aquí el hombre, varón íntegro en su ambiente, naufraga en la vida galante, y la mujer, desilusionada, vuelve con amargura a sus pagos. En otra novela, *Rosenia*, se retrata a una linda paisanita, cuyo nombre da título al libro, en el campo riojano, donde la descubre el hijo de una familia porteña que va allí de paso y queda prendado de la niña. Se casaron y comieron perdices...

En *Una novela* hay intento de estudio psicológico y el relato del nacimiento de la pasión amorosa de dos criaturas que se criaron juntas, como hermanas. Una pequeña trama permite ir escribiendo los capítulos y un final dramático recordar la revolución del 90.

Quijotanía en la Patagonia

Podría pensarse en el reino de Orllie-Antoine Premier. Pero este fué de verdad, con emperador, ministros, escudo de armas y títulos, de nobleza y de deuda pública, según lo averiguó muy bien Armando Braum Menéndez y lo escribió mejor en una historia que parece novela: *El reino de la Araucanía y Patagonia.* Quijotanía fué en cambio inventada por el intelecto de Juan Bautista Alberdi, que quiso crear, también, nuestra propia patria, la suya, y dió, en el papel, las bases de lo que creyó sería fundamento constitucional para una tierra de hombres felices, o cuando menos justos. No sabemos, porque estamos viviendo en ella, si la de la realidad resultó con el tiempo tal cual la quiso este exilado eterno, pero del fin del Estado de Quijotanía nos dice algo su novela de sátira llamada *Peregrinación de Luz del Día,* o *Viaje y aventuras de la Verdad en el Nuevo Mundo.* Alberdi tuvo mucha fe, excesiva fe en el papel escrito, en la obra del pensamiento y en la influencia que habrían de tener, para modificación de modos de ser, los principios políticos y las ideas pacientemente elaboradas, pero le llegó la hora del desengaño. La sociedad argentina siguió, después de Rosas y a pesar de la Constitución, tal como era antes, en esencia. Por lo menos así la vió él y la realidad triste de las que fueron sus ilusiones debió amargarlo terriblemente. Así se explica este viaje de la Verdad, cansada del ambiente de mentira, de engaños y de deshonestidades que imperaban en Europa, que se viene a estas tierras de América con la esperanza de reinar en ellas, tranquila, entre gente simple y no contaminada aún por la atmósfera de corrupción del viejo mundo. Su desilusión es grande cuando en estos parajes se encuentra con sus antiguos conocidos, aunque ataviados de otro modo: Tartufo dejó la sotana con que le vistiera el señor de Poquelin para cubrirse con el poncho garibaldino. El negocio, aquí, estaba en disfrazarse de demócrata.

Los discursos satíricos abundan en lugar de la acción y es lógico que así ocurra, pues no era propósito de Alberdi construir una novela sino hacer con ella uno de sus alegatos políticos. Y casi ni novela es la obra, que resulta de difícil ubicación. Se suceden pensamientos y juicios sobre nuestros vicios y malos hábitos, y para ello se hace cruzar el mar a don Quijote, un Quijote que poco tiene que ver con el de Cervantes, y se le encomienda la paciente tarea de organizar una república de carneros en las lejanas tierras patagónicas.

Tomó el propósito político y moralizador de don Juan Bautista esta vez la forma de ficción, única tentativa suya en el terreno novelesco, pero la forma era lo de menos. Lo entendió así José Manuel Estrada, quien le honró con extensas acotaciones en que hizo derroche de razonamientos sociales, como si el libro fuera un tratado de derecho político y no creación de la fantasía. Y tenía razón.

MÁRMOLES DE CARRARA

Mientras Alberdi traía de fuera personajes a la Patagonia, otro escritor se trasladaba a los viejos países de la cultura y de la tradición para hacer pasear las nostalgias de los suyos por mares y sendas de épocas clásicas. Se nos ocurre que quien tal hiciera había de ser un esteta del más puro y exquisito gusto, que se deleitara contemplando los muros de una vieja catedral en el contraluz de una puesta de sol, de mirar una y otra vez, desde distintos ángulos, una tela del Renacimiento, de acariciar suavemente, amorosamente, una estatuilla cincelada por Cellini y de deleitarse en el goce más delicado, más profundo, frente a un torso hecho en mármol de Carrara. Y el delite deriva en el placer de comunicar a los otros, en prosa de cuidada y amorosa elaboración, algo de las sensaciones estéticas recibidas. Pero para que la comunicación se haga efectiva es necesario que el lector sea igualmente sensible y tenga capacidad para poder recibir, por reflejo, igual impresión. Además, contar con el mismo tiempo de ocio y con pareja nostalgia. No siempre se logra.

Condes, marqueses, príncipes y duques son los personajes de *Redención*, la obra más representativa de este esteta que se llamó Ángel de Estrada y pertenecía a otra estirpe de escritores. Refléjase en esta producción la exquisitez de su espíritu. Es relato de viaje más que novela y hay en ella desfile de lugares con larga historia y centenaria tradición, capitales clásicas y castillos del medioevo, poblados por personajes extraños para nosotros, hasta parecer tomados de cuentos de hadas. Italia, Grecia, Bizancio, Egipto; fábulas de Pan, citas de Apolo, aventuras de Ulises y andanzas de Minerva; nostalgias del protagonista y de su compañera, mujer ideal, espíritu sin cuerpo casi, que queda flotando sobre bíblicas tierras. A manojos podrían recogerse párrafos como éste, tomado al azar:

"Estaba al borde de la fuente de Flora. La mujer le clavó sus ojos verdes que hacían pensar en una náyade, nacida entre nenúfares, con toda la frescura y el encanto misterioso de las aguas profundas."

¿Y lo humano?, se pregunta el que lee. Lo humano es cosa despreciable, "afán de lucro, pequeñeces", según dice el autor. Así ha de ser para quien hace viajar hasta Grecia al protagonista, con el único propósito de escribir unas estrofas. Exotismo e irrealidad, contemplación estética y exquisiteces de la sensibilidad. Eso y no humanidad ni pasiones es lo que ha de buscarse en las novelas de Estrada, muy distantes, como se ve, de nuestra época angustiosa y trágica. Escribió, además de la nombrada, *Las tres gracias* y *La ilusión*. En éstas, como en aquélla, hay muchas páginas, muchas divagaciones, pero ninguna espontaneidad y mucho frío.

M. Paul Groussac visita América

Allá por el 68 arribó a Buenos Aires un muchacho entre tantos como llegaban a nuestro país a probar fortuna. Tenía dieciocho años y se sabe ahora que vino de paso, en un viaje de prueba para saber si el mar le producía mareos: tenía el propósito de incorporarse a la marina de su patria. Llegó por casualidad, porque tomó el primer barco que encontró en el puerto y se quedó una temporadita en la Atenas del Plata, donde tuvo la ocurrencia de dar suelta a su pluma. Descubrió entonces que los gobernantes aborígenes, los *indiens américaines*, tenían el raro gusto de las letras, porque nada menos que el ministro Nicolás Avellaneda lo llamó a su despacho para felicitarle por la tarea e incitarlo a quedarse en estas tierras una temporadita. Conocería así el país en algo más que su capital. Y M. Paul se fué a Tucumán, como profesor. La visita se estaba prolongando un poco más de lo pensado...

Tanto se prolongó que Groussac se quedó definitivamente aquí, para bien de la cultura argentina. Profesor, periodista, historiador, crítico, novelista, fué señero en todo. Se argentinizó, pero no totalmente, porque si manejó el castellano como pocos, conoció nuestro pasado como el que más y se movió dentro de estas fronteras con la libertad de cualquier argentino de prosapia, hubo siempre en su vida y en su obra un poco de nostalgia de la patria lejana y algo de acíbar en lo que escribiera, destilado sin duda por una íntima y tal vez subconsciente amargura de desterrado. Su vida entre nosotros resultó fructífera, un tanto demoledora pero un mucho constructiva, porque si fué incisivo en la crítica y severo en el juicio, primero lo sería consigo mismo, sujetándose a una disciplina rigurosa y a una escrupulosidad de conjunto y de detalle que sería ejemplar para quienes todo lo fiaban a la inspiración y a la improvisación. Groussac quería que las cosas se vieran tal como eran en la realidad y no como quisiéramos que fueran. En la historia y en la actualidad. *Mendoza y Garay*, escudriñadora investigación del pasado, lo demuestra; *Los que pasaban*, también. A veces, el lector encuentra excesivas las exigencias del francés y cree extremadas las críticas que hace de los otros; por momentos, piensa que rebaja a sus contemporáneos, pero lo cierto es que los historiadores de discurso necesitaban lo primero, y que los otros, quienes se movían en su misma época, se humanizan y resultan más comprensibles. La culpa, si las cosas y los hombres eran así, no la tenía M. Paul.

No fué la producción novelesca lo que caracterizó la obra de Groussac, pero una novela se destaca entre sus primeras producciones y varios *Relatos argentinos* integran un tomo que lleva este título. La primera —*Fruto vedado*— fué inspirada por el paisaje tucumano y podría ser valioso elemento para documentar la formación del escritor. Domina allí la influencia francesa, en el antecedente literario, en los personajes y en el idioma. Casi son dos novelas en una: la

primera en América, la segunda en París, porque los protagonistas se van de aquí, y allí, en la tierra de fresco recuerdo
y eterna nostalgia, pondrán fin a sus andanzas. El autor hace
autobiografía y sus recuerdos recientes, como el viaje a través
del océano y la vida en Tucumán, están patentes en la
obra, que se editó en 1884. Dijo el autor alguna vez que
era "mezcla de sensaciones reales, de observaciones propias
y de reminiscencias librescas, sobre un fondo de pasión todavía palpitante que presta vida y verdad a las escenas
de amor: todo ello expresado en un estilo natural, pero
incorrecto, cuajado de galicismos". Es cierto, pero también
lo es que va destacando la prosa que había de ser ejemplar
en este hombre que bebió al nacer otro idioma y dominaría
el adoptivo como el mejor. Hay en *Fruto vedado* observación psicológica, pero el análisis de personajes, como las
luchas de almas, habían de ser expuestas con mayor perfección en sus relatos cortos. De ellos, *El hogar desierto* tiene
también parte de su trama en Francia y parte en nuestro
suelo, en un lugar de tierra adentro. Se describe el drama
del hombre que ha labrado aquí su bienestar y que se ve
abandonado por los hijos que se adaptan a otros climas y
van despegándose de su tronco. En *El número 9090* y en *La
rueda loca* se ofrecen absorbentes análisis psicológicos. En el
último, escrito en 1893, podrían encontrarse anticipos interesantes de Stefan Zweig, maestro en el arte de narrar torturas de conciencias. Va deshilvanando, el primero, el mecanismo psíquico de un hombre honesto, que siente una vez
tentación de apoderarse de lo ajeno, pero al fin la honradez
puede más y vence al ansia de dejar, con un simple cambio
de billetes, una vida de trabajo y privaciones. La reacción
y el sufrimiento moral de un hombre acostumbrado a burlar
a su mujer ante la sospecha de que ésta, a su vez, lo engaña
es el tema del otro relato, simple en su argumento pero

desarrollado con maestría digna del más acabado novelista.

No lució Groussac vuelo amplio de creador. Supo en cambio sacar provecho de sus personajes y realizar buenos análisis de tipos humanos. Sus incursiones en el campo novelístico así lo testifican.

VIII

PÍCAROS VAN Y VIENEN

Rinconete, Cortadillo, Guzmán y Lazarillo vinieron también a América, como Tartufo y Gil Blas. Tomaron otro nombre y se vistieron con otro ropaje, tal cual lo hicieron todos los que llegaron a estas playas. Y en el menor descuido de los novelistas, de los dramaturgos y los poetas mismos, esos personajes se colaban, se filtraban, se escurrían, para plantarse en sus escritos. Por eso se encuentran donde menos se piensa, apenas se escarba un poco en algunas páginas de nuestros literatos. En *Martín Fierro* se pone un pícaro con el nombre de Picardía, con intención, pero el pícaro mayor se llama Viejo Vizcacha, espejo de amorales y retrato de la miseria. Pícaro de ley es don Pacomio, personaje de *El romance de un gaucho*, de Benito Lynch, y esencia de pícaros tienen muchos de Fray Mocho. Entre pícaros y vivos se pondría a quienes anduvieron sobre las tablas del escenario criollo, en comedias y sainetes, enemigos del trabajo, aficionados al mate que engaña el hambre y golosos de las milongas a media luz. Pero quien tomó decididamente del brazo a los pícaros y les quitó la corteza extraña para desnudarlos ante los lectores fué don Roberto J. Payró, creador de Laucha, sin duda alguna el tipo más representativo de la fauna.

El hombre y la obra

Apareció Payró en letras de molde cuando corrían los años del ochenta, con un pecado y otro pecado, que lo fueron en verso, y un balbuceo novelesco que se llamó *Antígona*: pininos en la literatura cuando salía de la época de las rabonas escolares. Luego cayó en el anzuelo del periodismo, y allí, muchacho fecundo y de vuelo imaginativo, se encargó de traducir y de fabricar crímenes, que ponían escalofríos en los lectores y se copiaban más tarde, como reales, en otros diarios. El azar lo llevó después a Pago Chico, es decir a Bahía Blanca, en una visita que se prolongó cinco años y le sirvió para observar personajes, estudiar ambientes y saturar todo su ser con la atmósfera de una ciudad en formación, tierra adentro en la pampa [1]. Más

[1] Los cinco años que vivió Payró en Bahía Blanca fueron seguramente los que mayor influencia ejercieron en el escritor y en el hombre mismo. Allí llegó cuando salía de la adolescencia y en ese escenario de un pueblo en su más agudo período formativo, entre cuyos habitantes debía haber, forzosamente, de todo, puesto que buena y mala levadura entra por igual en la masa de que surgen estos conglomerados humanos, hubo de afrontar la lucha dura, rica en sinsabores, del periodista dispuesto a decir su verdad. Sobre los "burros" mismos y muchas veces con el arma al alcance de la mano, como si fuera un instrumento de trabajo más, escribió sus noticias y redactó sus bravos editoriales. Y como el periodismo, aunque tenía severas exigencias, no daba para vivir, otras tareas se vió obligado a realizar nuestro novelista, en la actividad mercantil, pero le sobró tiempo aun para ampliar su radio de movimientos a las más variadas actividades, de la política y de la cultura sobre todo. Payró formó en Bahía Blanca su hogar y nació en ella su primer hijo, perdido en Bélgica, y no cabe echar su transitoria ciudadanía sureña sino en el activo de su biografía. Podría pensarse lo contrario, pero no se encontró solo en su tarea, porque en el lugar, que vivía la época más fecunda de su breve historia, actuaba entonces una juventud dinámica y constructiva que contrapesaba con éxito (lo que la ciudad ha llegado a ser lo demuestra) el lastre de los espíritus negativos y de los hombres que vivieran con el solo propósito de hacer fortuna. Vió mucho y trabajó más Payró en el pueblo que llevaría, en la literatura, el nombre de Pago Chico. Esta vida intensa le permitió captar ambientes y observar personajes tanto como documentar episodios,

actor que espectador, tuvo que esperar un poco para reflejarlo en obras que se prolongarían en la literatura nuestra. Volvió, pobre de dinero y rico en experiencias, a la capital, donde se encontró con personajes como Darío, como Lugones, como Piquet y como Miró. En función periodística fué al sur y al norte; a la Patagonia, que descubrió para la literatura, y a Catamarca, donde aprendió muchas cosas. Estiró luego el salto y aterrizó en Bélgica, donde pasó el período de la primera guerra mundial y aguantó el drama duro del hombre libre viviendo en un país que sufre la invasión de tropas del despotismo. Salvóse por milagro del piquete de fusilamiento y pudo volver a su patria. A su patria y a su viejo diario, que todo era lo mismo para él, periodista nato, a escribir cuartillas, a publicar lo que elaborara en los momentos mismos de la angustia europea y a revivir, en la literatura, lo vivido y lo imaginado. También para reunir diariamente alrededor suyo, en gesto noble de maestro, a los que iban surgiendo, esperanza y principio de realidad en nuestras letras. Esa fué su vida anecdótica, que interesa pero no tanto como la otra, la reflejada en los libros.

---

pero no ha de caerse en la simpleza de afirmar que las páginas inspiradas por todo eso son verídico relato de los acontecimientos. Raúl Larra dice (*Payró, el hombre y la obra*) que brulotes distribuídos entonces en volantes se transformaron en sus cuentos de Pago Chico, lo que no hemos logrado verificar. Si así hubiera sido, los libros principales del autor de *Marco Severi* habrían quedado en simple crónica circunstancial y no llegarían a la categoría de obras literarias. Ha de recordarse también que Payró completó su conocimiento del interior bonaerense de fin de siglo y de la Argentina toda con viajes en misión periodística, de modo que esa trilogía de pícaros que estudiamos en estas páginas pueden tener esencia de muchos acontecimientos, personajes y escenarios. Lo más importante, en lo que respecta a Bahía Blanca, es destacar el hecho de que el escritor formara en ella su personalidad. Basta ir siguiendo los trazos de su pluma allí, desde las páginas de *El Porteño* en los días de su arribo hasta los editoriales de la última época de su *Tribuna* para constatarlo: los juveniles entretenimientos literarios de la primera hora se fueron transformando en editoriales medulosos, reflejos de una completa madurez mental.

Tiene la producción payroniana honda raíz argentina. Llegó a la esencia de nuestra vida y, con espíritu de sociólogo, hizo la disección de las costumbres, retrató personajes que convirtió en símbolos, se mezcló en el torbellino de la vida agitada de fin de siglo y sin dejarse arrastrar por él, que lo llevaría al negociado político de su pluma de periodista, logró reflejar costumbres, discutir vicios y fustigarlos, aunque no al modo del moralista clásico, pues no se creía dueño absoluto de la verdad. Lejos de eso, era hombre de amplio espíritu para comprender al ser humano, sólo el individuo o agrupado en conglomerados sociales, y su ética surge viva del espíritu que anima sus producciones, donde el simple relato objetivo, periodístico a veces, hace deducir al lector, por cuenta propia, reflexiones que otra pluma repetiría monótonamente, como ocurre en *La Bolsa* misma, donde el autor no cree suficiente la tragedia de sus personajes y ha de insistir página por medio en la inmoralidad del juego y el peligro de la aventura en las finanzas. En estilo, Payró se superó constantemente y sus libros primigenios no tuvieron la belleza ni la sobriedad de los sucesivos, que culminaron en los armoniosos capítulos de *El mar dulce*. No cabe igual afirmación en lo que a la creación de personajes se refiere, pues tanto Laucha como el prototípico Gómez Herrera están por encima de los que campean en las obras posteriores, movidos éstos con mayor habilidad psicológica, más finamente observados, tal vez, pero no de tanta humanidad ni de tal representación social.

Extensa fué la producción de Payró en el campo novelístico. Se inició con *Antígona*, en 1884, seguida de dos tomitos de cuentos: *Scripta* y *Novelas y fantasías*, en 1887 y 1888, ensayos juveniles que ejercitaron su pluma para el relato imaginativo, como el periodismo la iba templando para la narración documental. Hubo un intervalo que se jalonó con la crónica del viaje a la Patagonia (*La Australia argentina*) y con su entrada en el teatro, donde el nombre de Payró figura a la par del de Florencio Sánchez. *El falso inca*, de 1905, antecedió en un año a *El casamiento de Laucha*, seguido éste de *Pago Chico* y de *Violines y toneles*, tomo éste de misceláneas en que alterna la ironía con el sentimiento y que incorpora interesantes relatos (de uno de ellos, *Mujer de artista*, nació *El triunfo de los otros*, un drama de dolor y de amargura). Se sucedieron luego las otras novelas, las de su plenitud de escritor. En sus últimos años gustó de la evocación y no sólo la de la historia lejana, donde incursionó con *El capitán Vergara* y *El mar dulce*, de que nos ocuparemos con algún detenimiento, *Los tesoros del rey blanco* y *Por qué no fué descubierta la ciudad de los Césares*, crónicas ambas de la Conquista, sino también de sus años mozos, con recuerdos de hombres cuyo trato frecuentó, en *Siluetas*, y de costumbres del viejo Buenos Aires, cuyas páginas agregó a sus *Nuevos cuentos de Pago Chico*. El recuerdo cruzaba a veces el Océano y surgió así otro libro de ficciones, los *Cuentos del otro barrio*, de la tradición flamenca y valona que estudiara en sus días de Bélgica.

No es posible, en una referencia panorámica, detenerse en detalles ni análisis. Por eso dejaremos muchos de estos títulos como simple recuerdo, para destacar las obras más enjundiosas del autor.

LA TRILOGÍA DE PAGO CHICO

Hizo, Payró, una expedición al desierto. Ancló en Bahía Blanca, que en la literatura pasaría a la posteridad como Pago Chico, gracias a su pluma. Pago Chico bullía entonces en afanes de progreso. En pleno período de pubertad, se estiraba y sentía la picazón del cuerpo mozo en primavera. Todo el mundo trabajaba en barracas, en comercios, en periódicos, y los jóvenes se multiplicaban para atender tantas tareas como tenían que desempeñar. En ese afiebrado moverse de un lado para otro, en tal mezcolanza de gentes como allí, pueblo en formación, se daban cita desde todas las partes del mundo, había de todo, como en la botica del Pago. Había de todo, pero acicateaba el afán de hacer dinero y muchos irían simplemente para moverse unos años y retornar al propio nido, como los europeos lo hacían con América. También, como ellos, pocos eran los que volvían, pues no todos hacían fortuna y muchos encontraban tan agradable la tibieza del nuevo hogar como la del viejo. Eran los personajes de Pago Chico, con el escribano Ferreiro de titiritero. Los libros que contaron sus andanzas se llamaron *El casamiento de Laucha, Pago Chico* y *Las divertidas aventuras del nieto de Juan Moreira*. Los tres tienen personalidad propia, viven independientes y hasta podrían clasificarse en distinto sitio por su estructura, pero, juntos, son el documento de una época de la evolución social argentina. La primera, novela picaresca de la pampa, con mucho cielo y amplio horizonte, que no lo tenía la picaresca española clásica, es también menos amarga y menos opaca, porque sus personajes no se encierran en las pocilgas ni se revuelcan en las inmundicias de los pícaros que desfilan en *Rinconete*, en *Guzmán* y en *El Buscón*. Pero hay entre los de Castilla y los de estas tierras el parentesco de sangre, que es la falta de ideales y el deseo único de dar satisfacción al instinto, característica del pícaro. Laucha es la creación artística por excelencia y ha de vivir, por su humanidad, mucho tiempo en nuestra literatura. ¿Quién es Laucha? Creo que lo he visto alguna vez, en boliche de extramuros o en la parada del tren, en la cancha de taba lindera de la estación, en día de elecciones:

"Era pequeñito, delgado, receloso, móvil; la boca parecía un hociquillo orlado de pícaro y rígido bigote; los ojos negros, como cuentas de azabache, algo saltones, sin blanco casi, añadían a la semejanza, completada por la cara angosta, la frente fugitiva y estrecha, el cabello descolorido, arratonado..."

Tal es su retrato.

El casamiento lo fué por detrás de la iglesia, gracias a los oficios del padre Papagna, que parece descendiente de aquellos frailes que Ulloa y Juan acusaron de toda clase de delitos, los que aquí se reducen a uno: juntar plata, hacer la América, como diría un inmigrante vulgar. Y Laucha, fundido el boliche de la italiana, gastados los ahorritos que esa pobre mujer tenía bien guardados y esfumado el campito, siguió su camino de pícaro. A lo mejor, como Tartufo también, se aparece cualquier día, con otro ropaje y otra parla. Falta sólo el pesquisa que lo tome del brazo, porque ha de andar entre nosotros, en los mitines y en las asambleas de los tiempos actuales.

El casamiento es una joya, por su ambiente, por sus tipos y por su factura toda, medida, exacta en sus proporciones y acabada en el estilo propio en que deben reflejarse ese ambiente y moverse tales personajes.

Laucha estaba fuera, en la pulpería La Polvareda, donde se corrían las carreras de Pago Chico. De vez en cuando, para adquirir provisiones o visitar compinches, se hacía un viajecito al pueblo. El pueblo ocupó otro volumen, al que dió título y lugar destacado en la literatura de sátira política. *Pago Chico* quintaesenció una época del interior del país y es libro ya clásico entre nosotros. Lo integran escenas diarias de la vida de un pueblo en formación que se han hecho célebres. Brindaron argumento para más de un sainete, tema a oradores de oposición y escenas para muchas crónicas. Los manejos de la política oficial, el beneficio que se hacían a sí mismas las damas de la sociedad de beneficencia, las grescas periodísticas, los vigilantes que se embolsaba mensualmente el comisario. Todo eso y la fábula del preso cuidando de la comisaría y hasta de la embriaguez del sargento, son cosas que hemos visto, como hemos presenciado alguna vez el castigo de un inocente para ocultar el culpable, siendo éste precisamente quien lo castigara. Tal es el relato *Poncho de verano*, donde la autoridad que reprime el abigeato expone en la plaza pública, emponchado en el cuero fresco de una vaca que va poco a poco estrangulándolo, al pobre infeliz que carneara una res para que la familia no se muriera de hambre. Entre tanto, el comisario seguía arreando cada noche una "puntita" de hacienda ajena.

El lector ha asistido, según asienta el autor en el prólogo, a las palpitaciones de una democracia en formación. Cuando se gestó el libro, Pago Chico era otra cosa, crecía y prosperaba porque su fuerza era colosal. Lo mira el autor y dice: "¡Esto nació de aquello!" Así había de ser, en Pago Chico y en la Argentina.

Muchos de los que llegaron alto se criaron en ese ambiente y resultaron pícaros de gran estilo. Uno, Mauricio Gómez Herrera, protagonista de *Las divertidas aventuras del nieto de Juan Moreira*, es hombre ambicioso, político tortuoso y logrero sin escrúpulos. Cuenta su propia historia con naturalidad, desnudo su entendimiento de lo que es moral o inmoral o, mejor dicho, viendo lo moral en lo que le beneficia y lo inmoral en cuanto pueda oponerse a sus ambiciones. Es tipo entre gaucho y ciudadano, tal como el país en ese instante; personaje que se mueve en su ambiente de apetitos y de ambiciones, en medio de la anarquía social del momento, criado con la indiferencia del padre y los mimos regalones de la madre, acostumbrado a hacer su capricho, sin lástima para quien ha de sufrir las consecuencias. Hay en esta obra un gran acierto para captar la esencia sociológica argentina y un realismo de ley alienta sus páginas. Hombre de garra se ha llamado a Gómez Herrera y nada más acertado. Se propone llegar alto y llega. No detienen sus pasos escrúpulos de ninguna naturaleza, ni el amigo fiel, ni la novia a quien deshonra, ni la madre que se consume con el sufrimiento. Él sigue su marcha. Aprendiendo unas frases y utilizando como instrumentos a quienes le rodean, escala posiciones en la política y logra entroncar en el círculo del dinero y del poder. Al fin, cuando se va de embajador, alguien hace alusión al nieto de Juan Moreira, que será representante del país en el exterior. Lo ha escrito nada menos que el propio hijo de Gómez Herrera, Mauricio Rivas porque lleva el apellido de la madre soltera. El padre lo busca y no vacila en llevarlo al descubrimiento de la verdad de su origen. Y termina la obra:

> "Al día siguiente busqué *El Chispero*; no traía el artículo anunciado. En cambio, por la tarde, recibí esta esquela, firmada *T. R.*: 'Tuvo usted razón, pero no sentimiento. La vida es suya. El pobre muchacho es otro, desde que sabe. Pero vivir matando debe ser una desgracia'.
>
> Vi algo horrible, y salí de mi despacho, dejando la esquela tirada en el suelo. Cuando me tranquilicé y volví la quemé sin piedad, casi con rabia.
>
> ¡Vaya una tontería! ¡Suponer que, por vanas consideraciones sentimentales, uno ha de renunciar a sus grandes proyectos o dejarse manosear por quienquiera!..."

Historia de los abuelos

Una escritora nuestra, Renata Donghi de Halperin, llamó abuelo de Juan Moreira al protagonista de otra novela de Payró, la de la conquista del Paraguay. Bien cabe tal honor al capitán Vergara. Puestos a escarbar, igual entronque racial habría de señalarse a Laucha, quien podría descender de aquel Francisco del Puerto o del mismo Bohórquez, pícaro andaluz con falsos pergaminos incaicos. Se llamó precisamente *El falso Inca* la primera novela de índole histórica que escribiera don Roberto, que la prolongaría, para completar la fábula, en *Chamijo*, recién en sus años postreros. La época de la Conquista le inspiró *Los tesoros del rey blanco* y *Por qué no fué descubierta la Ciudad de los Césares*, libros que aprovechan, una vez más, el venero inagotable de las leyendas creadas por los conquistadores, ambiciosos como hombres e ilusos como niños. Bien capta este rasgo psicológico de aquellos soldados rudos, capaces de los más grandes sacrificios y dominados por la ambición, pero tan fáciles de engañar con una simple palabra que les muestre la más remota posibilidad de fortuna.

Llegamos a tratar con ellos a otro hombre, de garra. La garra sería lo que lo emparentara con Mauricio Gómez Herrera, pues si éste no usó las armas fué porque otros eran los tiempos y otra la guerra. Era don Domingo Martínez de Irala, el capitán Vergara, hombre representativo de la Conquista de América, sobre cuyo suelo, en sus tiempos, el bandido convirtióse en héroe y el héroe en bandido. A su vez, el pobre en rico y el rico en miserable. El cuidador de cerdos pudo ser dueño de un mundo maravilloso —y lo fué— mientras el caudillo un día indiscutible, gustador de todos los placeres y de todos los poderes de la fortuna, caía en muerte ignominiosa. Audacia y más audacia llevaban a todos esos extremos.

No fué Irala, empero, hombre de sólo audacia, como podría creerse por su ascender de soldado oscuro de la expedición de Mendoza hasta transformarse en mandatario absoluto del Paraguay. Equilibrado, sereno, con temple para afrontar todas las circunstancias e inteligencia natural para gobernar españoles y atraerse a los indios, valiente como ninguno y prudente como el que más, tuvo la visión de estas tierras, supo hacer colonos de soldados y aventureros, aclimatar españoles a estos parajes e indios a una nueva vida. Convirtió la Casa Fuerte en ciudad de la Asunción, incubadora de pueblos, y se aseguró, por hacerse hombre imprescindible, el mando del territorio hasta el día de su muerte. Tal hombre eligió Payró para realizar su más paciente trabajo de novelista. Buena elección, sin duda.

La novela se llamó *El capitán Vergara* y es de una riqueza extraordinaria, de tipos, de ambientes y hasta de caracteres. Nos presenta, tal como debió ser, el nacimiento de un pueblo surgido de la conquista de América, con sus luchas, sus esperanzas, sus adversidades, su caerse y levantarse. Desfila la intriga y la envidia, el amor y la mezcla de razas, la sed de oro y de poder, el hambre de nuevas tierras; insaciable, ansioso siempre el conquistador de llegar más allá, de descubrir algo nuevo. Hombres que se mueven para enredar y aventureros de otras tierras, Schmidel, primer historiador, entre éstos, hablando su burda lengua; frailes pegados demasiado a la tierra y curas con vocación angélica. Fué el Paraguay una muestra de la sangría peninsular y el capitán Vergara representación muy humana de sus mejores hombres. Seguir al novelista sería relatar la capacidad de sufrimiento de los conquistadores en su marcha de días y días, con el agua a la cintura, el estómago hambriento y la frente afiebrada, en pos de una simple ilusión. Alentados por ella, escalaban montañas, atravesaban desiertos, desafiaban las pestes y peleaban con los indios y con las fieras. Como compensación, la misma esclavitud del aborigen, cuyas mujeres resultaban buenas para el placer y magníficas bestias de carga. Vida intensa en medio de pasiones que exponen la existencia, de motines que derrocan gobiernos y de fraudes que eligen gobernantes. Esa es la ley, ley del más fuerte y del que tiene menos escrúpulos, ley en la que no podía moverse el ingenuo don Alvar Núñez Cabeza de Vaca, que pudo atravesar el norte de América, mago entre indios, pero no sostenerse entre blancos, en la Asunción, más que el tiempo necesario para que le iniciaran proceso y lo enviaran de vuelta: gobernante fracasado, historiador girado a la posteridad.

Atraviesa la escena, en persona y en espíritu, la figura extraordinaria de Irala, cuyos descendientes (él los tuvo de veinte indias) serían los mancebos de la tierra que, con don Juan de Garay, trazarían las líneas de las más grandes poblaciones argentinas, y cuya visión postrera pareció ser la de la independencia de este suelo, el trabajo de cuyos indios era el metal que creaba la ilusión del Dorado. "Suya es la tierra", son las palabras que el autor pone en boca de Irala, en su lecho de muerte y refiriéndose a los españoles "de aquí". Y la tierra fué de ellos...

¡Tragedias de la Conquista! ¿Cuántos de sus hombres caerían, tristemente, en la oscuridad, cuando divisaran el horizonte abierto a sus ambiciones? Muchos sin duda, porque una vida de penurias, de angustias, de esperanzas y fracasos podía terminar con la satisfacción única de entrever la meta, de sentir la palpitación del corazón ante la vislumbrada realidad. Fué el drama de muchos, Solís entre ellos. Es el personaje central de la más perfecta obra literaria de Payró, donde se volcó el poeta que no pudo reflejar en versos prosaicos sus anhelos juveniles. Poemática es la prosa de esta obra, que relata —medio libro se va en ello— lo que costaba preparar una expedición a ignotas tierras americanas. Trabas de toda índole, nacidas de envidias, rencores, celos y angurrias de aprovechar para sí lo que el otro quiere para él. Como entre las personas, entre las cortes, que quieren arrebatarse descubrimientos y conquistas. Desfilan personajes y se mueve, en los puertos españoles, la multitud que mira el mar con esperanza de cruzarlo, con ansias de navegar sus aguas traicioneras, porque cruzándolo se topará con el vellocino de oro, con la fuente de la eterna juventud, con el país de las maravillas. ¡Ilusiones, siempre ilusiones!

En el centro, la presencia de ese navegante un tanto misterioso que fué Juan Díaz de Solís, hombre que no se resigna a dejar el mundo así, sin otra aventura, cuando anhela el verso heroico de Fernández de Oviedo, rimador de conquistas y de aventuras sobrehumanas de allende las aguas. Solís, que parece haber sido protagonista de una tragedia calderoniana, como lo fuera Francisco de Mendoza, compañero de Irala, logra al fin, con habilidad, con energías y con la ayuda del monarca, preparar la armada que cruzará el Océano. ¿Qué mueve a este hombre, que goza en la Corte de todos los beneficios, para ansiar de tal modo la partida? El mismo lo dice:

"—Sí —contestó don Juan— cojeo del mismo pie, no os lo puedo ni os lo quiero negar. En el villorrio de Lepe hallábame como el pez en el agua, pero ni la vida regalona y holgazana, ni el amor de mi mujer y mis pequeños han logrado detenerme en cuanto vislumbré la posibilidad de un gran viaje... Una como ansia me empuja a otros destinos..."

Es el ansia que angustia a todos, y uno de sus pilotos ha de decir cuando se le pregunte si quiere saber cómo y hacia dónde van: "Basta con que usía me mande. Soy poco curioso; cuanto más lejos mejor y de más provecho."

Con los navegantes avezados andan los que se inician Entre ellos, Francisco del Puerto, Paquillo, único sobreviviente de cuantos bajaron con Solís el día de la tragedia El personaje, que apareció después en otra novela de Payró nos trae sabor de pícaro. Y pícaro de buena ley se retrata él mismo, en la sabrosa exposición de su historia, corta de años y rica en experiencia ganada, que parece salida de em polvado códice:

"—Diz —pero debe ser exageración— que me encontraron en un muladar de Puerto Real, junto a Cádiz envuelto en un estropajo, que no en mantillas de Holanda, por lo que se habla de que si soy o no soy hijo de príncipes... Recogiéronme unos viejos que pedían limosna y me la hicieron para que más tarde les ayudara, pero cuando yo comenzaba a hacerlo de mil amores, porque el suyo no era trabajo muy pesado, muriéronse de las miserias pasadas... Pues allí me crié yo, más que en tierra en las aguas de la bahía y hasta haciendo, alguna vez, oficio de marinero en la Almadraba.

—Medrado marinero...

—Otros hay que... Pero, la verdad, un golpe de remo no me espanta, y el arráez ha solido encargarme de maniobras más difíciles.

—¿Y ahora, creyéndote lobo de mar, quieres atreverte con la charca grande, marinero de agua dulce?

—Salada y bien salada es la de Cádiz, que en Cádiz está la sal que Dios crió... Pues, por cruzar esa charca que usarcé dice, vengo de allí, a pie como un hidalgo diciéndole al hambre, ¡Alante, alante, que allá te aguarda la mesa puesta!... con que yo pueda embarcar en una de esas armadas de Castilla del Oro o donde sea, tiempo tendré de comer y ahitarme, y ahitar a cuantos se me acerquen... Conque si usarcé quiere llevarme consigo, yo le serviría de mil amores, y le bailaría el agua delante, atendiendo antes que al mío a su interés y agasajo..."

Como contraste, la figura evangélica de fray Buenaventura, mago de primera categoría para los indios cuando lo veían con sus vestiduras de oficiante. Forman ambas figuras —la del fraile y la del grumete— polos entre los cuales se ubica la masa de mareantes y de soldados, cuyas esperanzas de riquezas y sed de aventuras se verían tronchadas en el Río de la Plata, en *El mar dulce,* que dió título al libro, con la vida de su avezado y siempre confiado capitán.

Interesante es poner frente a frente pícaros de aquí y de allá. Laucha, de la pampa, nos habla como tiene que hablar un pícaro, pero de estas tierras y de estos tiempos; Francisquillo, de la patria de Lázaro, en su lenguaje, que es el de su tiempo y el de la literatura popular del siglo de oro. Hay centurias entre uno y otro y hay también el mar de por medio. Con su frase gráfica, plena de modismos y de expresiones que se entienden más por el gesto que por la palabra, Laucha nos satura de ambiente de llanura polvorienta. Francisquillo, que había de colmar sus deseos de aventuras con su vida de años entre los indios, nos trae a esta época el perfume de las ya lejanas. La esencia humana de uno y otro pícaro es, sin embargo, idéntica.

IX

UN NOVELISTA Y SU INQUIETUD

En el momento de sus mayores triunfos de novelista, Manuel Gálvez recibió cálidos elogios y, olvidando el patrimonio literario anterior, sus admiradores estuvieron a un paso de afirmar que la novela argentina nacía de su pluma. Debatir sobre esto sería discusión bizantina, pues basta decir que, antes de Gálvez, ya teníamos novelistas, buenos o malos pero productos de un ambiente en agitada transformación, y que si el 80 nos brindó un Cambaceres y el 90 un Martel, en el período posterior, en los alrededores de la guerra de 1914, habría de ofrecerse distinto tipo de novela, producto de otras inquietudes. Los primitivos narradores mostraron influencias de la hora, que vinieron de fuera, pero el costumbrista de *La maestra normal* tampoco pudo ocultar las suyas, aunque lo negara una y otra vez. En novelística, como en otras cosas, no habíamos dejado de ser, en su tiempo, ya un tanto pasado, país colonial o semicolonial, como no hemos dejado de serlo ahora ni siquiera a medias en cuanto a influencias literarias.

Pero si no creador de nuestra novela, es cierto que Gálvez ha sido el novelista nato, el escritor consagrado al oficio, con pasión que le nace de una vocación indiscutible. Sus cualidades son muchas, como lo testifican los aciertos de numerosas páginas salidas de su pluma, pero esas condiciones de bondad fueron contrapesadas con lastre que las empalidece. Tiene el autor de *Nacha Regules* el defecto de no despojarse de su propio yo y el afán de colocar en primer término sus opiniones, en todo momento y sobre todos los asuntos, y eso hace perder personalidad a sus títeres, capaces muchos de ellos de moverse por cuenta propia pero que deben someterse siempre, en última instancia, a lo que el escritor piensa, a lo que éste a priori había resuelto que fueran, triunfando no lo que la lógica y la realidad aconsejan sino lo que su autor quiere que triunfe. Es el propósito de redondear el argumento en ocasiones, de resolver totalmente un problema, de anudar en un epílogo que ha de ser a modo de moraleja el destino final de sus personajes. Por eso el tragafrailes cordobés tenía que terminar en la sacristía. Algo más que conspira contra estas novelas es el afán declamador que se adueña de ellas y que —lo asentó bien Arturo Torres Rioseco— les hace correr peligro de envejecimiento. Tememos que estén ya en ese período, pese al cine, que ha echado mano de *Nacha* en tiempo reciente. Es decir, fuera de tiempo.

Gusta el autor hacer de sus novelas motivos de debate. Hay en ellas polémica y se adjudica a quienes se mueven en sus argumentos discursos y opiniones sobre los problemas que se discuten en su época, de moral, de política o de filosofía. Por eso, salvo muy pocos —la maestra riojana en primer término— no llegan a la humanidad y a la independencia de los que campean en *El romance de un gaucho*, por ejemplo, y que, como el protagonista de *Niebla*, de Unamuno, serían capaces de discutir con quien los engendró sobre su derecho a seguir el propio destino. La influencia zolesca en la obra de Gálvez es visible y las novelas suyas acusan ciertas características que se suceden a través de todos los libros: su amargura frente a la incomprensión de los valores del espíritu por parte del común de las gentes; su amor y su defensa del caído, amor y defensa que se diluyen en compasión más que en rebeldía, como cuadraría mejor a un escritor de fibra; la ya destacada de su afán polémico y una cuarta que denuncia predilección por el relato de crudezas y, principalmente, la búsqueda de motivos del sexo, descritos con una aspereza que por momentos obliga al lector a alejarse de sus novelas. Es sugestivo que un escritor tan aburguesado, de ideas católicas y conservadoras, muestre tal predilección.

No logró Gálvez triunfar en su propósito de documentar totalmente la vida argentina y hasta su historia, pero es un novelista completamente nuestro. Reflejó bien el vivir provinciano y ha animado personajes de nuestro ambiente cosmopolita, penetrando profundamente en los rincones donde podía encontrarlos, aunque fueran tales sitios guaridas de delincuentes o antros del vicio.

INCURSIÓN PROVINCIANA

La distancia en el tiempo parece indicar que Gálvez será uno de esos escritores que tienen su mejor representación en los libros iniciales, sobre todo en cuanto a labor de creación. Con ser una de las primeras novelas suyas, *La maestra normal* ha de considerarse su obra más importante. Pudo ser su igual *La sombra del convento*, pero varios motivos malograron otra buena producción. El ambiente provinciano, donde conversar se prefiere a trabajar, con su monotonía, su chismerío y sus dramas, en otros sitios mínimos pero grandes allí, desfila en *La maestra normal*, cuyo protagonista femenino, Raselda, es uno de los mejores personajes de nuestra novelística, admirablemente retratado, real,

humano. Pareja representación tienen los otros personajes
muy observados todos, tomados visiblemente de la calle, de
la vida diaria, bien documentada ésta, como los incidentes
de la escuela y los enredos de aldea. Hay cuadros de ambiente y estudios de tipos psicológicos que allí se mueven,
siempre un tanto al margen de la hora que vive la cabeza
de la República. Podría haber servido todo eso para explotar
más la nota local, lo pintoresco, pero puede también haber
sido un acierto del autor no intentarlo. El riesgo de caer
en eso que se llama literatura de exportación es siempre
mucho.

El viajero fué luego a la docta ciudad mediterránea, lugar
magnífico para plantar un relato de tipo polémico, alrededor del progreso y de la religión, de estilo galdosiano. El
conflicto entre dos épocas se plantea en *La sombra del convento*, donde la familia cristiana de viejo estilo quiere tapar
con simple paraguas la lluvia borrascosa de los tiempos
nuevos, representados por el aspirante a novio que trae
otras costumbres y piensa de otro modo: sangre joven, luces
nuevas. Bien planteado el asunto, tiene fallas en su desarrollo y arbitrario desenlace. Pronto el protagonista, abanderado de la nueva época, adalid de ideas renovadoras y
agitador de encendida verba, cede mansamente y se entrega
a la Iglesia. Claro que el autor, falseando la esencia de un
personaje que se le podía desbocar para resolver él mismo
sus asuntos, le hace escribir brulotes, de los cuales no puede
resultar sino el ridículo de los adversarios de la religión,
representada en la novela por la compañía jesuítica. Cuando
van corridas ya suficientes páginas, llega un catecismo salvador y José Alberto se convierte, retornando al redil que
le hicieran abandonar los herejes. Pero pronto, demostrando
el mismo autor lo absurdo de la actitud, lo vuelve a plantar

delante nuestro, en *La tragedia de un hombre fuerte,* de nuevo con sus discursos liberales.

¡Lástima de una buena novela a punto de ser creada!

Apóstoles y perdularias

Ese conglomerado social, variado hasta lo caótico, que alberga la capital argentina, es tentador para un novelista inquieto, que se coloca frente a su pueblo para describir su vida, penetrar su psicología y fijar todo en una literatura que quiere ser documental. Gálvez dedica varios de sus volúmenes al ambiente porteño, desde *El mal metafísico* hasta *Hombres en soledad.* La primera está entre las que hicieron mucho ruido, en parte por ser novela de clave, con lo que se vuelve al episodio de Cambaceres. Aquí, los nombres se hicieron públicos, porque fueron disfrazados apenas: Ingenieros, Almafuerte, Gerchunoff. El mal metafísico es, para Gálvez, la enfermedad de la pereza, de la inadaptación y de la contemplación. Escuchad a un personaje:

> "Créanme, muchachos, son enfermos inadaptados, enfermos del mal metafísico, la enfermedad de crear, de soñar, de contemplar."

En tiempos de Argerich, de Podestá y de Sicardi, la enfermedad biológica; ahora, ésta... Roído por ese mal, Carlos Riga va descendiendo, enviciándose paulatinamente, falto de espíritu de lucha e ilusionado con su libro de poemas. Se mueve el mundo de los intelectuales, los periodistas, los escritores diletantes, con sus envidias, sus triunfos si son audaces y sus desilusiones si, además de no serlo, tienen honestidad. Carlos Riga se une al final de su vida con Nacha, la heroína de otra novela. Es un tipo bien observado pero demasiado orador. Parece que el autor mismo se encarnara en sus personajes para colocarse frente a la sociedad y apostrofarla mostrándole sus taras morales. Tal ocurre principalmente con una novela de corte socialista, *Nacha Regules* [1], donde se estudia el vicio y se saca a la luz la tara terrible de la prostitución. Nacha es, evidentemente, un tipo humano de "caída", pero falsos resultan otros que van desfilando por la obra, donde anatematiza contra la sociedad hablando del monstruo de vientre repugnante que se llama justicia social. Cuenta esta novela con otro de los buenos personajes del escritor, Fernando Monsalvat, que quiere ingenuamente redimir a los pobres derribando el conventillo que recibió en herencia y levantar a las mujeres perdidas, simbolizadas en Nacha, de todas ellas la que más abajo llegara. Es hombre al que obsesiona esa injusticia social y que va poco a poco tomando ribetes de apóstol, torturado por lo que ve y por la tragedia que lleva sobre sí, enamorado perdido como está de la prostituta, buenos personajes de novela ambos. Hay, en *Nacha Regules*, exageraciones que restan realismo y bastante ingenuidad al pretender que todas las compañeras de la protagonista son víctimas de engaños y tienen análoga historia.

Si se lee una vez, *Nacha* y sus amigas dan lástima y llevan a la piedad; si se insiste y se hace un ligero análisis, ya es

1 Podemos recordar, para establecer mejor las ideas y los objetivos de Gálvez en esos momentos, que *La Vanguardia*, diario socialista, dió en folletín su *Nacha Regules*, novela que presentó con una carta de su mismo autor. Pedro B. Franco saludó desde *La Nota* (Nº 232, del 23 de enero de 1920) la aparición de esa obra con párrafos como éstos: "A través de toda su trama se ve a la Injusticia Social sostenida criminalmente por los ricos, los bienhallados, los que nada necesitan y piensan que el mundo marcha bien tal cual se halla. En cambio los humildes, los desheredados no tienen derecho sino a su propia miseria..." Y el mismo Gálvez años después diría a propósito de esto: "...Y no me refiero, precisamente, a las impertinencias de los que me reprochaban mis ideas, por aquellos años un tanto revolucionarias..." (*La Argentina en nuestros libros*, Sgo. de Chile, Ercilla, 1935.)

otra cosa y el lector llega hasta imaginar que todo el realismo de esta clase de obras deriva de un propósito previo y de alguna visita al cabaret, con cuestionario y libreta de apuntes. Tiene absurdos la novela, como ese de la pensionista que es explotada por una tía en el tráfico de su cuerpo, piensa que eso "debía ser una cosa mala" y pregunta a Nacha Regules después de unos meses si hará mal en cumplir con los deseos de la tutora.

Gusta Gálvez de hombres con tintes de apóstoles, como Monsalvat. Así es Víctor, el de *La tragedia de un hombre fuerte*, tipo en verdad raro: diputado sin partido, se hace célebre con un discurso muy personal sobre la hora en que se vive y sus problemas y después de eso se dedica al amor, que no es —¡cómo había de serlo!— el de la mujer propia. Y de tan fuerte como es, Víctor se convierte en un don Juan o en un señor de Casanova, hasta que se desengaña y, entonces sí, derrocha su fortaleza acaudillando a las juventudes. Hay más pretensión que realidad y el hombre fuerte cae al primer análisis como el más endeble títere.

Se acercó Gálvez al hipódromo y construyó una novela que no había de aumentar su prestigio: *La pampa y su pasión*. Fué superior *Historia de arrabal* como construcción realista. Es ésta un brochazo de ambiente y sus protagonistas, de la más baja napa social, han sido bien captados. Cruda en extremo y exagerada en las tintas es, sin embargo, uno de sus aciertos de novelista, pues la fabricó con vigor y habilidad profesional.

Está en el grupo *El cántico espiritual*. Aparecen aquí también nombres que habían campeado en las obras de ambiente porteño y entre todos estos libros hacen historia, parcial sin duda, de una época, por la vida de sus personajes, por los sucesos que van desfilando con ellos y por las acota-

ciones que al margen hace su creador, quien brindó tiempo
después una nueva novela, *Hombres en soledad*; de crítica,
de amargura, escrita en prosa casi panfletaria, es como
desahogo y rebeldía contra la sociedad que describe. Pareciera la protesta de un incomprendido, cuando lanza su
grito angustioso. El título fué un acierto, porque muchos
son los seres que viviendo entre la multitud se sienten en
soledad, pero es negativo en su esencia y, escrito por otro,
hubiérase sospechado que rozaba nuestra dignidad de argentinos.

De don Juan Manuel a Solano López

Entró Gálvez en el campo histórico y dió a la estampa
una trilogía sobre la guerra del Paraguay, influída por las
novelas que nacieron de la primera guerra mundial, por
las matanzas que se describen y por las escenas de cruel-
dad que se presentan al lector. Hay exceso de detalles,
común en todos sus libros, y esto resta grandeza a los
hechos, pero sus cuadros tétricos de la retirada para-
guaya impresionan. Alguien dijo, tal vez con razón, que
no reflejan el valor y el entusiasmo con que fué a la pelea
el soldado paraguayo, rebajando su espíritu patriótico y su
moral, aunque no su capacidad inmensa de sacrificio y
de sufrimiento. Podríamos agregar que muchos cuadros de
estas novelas de Gálvez se han reproducido en la realidad
en la última guerra del Chaco, de la que el Paraguay salió
con la victoria pero en la cual dejó, como en la que sostu-
viera sin éxito militar contra la Triple Alianza, la flor de
su juventud. Al final de una y otra guerra, hombres que
recién salían de la niñez empuñaban, con menor capacidad
física pero con idéntico coraje y pareja furia, las armas de

su patria. Bien está reflejado esto en *Jornadas de agonia*.

La época de Rosas le dictó otras novelas, que no agregan mucho a su haber. Son relatos fríos, faltos de vida, cercanos a la simple crónica, y no se ve en ellos bullir esa sociedad tan propicia para la evocación novelesca. Incursionó por último en los episodios de las invasiones inglesas.

PASOS EN LA MÍSTICA

Miércoles Santo fué la entrada de Manuel Gálvez en la novela mística, pero el eje de su trama, un cura regordete y bonachón, poco tiene que ver con otras creaciones de esa literatura, como la del hermano Asno, del chileno Eduardo Barrios, por ejemplo. Aquí, como en todas o casi todas las producciones de este novelista que se especializó en adulterios y temas sexuales, abundan los relatos de estos episodios que desfilan por la reja del confesonario, como en una película, para mal del buen fraile, que sufre torturas de toda índole.

Cosas del momento en que se celebró el Congreso Eucarístico, dos novelas con argumento que se centra en él, quedarán como tantas otras notas sentimentales que se publicaron entonces.

¿Qué perdurará de toda esta extensa labor del novelista? El comentarista puede errar, y el lector también. Pero un repaso de esa producción nos dice que el cernidor del tiempo ha hecho ya buena tarea. Faltan pasiones, humanidad y hasta paisaje. Las novelas resultan ahora plenas de artificialidad cuando debiera haber hondura, y alegato abogadil en vez de libre juego de instintos, caracteres o pasiones.

Intermedio.

DE MOROS Y CRISTIANOS

Largo viaje hizo don Enrique Larreta, en el espacio y en el tiempo. La maleta bien provista de viejos códices y saturado el espíritu de romancescas crónicas de los viejos tiempos peninsulares. Fué a España y, sin despegarla mucho del paisaje en que viviera, echó la vista al pasado, cuatro siglos atrás. Revive para nosotros de ese modo estampas de la época de Felipe segundo, con arte y con realidad, en una reconstrucción que es arqueológica y es literaria. La novela nos pertenece por la nacionalidad del autor, no por el asunto, los personajes ni el ambiente. Lo mismo a la novelística americana, puesto que *La gloria de don Ramiro* es una huida de América, aunque el protagonista, mezcla de sangre mora con rancio abolengo godo, se viniera a estas tierras en busca de tumba que recogiera sus machucados huesos. Pero la herencia sanguínea de don Ramiro no es lo que entabla debate dentro de él, castellano viejo en espíritu. La pelea es entre las gentes, entre cristianos y moriscos, como en los romances.

Eligió bien Larreta la época y el escenario. España, entonces, bullía en todas sus capas sociales. Había una exaltación del espíritu católico, pero mantenía aún su reverso en el mundo musulmán, agazapado, oculto en lo externo solamente, como debía estarlo el otro mundo, el judaico, que no asoma en la novela, donde no hay caracteres profundamente humanos y el protagonista mismo carece de integridad. Quiere el lector verle seguir su línea cuando, siendo niño, muestra amor a las armas; quiere también verle afrontar como un hombre entero sus amores con la mora, pero no lo logra, porque este don Ramiro va de un lado para otro, de la esperanza mística al amor físico, de las ansias guerreras a prácticas de anacoreta. En parte, se explica por la influencia del medio ambiente, del atavismo, de la religión, pero no del todo. ¿Y Beatriz? Temperamento voluble, apasionada de un mancebo por la mañana y enamorada de otro por la tarde, mal puede retratar el carácter castellano ni el orgullo de la sangre. Doña Guiomar la supera con mucho, pero Aixa, la mora, es el personaje, de cuantos ocupan primer plano, que adquiere más elevada categoría. Contra la falta de carácter de Ramiro, al fin y al cabo un "zogoibi", un desventurado, surge la grandeza de la infiel, mujer de una pieza que se coloca por encima de todos por la entereza de su espíritu religioso, que la hace ir, impasible, en actitud de santa, a la hoguera, y por la fidelidad de su amor. Rara cosa ésta por cierto en una novela que quiere reflejar el alma castellana. Pero están allí otros personajes de indudable valía, bien enfocados, como el abuelo de Ramiro y el padre de Beatriz, en quien apunta el espíritu moderno que se filtrara a hurtadillas en España. Hay frailes encendidos de ardor religioso, combatientes y fanáticos; nobles pegados a sus pergaminos y hombres con el fuego de la aventura en sus pupilas. El ambiente, la evocación del alma española en la época de la conquista de América, la sociedad de Felipe II y hasta el mismo rey en breves pinceladas, la atmósfera toda, han sido bien reflejados, en prosa plena de armonía, en lenguaje que revive lo arcaico. Pero, trabajo de cerebro al fin, resulta a veces un tanto frío. No siempre por cierto, porque cuadros hay en que se presenta al lector, con colorido, con animación y con un vigor que transporta a la época, acontecimientos, hábitos y costumbres. Tal la procesión del Santo Oficio con los condenados, a la que pone un marco de pueblo fanático, insensible para el dolor del hereje e insaciable en el goce del espectáculo.

Alarde de oefebre, de miniaturista por momentos, es esta evocación argentina del pasado de España. Se la compara con *Salambó*, la producción flaubertiana, y el parentesco está en la elaboración, en el proceso de reconstrucción, en la tarea de gabinete. Pero en el movimiento de multitudes la obra del maestro francés es otra cosa.

EL GAUCHO Y SU SOMBRA

La novela captó el paisaje de la tierra mucho después que la poesía. Ésta se adentró en ella con Godoy, con Hidalgo y con Ascasubi, para no citar a Hernández. En prosa se vió el campo en época más reciente, podría decirse que en el siglo que corre si no hubiera en lontananza un personaje extraño, que nació en él y fué a dar, en inglés, el perfume de la pampa, con más cariño, con más nostalgia cuanto más largo iba siendo el camino recorrido en su paso por la tierra: Guillermo Enrique Hudson. Aquí, Cané y Enrique de Vedia se pasearon por la llanura pampeana, pero fueron apenas excursiones veraniegas, de vacaciones podría decirse. Santiago Estrada lo hizo con más decisión y su breve novela *El hogar en la pampa* tiene otro valor documental. No hay en ella plenitud idiomática, pues el vocabulario es de pobreza casi franciscana, y la influencia del romanticismo hace artificial mucho del relato. Pero frente a lo convencional de las mujeres que salen a la llanura a recoger flores está la realidad de la construcción del rancho, de la vida en la pulpería y de los viajes en diligencia. Era el momento en que la población se expandía en la campaña porque crecía la seguridad contra los malones.

En parte explica la falta de novelas camperas en el siglo pasado el hecho de que las generaciones de ese entonces vivieron el paisaje con su crudeza y su desolación, lo sufrieron y no gozaron el deleite estético de retratarlo artísticamente. La realidad es siempre dura y el perfume del recuerdo hace leyenda y se idealiza en la literatura culta. Pudo ser el caso mismo de Hudson, que necesitó irse lejos, acumular recuerdos y sufrir nostalgias para brindarnos las encantadoras páginas de sus relatos y de su autobiografía. Y como el paisaje su habitante, traído a nosotros por escritores de época más o menos reciente: el aborigen de Santiago por Ricardo Rojas, el serrano norteño por Dávalos, el campesino montonero por Martiniano Leguizamón y el gaucho de la pampa dilatada por la nostalgia evocativa de Güiraldes. Gutiérrez fué, más que del gaucho, el novelista de la chusma, de una realidad triste y dura, donde la mugre no se oculta ni se disfraza, como ocurriera después. Estanislao Zeballos evocó la época del malón y penetró en el toldo pampa, pero tal vez más con ojos curiosos de investigador, a la búsqueda de documentos, que de novelista. Más relación con la novela y mayor influencia sobre la que llegó después tiene *Una excursión a los indios ranqueles*, relato hecho por el general Lucio V. Mansilla de su expedición a las tolderías ranquelinas, pleno de vida, sabroso y documental como pocos libros en cuanto a la vida de los aborígenes y a la realidad de los negocios que con ellos tenían los blancos. La obra es un tanto novelística y por si no fuera suficiente el relato mismo de la excursión, salpicado de páginas que parecen destinadas a novela, se incluyen escenas y cuentos de tropa que pueden desglosarse del relato histórico y acoplarse a una obra de ficción o dejarse como piezas independientes por sí mismas.

El fablar rimado

Mucho de novelesco tienen las viejas trovas de campamentos, en las que despunta el espíritu criollo y hasta un sentido social que ha escarbado bien Álvaro Yunque. De todo eso hay en una creación extraordinaria de la poesía argentina: *Santos Vega*, de Hilario Ascasubi, quien principió su tarea con el personaje exactamente el año que dividió en dos el siglo xix. Él mismo llamó a su obra "historia, poema o cuento" y el relator habla muchas veces del "cuento", que puede ser porque lo contaba no más, pero que lleva en sí la explicación misma del poema. Es libro descriptivo, relato de costumbres, narración de episodios, pero argumento policial en esencia. De sus capítulos salieron muchos temas de novela y de estos versos del poema pudo nacer un personaje de Eduardo Acevedo Díaz:

> "...y hay cautiva que ha vivido
> 15 años entre la indiada,
> de donde al fin escapada
> con un hijo se ha venido
> el cual, después de crecido
> de que era indio se acordó
> y a los suyos se largó;
> y vino otra vez con ellos
> y en uno de esos degüellos
> a su madre libertó."

Trama de novela, con páginas de buen humor, sátira, crímenes y aventuras. Hay personajes de buenos y malos instintos y desfilan bandidos, policías, rastreadores, estancieros, peones, pícaros y soldados. Un drama gauchesco o una novela de folletín, eso es la vida de Santos Vega, personaje que trató primero Mitre y anduvo después entre dos mundos:

el de la leyenda que tuviera en Obligado su mejor poeta y el cuchillero de Eduardo Gutiérrez.

Novela había sido, esencialmente, *La cautiva*, de Echeverría, con argumento y escenas magníficas para tratarse novelísticamente, paisaje de llanura silvestre, cautiverios y hasta una quemazón de campos explotada después por Santiago Estrada y por sí sola casi argumento de un relato magnífico de Benito Lynch. Se enseñorea por momentos del poema echeverriano un realismo digno del que diera vida a *El matadero* y se ofrecen cuadros que bastaría con quitarles la rima para enriquecer capítulos dignos de antología y de la más enjundiosa novela de la pampa. Veamos el matadero de los toldos:

> "Más allá alguno degüella
> Con afilado cuchillo
> La yegua al lazo sujeta,
> Y a la boca de la herida
> Por donde ronca y resuella,
> Y a borbollones arroja
> La caliente sangre fresca
> En pie, trémula y convulsa,
> Dos o tres indios se pegan,
> Como sedientos vampiros,
> Sorben, chupan, saborean
> La sangre haciendo murmullo,
> Y de sangre se rellenan.
> Baja el pescuezo, vacila,
> Y se desploma la yegua
> Con aplauso de las indias
> Que a descuartizarla empiezan."

Llegamos a *Martín Fierro* y Martín Fierro nos resulta, también, personaje de novela. El poema mismo lo es. Ezequiel Martínez Estrada, en meduloso y fundamental comentario del libro, destaca su técnica novelística. Antes Jorge Luis Borges había apuntado sagazmente: "... la esencia novelística de *Martín Fierro*, hasta en los pormenores. Novela, novela de organización cuidada o genial, es nuestro *Martín Fierro*: única definición que puede trasmitir puntualmente el orden de placer que nos da, y que condice sin escándalo con su fecha. Ésta, quién no lo sabe, es la del siglo novelístico por antonomasia." Novela picaresca, novela policial, novela de gauchos alzados, novela de desplazados y de desclasados. En ella están los personajes típicos y las escenas obligadas de todas las novelas del campo nuestro.

Otros relatos novelescos en verso se hicieron posteriormente. Uno de ello es *Nastasio* de Francisco Soto y Calvo, novela de un gaucho perseguido por el infortunio. Soto y Calvo escribió también, en prosa, relatos de ambiente entrerriano, si no de asunto gauchesco, sí campesino, reunidos en *Cuentos de mi padre*.

EL GAUCHO DE HYDE PARK

Se llamó William Henry Hudson, nació en "Los veinticinco ombúes", en la llanura bonaerense, hijo de americanos del norte pero más hijo de la tierra misma, de la pampa que llevaría en su alma y en el viaje a la patria de su idioma paterno, la vieja Inglaterra. Se nos ocurre que aquí este hijo del hogar gringo resultaría un tanto extraño para el paisanaje, pero allí, en la ciudad de la bruma, también se perfilaba fuera de foco para quienes lo miraban y lo trataban. No para don Roberto Cunninghame Graham por cierto, pues éste, con el proceso biográfico casi a la inversa, había de hermanarse con él desde el instante de conocerse. La llanura la llevaba William dentro de sí y la lejanía estaría en sus ojos tristones, de profundidad y de horizonte.

Afloró en páginas suyas plenas de encanto y poesía, cuando la distancia hacía más dulce y también más nítido el paisaje y la vida transcurrida en él. Entonces principió Hudson a contarnos las cosas de *Allá lejos y hace tiempo*... y escribió *El ombú* y *La tierra purpúrea*, que son totalmente de aquí, más muchos otros libros que no son novelas (como no lo es el primero de los nombrados, libro en que recuerda su infancia pampeana) y que también son de aquí, y de otras novelas que no pertenecen a la pampa aunque tienen el aroma de lo silvestre que nace de ella y de toda la tierra. Hudson, poeta de extraordinaria sensibilidad, vió de la selva y de la pradera sólo su armonía, su encanto y su dulzura, porque estaba consubstanciado con la naturaleza. Es mucho lo que importa la lectura de sus libros para reconstruir la vida en la llanura bonaerense, tanto las producciones de su imaginación como la obra en que rememora, con la nostalgia de los años, su infancia y su adolescencia. Observó los tipos en la realidad y vivió el ambiente que saturó su espíritu y su prosa. Su información, fuente de agua pura, ha pasado ya al común y se utiliza, recordándola o no, citándola o tomándola por vías indirectas, como se usa lo que es patrimonio de todos porque pertenece a la comunidad. Como ejemplo, podrían citarse sus páginas sobre el juego del pato, transcritas y plagiadas muchas decenas de veces.

Parejo con su valor documental, los libros de quien escribiera *Días de ocio en la Patagonia* tienen otro, tanto o más importante, y es el que significan como reflejo del alma del autor, cuyo espíritu panteísta aflora en palabras suyas recordadas por John Galsworthy, que se las oyera:

> "El cielo azul, la morena tierra, la hierba, los árboles, los animales, el viento, la lluvia y las estrellas no me han sido jamás extraños; estoy en ellos, formo

parte de ellos y soy uno de ellos; y mi carne y el polvo no son sino uno, y el calor de mi carne y el calor del sol no son sino uno, y las tempestades y mis pasiones no son sino uno..."

Por extraña coincidencia, este espíritu tan despegado de lo que se mezcla en la vida diaria habría de dar la primera nota novelística con entraña de rebeldía social: está en *El ombú*, con el sacrificio del paisano-soldado que quiso asumir la representación de sus camaradas en el reclamo de la paga, frente al comandante, tan ladrón y sinvergüenza éste como los de *Martín Fierro*. Luis Franco, en algún sitio, lo ha recordado.

Hudson escribió en inglés. También lo hizo don Roberto (digamos don Roberto, así, como si se tratara del hombre venerable que saludamos a diario, y no Roberto Cunninghame Graham, que no suena lo mismo), británico muy acriollado, que anduvo por estos lugares y encontró personajes que había de recordar siempre. Ya volveremos a hablar de él, pero inevitable era la cita al recordar a su hermano de espíritu, el nativo de Los Veinticinco Ombúes. Los del sur bonaerense mucho tenemos que escarbar en su obra.

El perfume del pasado

Llevó el paisaje nativo en su ser y había de aflorar en páginas poéticas después de ensayos que le llevaron a su norte. Fué, Ricardo Güiraldes, la nostalgia del pasado hecha carne. Escribió versos de arquitectura ultramoderna y cuentos en los que despuntó, como al pasar, su garra y su predilección por el tema criollo. El volumen se llamó *Cuentos de muerte y de sangre*, relatados con técnica un tanto vanguardista pero con tipos muy nuestros y con sabor a tradición algunos. Predomina en ellos el rojo del drama, bárbaro a veces, y aparece en uno la figura de Segundo Sombra.

Raucho fué la primera novela de Güiraldes, quien presenta a un tipo criado en nuestra campaña para transportarlo luego a París. El escenario de pampa resulta superior al parisiense, donde el personaje había de naufragar, naturalmente. Se muestra ya la prosa del artista, que pone frente al lector paisaje de llanura, con sentido y con emoción. Hay además buen análisis psicológico, especialmente en el que tiene rol principal.

Llegó luego *Xaimaca*, de maravillosa arquitectura estilística, de argumento imposible de contar, pues su trama es simple, tan simple, en esencia, como la de *Don Segundo*, sólo que en otro ambiente y con otros paisajes: el viaje no lo es aquí por la llanura pampeana sino por mar, desde Buenos Aires hasta Jamaica. Se sucede el andar y van acercándose, en rosario de imágenes por momentos, los instantes de la dicha entre dos cuyos espíritus se funden poco a poco y que si tiene materialidad literaria en uno de ellos —el protagonista, que lo cuenta— es, más que eso, una idea, una ilusión, un sueño, en el otro, el personaje femenino. Como fina llovizna perfumada de nardos y jazmines se desliza la acción, que tiene encantos de paisaje de primavera, grandiosidades de océano y languideces de trópico, captado en su esencia, en instantes fugaces que no se han de repetir. Hay, en *Xaimaca*, páginas que parecen del Cantar de los Cantares.

Llegó después *Don Segundo Sombra*, más que novela evocación y más que evocación responso para despedir a lo que se va. Es el rezo por la pampa de tradición y por el gaucho que desaparece. Novela ha de ser, porque tiene argumento, sencillo hasta casi no serlo, y personajes. Pero mejor se diría un poema, un poema religioso por la devoción que representa o un poema épico por la grandeza de lo que canta. Poco a poco, Segundo Sombra va tomando la naturaleza del mito. En el libro, nadie supo de dónde venía ni conoció su historia. Se presentó un atardecer —un gigante le apareció al muchacho— con fama de leyenda, y se nos fué, en el ocaso de otro día, dejando como recuerdo el aroma de lo soñado. Se diría que don Segundo no fué el gaucho sino la sombra del gaucho. Mejor dicho, la síntesis del gaucho ideal, del hombre fuerte, reservado, escaso de palabras y pródigo en el sufrimiento y en todo gesto que evidencie la pasta de varón. Su temple le permite aguantar los más duros trabajos en el arreo y dominar al animal en sus impulsos bestiales. Se maneja solo y su vida le resulta fácil porque sus exigencias para con ella son escasas. Por eso es independiente y libre por sobre todas las cosas y rinde culto al coraje, que es una forma de asentar la independencia.

Don Segundo arrastra tras de sí al chico que, cuando fuera mozo, habría de ser su rapsoda. Fabián Cáceres se llamaría después, casi al terminar la novela, porque hasta entonces el autor no había creído necesario fijar el nombre. Y el niño, que cuenta sus primeras andanzas en el pueblo, pareciera destinado a pícaro, pero fué salvado por quien lo apadrinaría en el duro aprendizaje de la vida. Pasan los años y el paisaje se repite pero las escenas y las costumbres desfilan por el libro, porque sí no más, sin que el autor, maestro en su arte, se proponga narrar lo pintoresco o lo típico. Hay rodeos en que cada cual hace alarde de su arrojo y de su baquía, se presentan milongas donde el gaucho mira a la hembra con la angurria que le ponen sus vigilias, aunque no se atreva ni a acercarse a ella para iniciar un baile; hay timbas donde se pescan ingenuos y carreras en las que el hombre pone y pierde, como si tal cosa, la tropilla o los ahorros de largos afanes. Así es el gaucho.

No hay descripción de paisajes. Es un acierto, porque la pampa, llanura plena de monotonía, tiene sólo el que se siente y no puede expresarse. Ella le brinda a su hombre la ilusión de libertad absoluta y el placer de decir, por ejemplo: "¡Qué gran gusto moverse en el aire grande que nos caía de todos lados, como cariño!"

Entre tanto, el candidato a pícaro de otros tiempos se ha hecho hombre y le sorprende el anuncio de que su padre, ignorado hasta entonces, le ha dejado una fortuna: el reserito pasa a ser terrateniente. Reniega de la herencia y quiere seguir a su padrino, pero éste es quien lo deja y se va después de un tiempo. Se va el gaucho y quedan, en la estancia, sus sucesores. Uno es Fabián Cáceres, ya medio civilizado; el otro, Raucho, medio apotrado. Ambos se estudian y entablan el siguiente diálogo:

"—¿Sabés lo que sos vos?
—Vos dirás.
—Un cajetilla agauchado.
—Iguales son las fortunas de un matrimonio moreno —rió—. Yo soy un cajetilla agauchado y vos, dentro e'poco, vah'a ser un gaucho acajetillao."

Esto quedará, ido el gaucho, como rastro viviente de su existencia, en la estancia. En la chacra donde han ido a parar tantas estancias otrora sin límites, no habrá rastros. En el arrabal, el compadrito que alguna vez, en la literatura, poetizará la figura de Silvano Corujo.

XII

DEL CHIRIPÁ A LA BOMBACHA

Se fué el gaucho y vino el paisano. Es como decir que desapareció el chiripá y se presentó la bombacha. Quien usa la prenda es siempre el gaucho, pero... ¿Qué es el gaucho? En definirlo radica el problema y cada día la polémica es un tanto más áspera. Unos dicen que fué la encarnación de la más pura esencia de la raza; otros buscan sus antecedentes en el archivo del crimen. Todos tienen razón, sólo que no se ponen de acuerdo sobre el significado de la palabra, o sobre sus distintos significados, según el adjetivo que la acompañe, y en eso puede afirmarse toda la disidencia. Sarmiento mismo habló de gauchos, pero especificó bien: gaucho malo, gaucho cantor, gaucho rastreador, gaucho soldado, gaucho montonero. Moreira, el asesino, era un gaucho, y Santos Vega, el payador, era otro gaucho. Entre ambos, una multitud de gauchos. Como en la vestimenta: desde el gaucho rotoso, de voz áspera y guitarra desafinada que vió Concolorcorvo, hasta el emperifollado Calandria, de don Martiniano Leguizamón, el entrerriano, pasando por los que en su escenario vieron los contemporáneos que lo trataron, como los viajeros, de tan variado juicio éstos que mientras unos lo elogiaron sin tasa otros tuvieron de él diferente opinión y hasta hay quien dice que cada vez que en el camino divisaba un gaucho viniendo hacia él echaba manos a las armas. ¿Llegaremos a un entendimiento? Puede ser fácil si empezamos por definir esa palabra como representación de todo lo bueno y noble que queremos sea patrimonio de nuestros hijos. Con tal decisión, habrá acuerdo, aunque el hombre puede no ser precisamente el gaucho real, que ya ha pasado, no cabe duda, a la categoría de mito o esencia de nuestros mismos deseos, nobles deseos sin duda, de centrar en un tipo humano las virtudes de la raza. Para la literatura será una solución. Los eruditos, los investigadores, los etnógrafos, los sociólogos, los historiadores, amigos de rastrear, de filosofar, de intentar definiciones y apuntar conclusiones, pueden reservarse el tema en su esencia y proseguir su tarea.

El desventuradillo

Está frente a nosotros el gaucho que sucedió al gaucho. La bombacha que reemplazó al chiripá. Hablamos de los hijos de Benito Lynch... pero antes, un paréntesis, porque otro golpea fuerte la aldaba (aldabonazos, como cuadra al lenguaje señorial de don Enrique) y debemos recordarlo, que bien lo merece en este sitio. Es nada menos que Zogoibi, el hijo de estanciero que dió a la estampa Larreta, precisamente en los días del triunfo de *Segundo Sombra* en los escaparates y en las columnas de los diarios. Zogoibi, el desventuradillo, por cierto que pariente cercano de don Ramiro en la creación literaria, se nos planta aquí, en una estancia bonaerense, donde ha de haber un conflicto porque el hombre es medio hereje, aunque no moro desde que su ascendencia entronca nada menos que con la santa de Ávila. Parece el capítulo inicial del avileño en América, pues nada menos que en su suelo, entre el pasto puna, se plantea un conflicto de herejía. Es muy artificial todo eso. Entre los personajes, también lo es el cura don Álvaro, descubridor de la palabra que diera sobrenombre a Federico de Ahumada y título a la novela, hombre recién venido de Andalucía y que se sabe al dedillo no sólo la historia vieja de la familia sino toda la de América.

Están los reparos. Más han de ser las virtudes que afloran en *Zogoibi*. Federico, enamorado de su novia pero dominado sexualmente por Zita, raro tipo de aventurera anclada en la pampa, es personaje espiritualmente real, y la niña, su novia, sujeta al rigor de las tías solteronas, un ser delicado, humano. Los retratos de todos están dibujados admirablemente y la prosa es precisa, trabajada, clara y cristalina. Hay en la novela paisaje de pampa, con atardeceres maravillosos, y la escena última, cuando Federico hunde el puñal en el cuerpo de su novia, aparecida como fantasma precisamente en la cita de despedida que tiene con la extranjera, adquiere grandeza en el instante en que el hombre, conociendo a la muchacha sólo después de apuñalearla, se tira sobre el mismo acero. La sangre unió en la muerte a dos seres que no pudieron unirse en la vida.

Don Ramiro, perseguido por la desgracia, no hubiera tenido otro destino en este escenario. Hechizo de moros sufrió en su vieja Castilla y gualicho de infieles lo dominaría aquí.

El campo con alambrados

Don Segundo Sombra no tiene época, porque puede pertenecer a todas desde que es esencia e idealización, no realidad de un instante, aunque el propósito, bien se ve, fué evocar el pasado. Algo dice el hecho de que el gaucho ande a veces con alpargatas, pero en tal momento el narrador se nos aparece negociando un cuero de potro para fabricarse sus botas. La época de Benito Lynch es, en cambio, precisa, y acerca a nosotros su gaucho, de breches o bombachas, no de chiripá. Y bien que lo acerca este gran novelista. Describe, Lynch, con un realismo extraordinario, su observación es profunda y el vigor de su relato estupendo. Nos brinda no sólo ambiente sino personajes, seres humanos con su psicología, con sus pasiones atávicas, con la ingenuidad o la rudeza bárbara de su crianza semisalvaje, o con el equilibrio mental de herencia más refinada y de otra educación. Relata con soltura, con sencillez, con despuntes de ironía y de humor que se logran solamente cuando se poseen dotes de novelista y perfección adquirida con método, con trabajo disciplinado, con paciencia y con asiento en una firme vocación. En la novelística argentina no ha existido otro narrador de las cosas nuestras que alcanzara igual talla. El parentesco podría estar en Hudson tal vez. Es la suya —salvo una excepción poco afortunada— novela campera, del campo nuestro, que vemos o podemos ver todos los días, y sus hombres no son de leyenda, como Don Segundo, sino de carne y hueso, íntegramente humanos, cuyas pasiones y cuyos actos, productos de su temperamento especial, los hace comprensibles, sin dejar de ser típicamente argentinos, para el lector de cualquier nacionalidad.

Excluyendo los cuentos, podría decirse que la producción magistral de Lynch va desde *Raquela*, donde relata, en ese estilo un poco burlón, tan suyo, con picardía y buen humor, algunas escenas del campo y entre ellas, en página maestra, la de un incendio, con la huida de los animales silvestres para salvarse de la chamusquina. Drama sin frases declamatorias, en medio de un idilio sabroso y pleno de encanto, entre la hija del patrón y el porteño refinado vestido de gaucho pobre. Escribió *Palo verde* y *El antojo de la patrona*, de admirable observación psicológica ambas, y presentó, antes que algunas de las nombradas, *Los caranchos de La Florida* como primera novela de argumento extenso. Es aquí donde aparecen dos hombres —padre e hijo— nacidos bajo el signo de la violencia, que desprecian el sufrimiento ajeno y han de desembocar, por la fatalidad de sus temperamentos agresivos y rencorosos, en la tragedia. Viene el hijo de Europa, pero su temporada larga de civilización es barrida por el pampero con su primera caricia, y se colocan frente a frente, con idéntico instinto brutal, dominador y agresivo, el padre y el hijo, que ponen, para su desgracia, los ojos en una misma mujer, chinita ingenua ésta, cuyo espíritu infantil no puede vislumbrar la tragedia que desencadenará su belleza silvestre. Es novela de rudezas y los individuos que en ella campean serán compañeros de la arbitrariedad, sirvientes del instinto y víctimas de la agresión. El encuentro entre hombres que llevan la misma sangre había de ser choque de dos fieras enfurecidas por el odio. Frente a la puerta de la paisanita, el hijo mata a su progenitor, pero no es este el desenlace, pues había de por medio una venganza y el capataz de la estancia —torvo accionar de gaucho asesino— apuñalea por la espalda al sobreviviente. Es, en la noche oscura, un final de sangre y de tragedia, pero ni una palabra, ni un procedimiento del novelista hacen desviar al autor hacia el melodrama. Los sucesos y, más que ellos, la naturaleza de los personajes, habían de llevar el argumento a tal desembocadura.

Poco paisaje hay en la novela. No tiene, Lynch, tal propósito, pero a veces fija en unas líneas, con pinceladas de maestro, como Güiraldes, una puesta de sol. Su fuerte es el hombre. Los estancieros son figuras de una pieza, que se mueven con la violencia y la perversidad en que fincan sus méritos varoniles. El capataz es hombre taimado y vengativo, incapaz de ponerse frente a frente con el adversario pero paciente para esperar el momento de vengar un agravio o eliminar a quien le estorba. Marcelina es una ingenua paisanita que puede tener antecedente en Donata, la de *Sin rumbo*, y derivar en Bibiana, la de *El inglés de los güesos*, como su hermano transformarse en Bartolo, que lo es de ésta. Y los otros, ahí andan. Son infelices peones embrutecidos que los dueños del campo, señores feudales sin señorío, tratan a puntapiés y rebencazos, peor que a bestias, porque éstas, sin duda, habían de costarles más.

El inglés y la paisanita

Siguió *El inglés de los güesos*, título sugestivo y de anticipo humorístico que pudo influir en su éxito inmediato. Claro que hay en la obra humorismo, humorismo de ley, pero, como en las otras de Lynch, Melpómene va tejiendo su malla, tranquila, pacientemente, firme en su labor siniestra, hasta hacer que la superficialidad de un principio vaya poco a poco adquiriendo dramatismo. Así van tornándose las bromas juguetonas de los paisanos a costa del desgarbado inglés que les brinda el museo británico para que se entretengan, hasta terminar en un profundo y primitivo drama de amor, que lleva a la ingenua chiquilla del puesto a la desesperación y al suicidio. Están en esta novela extraordinarias creaciones psicológicas de Lynch, como la figura del anglo y la de Balbina, puntas del eje alrededor del cual giran los sucesos y los restantes personajes. Está Santos Telmo, paisano todo instinto que no halla a sus celos otra salida que matar a quien ocupa sitio en el corazón de su preferida; pasa la médica, símbolo de lo ingenuidad de la gente, de cuya fe depende que las hierbas y los exorcismos tengan buen resultado; la madre, desesperada mujer cuyo límite mental no le permite comprender el drama que vive la hija; el bondadoso y simple corazón del padre y el travieso hermanito. Todos personajes íntegros, de una sola pieza.

Entre Mr. James y la Negra hay un océano. Representa el primero la más alta cultura y la mejor disciplina, forjado su temple con renunciamientos y sacrificios y que tiene pleno dominio mental sobre todo su ser, sobre los instintos y sobre las pasiones. Llega al campo y se encuentra con la moza criada como flor silvestre, extraordinariamente sensible pero que no sabe de otra cosa que dar gusto a sus caprichos, totalmente sensual, incapaz de sufrir dolores físicos ni morales porque piensa, sin saberlo, que la vida es así, para vivirla con el placer, para darle gusto al cuerpo, valga la vulga expresión. Hay choque al principio porque Balbina ve sólo el exterior del inglés loco que se dedica a juntar osamentas y le hace objeto de toda clase de burlas. Pero poco a poco, a medida que va develándose ante ella el hombre de carne y hueso, el ser humano tras el muñeco que viera al principio, la Negra va cambiando, hasta sentir por él un amor inmenso, que la hace enfermar y recurrir a los oficios de la curandera para atraparlo. A su vez, al forastero, llamado por la naturaleza, se le ve por momentos despojarse de toda su cultura y olvidar su educación, su disciplina y la tradición de su casta, hasta vacilar entre seguir su ruta o hacer escala en el corazón de la muchacha. Él sabe de vida estoica y de frenos puestos a los apetitos del cuerpo, pero ahora se entabla el debate entre el porvenir en la ciencia o la satisfacción del amor que nace y que ha de ser, por cierto, transitorio. Terrible lucha la del hombre civilizado, tan terrible como la del instinto en la muchacha. Pero cada uno ha de seguir su propio camino y no cabe aquí cambio de ruta para que triunfe el amor. Ha de ganar el deber en el forastero y la desesperación en la chinita. Por eso, como tiene que ser, tal como ha de ser en la vida y no como la literatura romántica hubiera elegido, uno empaqueta sus esqueletos y sus herramientas y parte de regreso a donde ha de cumplir su destino: la otra elige el camino más corto: terminar con la vida, que no tiene para ella objetivo desde que pierde su ilusión. Así tenía que ser y humano, brutalmente humano y absolutamente lógico es el desenlace, porque: ¿se imagina alguien a un hombre de los más altos círculos universitarios, a un sabio, unido en el campo argentino con una paisanita que es solamente instinto, naturaleza silvestre? ¿O, si no, llevada ésta a Londres, a la sociedad de más alta jerarquía? No, el inglés no podía tomar ninguno de esos caminos. Era hombre de mente, de reflexión, de accionar razonado, dispuesto a seguir su senda, con renunciamientos, con dolor y con sacrificios. Es todo un gentleman y su carácter, como su educación, que han hecho una segunda naturaleza en él, le aconsejan continuar en la ruta elegida para cumplir su vocación y su destino. Así lo hizo, convirtiendo en un episodio para el recuerdo, aunque estuviera a punto de hacerle doblegar su voluntad, allá, en tierras semisalvajes, lo que para otro hubiera sido anclar y hacer puerto. La aventura del inglés de los güesos no podía terminar de otro modo y ahí está precisamente la garra del novelista, en llevarla a su fin lógico y natural. Otro, principiante o amigo de escabullirse de las dificultades, habría tomado distinto camino, para satisfacción de tiernos corazones de posibles lectoras.

ROMANCE DE CIEGOS

Los libros que anteceden son suficientes para prestigiar una pluma. La de Benito Lynch agregó a su activo una de las obras que ocupan más alto lugar en la novelística nuestra: un romance. Un romance de ciegos tal vez, que no un romance de caballeros y cautivas, aunque, extremando la búsqueda, pudiera descubrirse aquél en el pobre paisanito loco de amor y ésta en la casada fiel que le diera el bebedizo. ¿Argumento? No es necesario contarlo: se trata, en síntesis, de un muchacho que se hace hombre y siente su ser encendido por una pasión que lo domina, que se le adentra en lo más profundo de su alma y lo trastorna hasta alocarlo. Palo verde, como se llamara el protagonista de otra novela, es en realidad el gauchito Pantaleón, de *El romance de un gaucho*, hombrecito criado a la pollera de la madre viuda y que apenas si se da cuenta de que eso que siente es amor. Pero es amor por una mujer casada, fruto vedado para quien no sea su marido, aun siendo éste un hombre perdido por el vicio y que llevó al destierro y al abandono a una mujercita fina, delicada e íntegra. Ella observa la pasión despertada en el mozo del campo vecino, pero se contiene dignamente. ¿Lo ama a su vez? A veces parece que sí, a veces que no, ¡vaya uno a saberlo! El muchacho, desesperado, se entrega al juego y a la mala vida y hasta se acopla a elementos matreros que lo llevan a robar la hacienda de su propio campo. Pero Pantaleón es siempre, en el fondo, el pobre adolescente sin experiencia, palo verde no más, que cae de una en otra desgracia. Corrido por la desventura, se escapa a tierras lejanas, donde le llega el llamado de doña Julia, viuda ahora por la muerte del marido. Ocultando su amor por el muchacho, la joven mujer sufrió con entereza y dignidad las penas derivadas de un matrimonio infortunado, pero, rota la cadena que la ligara al hombre muerto, piensa en rehacer su vida. Pantaleón está lejos y para hacer largas jornadas necesita una tropilla, pero, ciego ante la dicha que vislumbra, no piensa en otra cosa que en montar su único caballo y correr con él, exigirle que devore leguas, sin descanso, a golpes alocados de rebenque y pinchazos sangrientos de la espuela. Correr, llegar, eso es lo único que lo apasiona. Y marcha, primero veloz, luego más despacio, más adelante al tranco apenas. El caballo se agota, el sudor lo baña, la sangre le chorrea de los ijares... ya no responde, noble bruto, a la exigencia del dueño y se detiene. Entonces el gauchito, desesperado, enloquecido, sacia su furor con una puñalada asesina aplicada a quien lo había acompañado en su odisea con mayor fidelidad que ningún ser humano. Y quiere llegar a pie, con el recado a cuestas, pero su alucinación le hace ver pronto un equino gigantesco que lo corre de atrás, que lo alcanza, que se le echa encima... y cae en medio de la huella, muerto por la alegría de una esperanza.

Lo que cuenta aquí es, ante todo, la maestría de su autor para poner los personajes en escena y dejarlos solos, al azar del destino que les brinda su propia constitución. A tanto ha llegado la capacidad del escritor, que la obra se relata en estilo campero. Es un simple paisano, narrador al modo de don Segundo Sombra, quien va deshilvanando el ovillo de la aventura. La cuenta en su lenguaje, con sus palabras propias, sin casi análisis explicativos de actitudes y de luchas que consigo mismo han de tener los personajes. Ahí está la enorme dificultad que ha debido afrontarse y lo extraordinario de ir dejando en las páginas densas de la novela caracteres de tanta realidad, psicologías tan profundas, almas. Pantaleón es un ser analizado hasta lo más mínimo, como su madre, como doña Julia, como don Pacomio, el padrino taimado y ladrón, y don Pedro, y el estanciero que introduce extranjeros porque son más ordenados y rinden más trabajo; como doña Casildra, la curandera, que no podía estar ausente de una novela gauchesca, donde no faltan tampoco las carreras y la taba y hasta los chicos... pero ¿qué digo hasta los chicos? Esos magníficos Zoilo y Serapio, ellos solos, con sus diálogos estupendos que sahuman con cigarro de paja, son suficientes para consagrar a un escritor. Lynch, admirable retratista de hombres, deja en su obra literaria niños dignos de meduloso ensayo, como éstos y los de los cuentos suyos, a que hemos de referirnos en su lugar.

Novela de análisis, detallista en extremo (alguien, comentándola, le busca parentesco en las de Proust) pero sin llegar nunca a la frialdad y monotonía del inventario de tenedor de libros, *El romance de un gaucho* admite el examen más escrupuloso. Su lentitud nace de la naturaleza de sus personajes y de la vida misma. Se presentan los sucesos, las actitudes y las resoluciones con naturalidad, haciéndolas caer por su propio peso, como si la primera página hubiera encadenado ya toda la novela. Los diálogos son de maestro y sobrios en la frase los personajes, incluso hasta el lenguaje gráfico que encierra todo un discurso en la simple interjección.

El realismo en la observación y en la descripción de tipos es característico de este extraordinario costumbrista, que da a sus novelas un ambiente claro, vivo. La delicadeza no es, empero, ahuyentada por el vigor ni la más mínima nota chabacana se infiltra, traicionera, aunque las escenas o las frases de hombres rudos parecieran a veces ir a parar, obligatoriamente, en ellas. El personaje de sus escenarios está allí tal como es y basta para mostranos la naturaleza, la cultura y la crianza de la familia campesina, la del paisano reciente y la del gaucho que murió hace tiempo. Por ejemplo, el trato del protagonista con su madre, de quien recibe, en plena edad de la rebeldía y sin una sola protesta, tremenda tanda de azotes. En esto, hay mucho de vieja tradición castellana, la de obediencia ciega a los padres. Lynch es artista de fina sensibilidad y uno de sus méritos está en orillar, hasta hacer creer que no era posible otro camino, todos esos peligros en que el medio que describe pudiera hacerlo caer. Sin explotar lo sexual ni lo truculento, ha sabido hermanar el amor con la muerte, motivos alrededor de los cuales gira la vida sobre la tierra.

Los gauchos a pie

Antes, el gaucho llevaba a la estancia su tropilla. Más tarde se le permitió tener un caballo y luego se llegó a privarle hasta de eso, de su caballo propio, porque consumía mucho pasto. Un poco como ocurría con las mujeres. Y se condenó al pobre peón a quedarse sin su china y sin su pingo. ¿Puede imaginarse alguien un gaucho en tales condiciones?

Eso en las estancias. En las chacras el caballo, diremos como parejero, no hace tanta falta, porque campesinos hay que para montar un pobre animal le echan un trapo sobre los ojos... El sulky y el Ford resultan ya más representativos, más típicos podría casi decirse, del campo chacarero que el flete del galope corto y el aliento largo cantado por Belisario Roldán. Claro está que el gaucho de a pie ya no es gaucho: no puede concebirse un centauro de sólo medio cuerpo...

La pampa chacarera fué descrita por Amílcar Razori en

un bello libro, azorinesco, donde se refleja el paisaje de llanura, modificado por la mano del hombre, poblado por familias, dividido en parcelas, herido por el arado y vestido por las espigas. También el pueblo, que no es ya la esquina de pulpería. *Campo arado* fué, precisamente, su título.

Delfor B. Méndez, poeta, hizo la novela de un mensual, de *Silvano Ponce*, con diálogos *en crioyo* y muchas imágenes poéticas. Es desparejo en la construcción pero tiene sabor de tradición y gusta de cuadros que agradan, no del campo legendario sino del actual. De la prosa se va a la rima a veces, con versos para canciones, y juegos de palabras, retruécanos y dichos, a que tan amigo es el hombre de campo, matizan la narración, que se lleva al pueblo en ocasiones para hacer relatos de fiestas de carnaval, romerías y preparativos electorales, éstos, como no podía ser menos, matizados con tabeadas y peleas.

Del fracaso del gaucho como chacarero se ocupa Mario César Gras en *Los gauchos colonos*. Trátase de un uruguayo que se emplea primero en una estancia entrerriana y decide luego arrendar una parcela para trabajarla por su cuenta. Le va mal en la tarea y no sólo las malas cosechas están en su contra sino los hombres que trata, extranjeros los más: unos cumplen mal las contratas, otros le roban dinero valiéndose de documentos que el gaucho firma sin saber qué significan, y alguno le quita algo más valioso, que es la hija, aunque en este caso con retorno, embarazada. Dice el autor que el gaucho va amoldándose a los tiempos nuevos, pero no es tal la conclusión de su libro, aunque el personaje, ilusionado, deje el caballo por el automóvil.

De gauchos sin caballo se ocupó Carlos Alberto Leumann en una novela que tituló con justeza *Los gauchos a pie*. Fué un tema que trató Eduardo Wernicke al pasar, en uno de los relatos agrupados en *Memorias de un portón de estancia*, libro en que procura documentar una época de la campaña bonaerense. El personaje de Leumann, Cirilo Flores, es uno de esos criollos condenados a trabajos para los que no nacieron y para quien la vida, sin el pingo mimado que es su mejor amigo, el único a veces, pierde todo su sentido. Más que una novela de gauchos es novela psicológica y, como en todas las suyas, pone aquí algunas mujeres que toman lugar de primer plano.

Al campo nos lleva de la mano Elbio Bernárdez Jacques para acompañar a un maestro en su labor apostólica de sembrar abecedario. Es un personaje magnífico, que perdió una mano pero no el optimismo ni la fe en su tarea. Bondadoso, tierno, cariñoso, esencialmente humanitario es Bernardo García, español, protagonista de *El maestro rural*. Se burlan de él al principio y el mayordomo de la estancia llega hasta quitarle la ración diaria de carne, que se la ha de mandar luego una viuda, pobre, pero llega también su día de triunfo, que es de desquite a lo grande, cuando el paisano que empezara haciendo bromas a su costa se entera de quién es y no permite que pague las mercaderías compradas en el almacén: "Deje, no más, yo pago... Recién vide que es el máistro y... a un máistro hay que rispetarlo."

De Bernardez Jacques es *Donde comienzan los pantanos*, que presenta una comunidad semi bárbara de nutrieros que ejercen su oficio clandestinamente. A ella ingresa un hombre de campo, acompañado por la muchacha que con él se fugara del rancho materno. Hay hombres de avería, con historia larga y oscura, seres cuya suerte corre por cuenta del instinto y se ampara en el filo del acero. El nuevo habitante de los guadales se asimila pronto al ambiente y la mujer, obligada por la necesidad, se porta como varón duro pero al fin escapa de allí, aunque no del destino, puesto que su hombre ha de rescatarla del nuevo hogar que forma.

Pero sólo para terminar con su vida porque así entiende el amor ese individuo de sentimientos primarios.

En la llanura de la otra Banda

Similar paisaje pero visto con otros ojos y poblado por distintos seres humanos trató Emilio Berisso, dramaturgo que tuvo su momento de auge en las tablas, cuando dió al teatro *Con las alas rotas.* Dejó escrita una novela de los bañados entrerrianos, melodramática, con ambiente de campo: *En los esteros.* Cerca de esa zona anduvo otro novelista, Enrique Amorim, uruguayo de nacimiento pero casi nuestro ya. La llanura de la otra Banda, de la oriental, es escenario de sus creaciones y una de ellas, *La carreta,* no es sino un continuo desfilar de tipos y el sucederse de relatos más que el desarrollo de un argumento. Habitan en la carreta mujeres que llevan el mercado de su carne por los caminos monótonos de la pampa uruguaya y protagonizan las escenas más crudas, de satisfacción del instinto y desborde de la animalidad. Produjo después Amorim *El paisano Aguilar* y *El caballo y su sombra,* novelas de estancias que desembocan en parcelas para chacareros. Se presentan en ambas personajes de robusta constitución y son totalmente logradas una y otra, de buena arquitectura. Estudios de tipos y pintura de ambientes, se enfoca sobre todo la psicología de los habitantes de nuestro campo rioplatense, tan similar en ambas márgenes: los que viven en el pasado ya lejano, los que despiden el presente y los que harán el futuro; el viejo criollo, el paisano en el que luchan con pareja fuerza la ciudad y la estancia, y el nuevo poblador de la campiña, llegado de tierras lejanas. Incorporando éste, Amorim nos coloca más cerca de la realidad del campo de ahora. No poniéndolo en sus libros, los novelistas gauchescos, incluso Lynch, han sido parciales porque mostraron sólo una faz o un aspecto de nuestro ruralismo.

Una reseña de la novelística argentina no puede eludir la cita de este vigoroso y fecundo escritor uruguayo. Adentrarse más en su obra, al tratar lo de aquí, lo argentino, podría ser pecado a los ojos de nuestros hermanos de la otra orilla.

XIII

Paréntesis

BOEDO CONTRA FLORIDA

Podría decirse, con más exactitud, proletarios contra niños bien, porque así se tendieron las líneas demarcatorias de una frontera y la guerra de guerrillas se hizo entre la gente mezclada con la masa trabajadora y la que vivía justamente en el corazón del barrio aristocrático. Hablamos de las letras y de los grupos de Boedo y de Florida. *Claridad* en un sector, *Martín Fierro* en el otro. Esto hizo época.

No fueron los primeros grupos que formaran gentes dedicadas a la literatura, pero sí distintos, de definiciones. Antes eran peñas de amigos alrededor de la mesa de café, en la cervecería, en el club de los aristócratas o en la mesa redonda de las redacciones periodísticas. También hubo revistas que los agruparon, desde las primeras que dirigieron Juan María Gutiérrez, José Manuel Estrada o Vicente Quesada, la inmediatamente anterior, *Ideas*, que patrocinó Gálvez, y *Nosotros*, que gozaba de su plena salud. Pero esto de Boedo y de Florida fué otra cosa, porque fué una expresión de pensamiento y hasta de sentir colectivo de definiciones y podría ser que también de temperamentos. Para determinar con precisión la ubicación de uno y otro, ideológicamente, lo mejor sería decir que en un lado estaba la aristocracia y la burguesía y en el opuesto el proletariado, la clase desposeída. Claro está que los satisfechos andarían tras el arte por la belleza y los relegados utilizándolo para expresar sus angustias, sus dolores y sus esperanzas. Todo esto, naturalmente, como impresión panorámica.

Ambos movimientos fueron juveniles, sintieron el sacudimiento de la primera guerra mundial y su acicate fué algo mayor que el simple deseo de ver el escritor su nombre impreso. Acusaron sus protagonistas inquietudes y ansias de expresión que no fueron en esencia sino desborde de energías y ansias de superar el presente. Que se lograra o no esa finalidad, es secundario. Lo principal fué lo otro, la apertura de nuevas rutas y la formación de escritores. La lucha templa los ánimos, incita y hace triunfar a los más aptos. Y los más aptos estaban en Florida... y en Boedo, porque ahora, ¿quién los distingue?

El hecho histórico es que los escritores mozos, plenos de vigor y en actitud que, pese a los errores que pudieran derivar de la edad, se hace simpática a la distancia porque refleja inquietudes y afán renovador, arremetieron contra lo consagrado de nuestra literatura, buscando principalmente una renovación en el estilo desde el grupo martinfierrista y nuevos caminos, de mayor hondura humana y con tendencia social desde el equipo de Boedo. Unos, hijos de la calle aristocrática, miraron preferentemente a París; los otros, nacidos en barriadas obreras y con origen en hogares de economía estrecha, oteaban otros aires y en especial los de fronda que llegaban del Soviet. Las pedreas se hicieron célebres y partieron del periódico *Martín Fierro* y de las revistas *Inicial* o *Proa,* de los mismos hombres, en un sector. En el opuesto, de *Claridad,* de *Izquierda,* de *Extrema Izquierda* o de *Dínamo.* Los periódicos de la avanzada social estaban con éstos y natural es que aquí, en el afán revolucionario, se tocaran todos los extremos, desde la increíble negación del poema de Hernández (¡ellos, que querían la literatura social!) hasta los versos de Portogalo o las cartas de la ramera Clara Beter, varón que tuvo la humorada de cambiar de nombre y de sexo para dar el campanazo. Pero esencialmente todos eran revolucionarios, sólo que unos parecían serlo nada más que en las letras y las artes y los otros más adentro. En uno y otro sitio, los jóvenes guerrilleros tuvieron inspiradores y animadores en hombres que ya estaban maduros: Roberto Payró, figura consular de la literatura, alentaba a los de Boedo; Ricardo Güiraldes a los otros. El movimiento no fué solamente en las letras sino que incluyó el arte, aunque no con igual magnitud, y artistas hubo en uno y otro barrio, en uno y otro fortín.

Como todos, al fin y al cabo, se movían alentados por iguales deseos, llegaron a canjearse luchadores. Ahora tiene que hacerse historia documental para escribir los nombres de muchos en una u otra columna, pues escritores que están en lugares de avanzada salieron de *Martín Fierro* y alguno que pudiera ubicarse en otro sector surgió en *Claridad*, o en *Los pensadores*, que tal fué el nombre primero de la revista proletaria. El resultado de esa lucha ha sido bueno, ya que entre todos lograron limpiar la literatura nuestra de ampulosidades y de hojarasca, depurarla en la forma y humanizarla en el fondo. La pasión de la guerra comprometió a muchos hombres jóvenes, precisamente los que tenían energías de sobra, cuyas inquietudes se despertaron con el fuego de la camorra y florecieron después en obras que sin ese acicate de la vocación pudieron quedar en germen. La novela argentina recibió parte del beneficio [1].

[1] Mucho se ha escrito para recordar la enconada batalla denominada de Boedo contra Florida, en parte con pasión de luchadores que perdura. Para evitarse de ir a las fuentes mismas de información, que serían las publicaciones recordadas, el lector puede consultar, del bando de *Claridad*, la obra de Álvaro Yunque titulada *La literatura social en la Argentina*, y la de Raúl Larra *Roberto Arlt, el torturado*. De otro sector, las crónicas periodísticas que se publicaron en octubre de 1949,

Ya que hablamos de *Claridad* y de *Martín Fierro* y recordamos, de paso, la existencia de publicaciones literarias, es decir, la existencia del periodismo, el momento es excelente para detener el paso y atrapar un tema que más de una vez nos salió al encuentro y se nos fué de las manos. El tema del periodismo y la literatura. Mejor aun, del diario y el escritor, unidos, en la Argentina como en parte ninguna, hasta no poderse hablar de uno sin ligarlo con el otro. Periodistas han sido casi todos nuestros novelistas y dudamos que sin el periodismo se hubiera escrito algo más que una mínima parte de su producción novelesca. El diario y el periódico han de cargar con la culpa de haber agotado a muchos, pero tienen a su favor lo positivo de haber formado a todos. En el periodismo se aprendió a escribir y en el periodismo se realizó el entrenamiento necesario para llegar a lo que fueron nuestros escritores. El periodista vió los personajes, observó los dramas y estudió el ambiente; el novelista fijó todo eso en su obra. Periodistas fueron Mármol, Juana Manso y Vicente Fidel López; Martel tuvo el oficio humilde de cronista, Eduardo Gutiérrez escribía cada noche el trozo de folletín para el día siguiente y Grandmontagne realizaba la tarea que encajaba en todas las secciones, como cuadraba a la época. Groussac, a quien todos se imaginan recogido en su gabinete, hosco y huraño, entre infolios y papeles viejos, recordó siempre sus campañas periodísticas, y Payró comió su pan mojado en tinta de imprenta desde que tuvo uso de razón hasta que llegó el instante final de su

---

al conmemorarse el 25º aniversario de la aparición de *Martín Fierro* y el folleto *El periódico Martín Fierro, 1924-1949*, memoria que por encargo de quienes lo dirigieran redactó uno de ellos, Oliverio Girondo, con espíritu e información muy parciales, en el entendimiento, al parecer, de que cada crónica y cada línea allí publicadas tuvieron una trascendencia excepcional.

vida. Fué la misma historia de Gerchunoff. En los diarios se publicaron no sólo los estudios que ahora son densos volúmenes sino también muchas de las novelas que hemos recordado y otras que vendrían después: las de Groussac, la de Martel, las de Payró, las de Lynch.

Con el recuerdo, queda asentado nuestro saludo al periodismo argentino.

XIV

MIRANDO AL PASADO

Estrecha vinculación hay entre la historia y la novela, y si la imaginación del novelista hace por momentos falta al historiador, también es cierto que aquél, al revivir un ambiente, necesita a veces la erudición o el sentido de éste para mover sus personajes o presentar una época. Además, ¡es tan tentador echar una mirada hacia atrás! El romanticismo tuvo afición a los tiempos pasados, pero no fué de entonces tal predilección, ya que podríamos remontarnos, si no más atrás, a la *Ilíada* y la *Odisea*, novelas en esencia, para traer ejemplos. Por algo los historiadores gustaron muchas veces de la novela y los novelistas de la historia. En nuestra patria, podemos citar tres de los investigadores de más talla —Mitre, López, Groussac— por sus aficiones a la literatura imaginativa, frente a otros tres (no vale la pena abundar en nombres) que fueron novelistas e incursionaron en la historia con decisión: Payró, Gálvez, Martínez Zuviría. A veces no se sabe quién pesó más, si el literato o el erudito, como en los casos de Martiniano Leguizamón y Estanislao Zeballos.

La novela puede ser complemento de la historia, pues lo que no cabe en un severo texto de erudición entra perfectamente en la otra zona, donde se deja buena parte librada a la imaginación, a la intuición y hasta al instinto del novelista. Mucha historia enseñaron las novelas y mucho vuelo dieron las historias a la fantasía. Cuando se lee historia, debe el lector imaginarse algunas cosas y cuando se lee novela necesario es enclavar la creación arquitectónica en una realidad ambiental, que es siempre historia. El historiador que hizo, al margen de su obra erudita, una novela, fué el historiador completo, puesto que puso cada cosa en su lugar. Cuando no la hizo, corrió peligro de mezclar en lo que debía ser relato solo de cosas reales, las de imaginación. Si Ruy Díaz de Guzmán hubiera entendido esto, tal vez habría sido nuestro primer historiador científico a la vez que el primer novelista de verdad. Como no lo entendió, ni lo sospechó siquiera, se nos ha quedado ahí, para hacernos vacilar si intentamos la clasificación de su obra...

¿Y la biografía? La biografía es historia, claro está, pero ¿quién es capaz de escribir una biografía sin un poco o un mucho de condimento novelesco? Sin lo imaginado, ningún biógrafo podrá hacer revivir a sus personajes, desde que éstos tuvieron alma, tuvieron pasiones, tuvieron pensamientos casi siempre ocultos, y todo eso no queda escrito ni documentado sino a medias en el mejor de los casos. La fantasía del escritor tiene a veces que volar muy alto, rastrear por momentos y bucear en mil ocasiones. Por eso la biografía novelada puede ser la más real, sin ser ciertas muchas de las cosas que en ella se ponen. Ahí está, pues, el *Facundo* de Sarmiento, que parece ser el Facundo más real a pesar de que muchos no quieren meterlo dentro de la historia y sí en el predio de la novela.

LOS RELATOS PATRIÓTICOS

Mitre hizo crónicas históricas con lo que no le cupo en sus *Historias* y recogió en su libro *Páginas de historia* episodios de la lucha por la libertad, de la guerra de la independencia, en la Argentina y fuera de ella. Y surgió la historia, o la leyenda, del negro Falucho, que ha hecho inflar de patriotismo a todos los escolares de nuestra tierra, ninguno de los cuales dejó de soñar, en vísperas del 25 de Mayo, con morir abrazado a la inmaculada azul y blanca. El sorteo de Matucana fué contado por don Bartolo con pluma de literato, sin pespuntes ni puntillas en el estilo pero con realismo que interesa y apasiona porque mantiene tensa la atención del lector, pendiente de la suerte que habían de correr los conspiradores de El Callao, todos por igual valientes, todos varones de una pieza, decididos al sacrificio de la propia vida para salvar la del compañero.

Siguieron su huella Ada M. Elflein, Gisberta S. de Kurth y Juan M. Espora. La primera publicó dos libros que emocionaron a nuestros padres: *Del pasado* y *Leyendas argentinas*. Patrióticos ambos, emotivos, sentimentales, tienen como mira inculcar patriotismo en la niñez y lo logran. A veces protagonizan sus relatos pequeños personajes que hacen, humildemente y sin saberlo, de héroes.

Son los libros de Ada Elflein un poco hechos para lectura escolar, pero resultan propicios para llevar a los niños el hábito de leer, porque tienen argumento, despiertan interés y emocionan. De paso, hacen conocer historia, la historia episódica, es cierto, pero de cualquier manera historia de la que pueden recordar los pequeños, argentina casi siempre pero también hispanoamericana, porque en las *Leyendas* se incluyen relatos de otros países, y no sólo de la época guerrera sino de antes y de después.

Gisberta Smith de Kurth escribió crónicas históricas y evocaciones, que pertenecen al reino de la ficción y al de la realidad del tiempo viejo. *Vislumbres de nuestro pasado* tiene asiento en la historia, matizados sus acontecimientos con anécdotas y relatos novelescos, de la Colonia y de los días de la Patria. Doña Gisberta "contó" sucesos y no dió mucho vuelo a la fantasía.

Más guerrero, amigo de combates en tierra y en agua, es el libro de Espora (*Episodios nacionales*). Su objetivo está claro en algunas palabras del prólogo, donde dice que ha recogido "los hechos de valor y civismo legendarios de nuestros antepasados en la titánica lucha por la independencia y la libertad, para que la juventud argentina tenga siempre el recuerdo y el ejemplo, grande y sublime, de los fundadores de esta hora". Hay demasiado olor a pólvora en lo que cuenta; la sangre de los héroes colorea las cubiertas de los barcos y tiñe las aguas del Río de la Plata, y rostros que desfiguran las estocadas se enseñorean de los relatos.

También hay patriotismo en Pastor S. Obligado, pero la suya es ya otra literatura que la dirigida a los niños por Espora y Ada Elflein. Obligado siguió las huellas del maestro peruano, don Ricardo Palma, aunque su gracia no llegó a la calidad de la que brotaba del chispeante ingenio del cronista de la Perricholi. Tiene Obligado el afán de dar nombres, datos e informaciones, referir cosas ciertas y episodios veraces. Por eso algunos capítulos parecen escritos con recuerdos, al modo de los que redactara José Antonio Wilde, o crónicas de la sociedad de antaño. A veces acierta, como en *Amor filial*, donde cuenta los amores de Mariquita con Martín Thompson, pero mucho está saturado de humorismo que pronto envejeció y, haciendo honor a eso de "... echemos párrafo aparte hablando de bueyes perdidos", la divagación es frecuente. El libro donde se recoge todo eso se tituló *Tradiciones argentinas*.

Sobre cosas del Norte que no pudieron entrar ni de contrabando en su maciza *Historia de Güemes*, Bernardo Frías escribió varios libros que llamó *Tradiciones históricas*. Poco de novelesco y mucho de historia erudita tienen sus trabajos, donde se cuentan costumbres y se proporcionan conocimientos, en estilo ágil, agradable para el lector. El norte argentino, de larga tradición, brinda a Frías un material excelente, bien aprovechado por el escritor salteño para contar los hechos de una fundación de ciudad o narrar episodios de menor cuantía.

En la Araucanía

¿Por qué no se ha incursionado en la toldería pampa con planes serios de novela romántica? Lo hizo Echeverría con su poema, pero lo que mostró entre los indios fué la barbarie, como la retrató Hernández en el suyo. Había mucha mugre y mucha dureza en los aduares araucanos para que tentaran a la literatura de alto vuelo imaginativo. Bacanales, latrocinios, agresiones, peleas a cuchillo, promiscuidad, odios, persecuciones. Tal era la vida que podía ver el cristiano que penetraba en el desierto. Dejamos a salvo la causa de todo eso, la justicia o la injusticia que guiaba al blanco en sus manejos con el cobrizo y hasta pasamos sin mirar el reverso de la hoja. De estudios sociales no nos ocupamos aquí. Menos aun de inquirir sobre el punto de vista del indio respecto del contrincante, porque según él, seguramente con buenas razones y con abundante cita de hechos, los bárbaros estarían de este lado de la frontera...

Los relatos de las expediciones que se hicieron a las tolderías tienen un riquísimo material para la novela. En parte se ha aprovechado, mucho se mantiene virgen y algo se utilizó para decir lo mismo que el relator y con menos gracia. El material puede servir para drama, tragedia y hasta sainete, que de todo tiene, por ejemplo, la narración sustanciosa que de su misión en afanes de amistad dejó escrita el coronel Pedro Andrés García, tal vez el más hábil político para tratar con los indios: El drama lo sufría él, con un pobre piquete desarmado que rodeaban millares de lanzas, y el sainete lo harían indios y cristianos, abrazando y pidiendo más caña unos, escurriéndose y negando los otros. Así también pasaba durante el viaje de Mansilla. Mansilla, don Lucio Victorio, cincuenta años después, dejó de hacer un paseo a París para llegarse hasta Leuvucó, y hemos de dar gracias al cielo porque esa vez cambió de rumbo este amigo de la conversación amena, del club aristocrático y de la sociedad parisiense, porque la excursión que le encomendara el presidente Sarmiento nos brindó un relato jugoso, al que el tiempo no le quita sino que le pone salsa. Claro que no es novela la de Mansilla, pero cuenta todo con tanta gracia que se mete dentro de lo novelesco. Además, sazona la crónica con algún cuento y... otrosí digo: a veces la cosa parece cuento...

Ahora, *Una excursión a los indios ranqueles*, el relato de Mansilla, resulta casi una novela histórica, un tanto humorística a veces, sin perder con ello nada de su valor documental. Igual ocurre con los libros de Estanislao S. Zeballos, solamente que éste, a la inversa, quiso hacer novela con *Painé y la dinastía de los zorros* y con *Relmú, reina de los pinares*, y les salió —el primero sobre todo— historia. Otro libro sobre el mismo tema de los indios publicó este ilustre argentino, *Callvucurá y la dinastía de los Piedra*, pero aquí parece que quiso hacer solamente obra científica. Los tres están totalmente ligados entre sí y se complementan para hacer la historia de las tribus pampas, mostrar sus costumbres y estudiar su política. Fué Zeballos un hombre ansioso de saber y estudió apasionadamente a los indios, siendo una muestra de ello estos y otros libros y trabajos que escribiera. *Painé* y *Relmú* forman una sola fábula, que se inicia con la entrada al desierto de Liberato Pérez, revolucionario del 39, y termina en los aduares de indios sureños, diez años después. Toda la acción se desarrolla casi en el campamento de los ranqueles, donde presenta indios y blancos a ellos incorporados y hace historia de personas y de sucesos. Vida bárbara la de estos hombres, confundidos, blancos y cobrizos, en iguales pasiones y parejo instinto. Hay cristianos fugados de sus ciudades por motivos políticos y otros que están allí por distintas causas, pero todos han de amoldarse a esa vida o perecer. Las mujeres cautivas son quienes más sufren, incorporadas a los serrallos de salvajes que no se sujetan a ninguna ley. Entre quienes aparecen en esta narración están los Saa y está Baigorria, éste puesto por el autor muy por encima de todos los demás. El amor de Liberato con la cordobesa Panchita, mujer de Painé, hace la trama del relato.

Callvucurá es la historia de la dinastía araucana que tuviera a ese caudillo por jefe supremo e inigualado. Sobre el mismo personaje se conoce ahora un libro, memorias de un cautivo francés, que fué su "escribano" y que confirma mucho de lo que Zeballos dijo: *Tres años de esclavitud entre los patagones*, de A. Guinnard, recuerdos confusos de un hombre perdido en la pampa. A su vez, Filiberto de Oliveira Cézar, que publicó una obra con leyendas guaraníes, hizo un intento de novela (*El cacique blanco*), con un inglés que penetró en las tolderías del célebre cacique.

Samuel Tarnopolsky ha oteado episodios de la época y en *Alarma de indios en la frontera sur* trata personajes de los toldos, relata malones y costumbres, las borracheras de los pampas en primer término. La entrada de dos extranjeros al desierto, con el gaucho Molina como guía, le sirve de motivo para recordar momentos de efervescencia entre la indiada, allá por el año veinte. Se anudan amores y hay una indiecita encantadora, inconcebible en los toldos indígenas, como inconcebible resulta el respeto del indio a una blanca cautiva. Por momentos la novela toca los límites del folletín.

El mismo autor tomó el documento que dejara Pedro Andrés García y, con pocos retoques más algunos episodios para matizar el relato, volvió a contar la expedición de 1810 en *La rastrillada de Salinas Grandes*. Es interesante por cierto la observación de individuos de fronteras, que tantas veces se fueron con los indios como reacción ante las injusticias que con ellos cometieron los blancos, y un acierto del autor dejar de lado el lenguaje gauchesco.

Las huestes del gran cacique indio fueron recordadas también por Julio Vignola Mansilla, en *Los demonios de Calfucurá*, relato de un asalto a la galera, al que siguen otros de ambiente campero y uno sobre mitología de los indios patagónicos. Sin trato con aborígenes en otros cuentos, tampoco lo establece este autor en *La sombra del mal hombre*, donde se acentúa su predilección folklórica.

La evolución de la campaña sureña, desde los tiempos de los malones hasta el presente, ha intentado documentarla Eduardo Acevedo Díaz en un libro cuyo protagonista camina en ella sesenta años, *Cancha Larga*, a través de cuya vida se anda desde el toldo del aborigen hasta la época reciente del trabajo agrícola con maquinaria: del indio al gringo. Estudió allí la psicología del pampa y en otro libro, *Ramón Hazaña*, con mucho detenimiento, la del mestizo,

producto de la semilla que el caciquillo apresado en un
entrevero dejara en la estancia, violando a una vasquita
que en ella vivía. Cuerpo de araucano, de patas corvas y
vientre abultado; artimañas de indio ladino y blanco cau-
dillejo, timado y traidor, eso es el hombre.

Completando su propósito de documentar la evolución
de nuestra sociedad, Acevedo Díaz escribió *Argentina te
llamas*, donde no sólo inmigrantes sino sus hijos son los
protagonistas.

La época de los malones ha encontrado su mejor expresión en la pluma de Guillermo House (Agustín G. Casá),
ducho en inventar argumentos para revivir esos instantes
de la campaña argentina. En *La tierra de todos* se hace la
historia de una estancia que el ciclón barrió, pero que a
algunos se les aparece tal cual era. No es excursión a los
toldos sino la vida rural en la época de Rosas, donde el
capataz de campo ejerce su tarea como si fuera comandante
de tropa. El patrón lo es todavía al modo español, de
señor del lugar, pero los personajes son casi todos malas
gentes, endurecidos por el medio, violentos, óptimos jinetes
y excelentes duelistas.

Más cerca de los indios anda otro libro de House, *El
último perro*. Lo que Cervantes hiciera con la Venta, donde
anudó episodios y novelas, realiza el escritor criollo con la
posta del Lobatón, enclavada en "la esquina" tradicional
de las pulperías de nuestra campaña. Monótona, aburrida
es allí la vida de los que habitan la casa, que es isla en un
mar de tierra, mitad boliche y mitad fortín de avanzada,
pero un instante transforma el reducto en un hervidero de
animación y otro en escenario de terribles dramas, según
pasen los viajeros que aventuran la travesía, se detenga el
convoy de carretas o se presente la invasión de los infieles.
En la posta se siente salvado quien se fuga de las tolderías,

ella es la esperanza de quienes escapan del asalto y oasis donde el viajero puede reposar y reponer fuerzas para continuar la marcha por el desolado camino. Por cierto que ahí, en la llanura desamparada, la moral se entiende de otro modo. O no se entiende de ninguno, puesto que se la ignora casi siempre. Por eso los hombres pasan y dejan su recuerdo con los gauchitos que nacen y que, como los gurises criados en "las casas", estorban los movimientos de los mayores... Vida de bestias, casi.

La habilidad del autor estuvo en llevar a la posta la resonancia de tantos dramas como produce la vecindad del indio, personaje que a través de este libro resulta apenas bandido agazapado para hacer el atraco. Pero esos atracos llevan cautivas, que pueden ser monjas con triste destino, matan a los hombres y transforman a veces sus asaltos en incursiones desoladoras, en gran escala. El saldo doloroso lo simboliza el camposanto que se va adosando a la pulpería. En ella se encuentra el descanso y se reúnen también, a veces, quienes se habían perdido muchos años antes. Y cuenta cada uno su historia del tiempo que vivió con los infieles. También como en la Venta, del *Quijote*. La posta y la diligencia han significado mucho para la población del territorio argentino y aquí adquieren una y otra toda su importancia.

Carlos Molina Massey, autor de libros de sabor folklórico, hizo una novela de aventuras, de fondo romántico, con *Las montoneras de Ahuancruz*, episodio de la guerra de malones, en el sur bonaerense, en el que se presenta un duelo, como en tiempos del romancero, entre el cacique invasor y el jefe del piquete fronterizo, con indios de un lado y aindiados del otro, haciendo de espectadores y de coro animador de los duelistas.

Con los indios de más al sur entró en tratos Enrique Campos Menéndez, quien dedicó las páginas de *Kupen* al relato de costumbres, mitos y leyendas de primitiva simplicidad de los aborígenes de Tierra del Fuego, a la que Enrique González Trillo y Luis Ortiz Behety se acercaron para narrar las peripecias dramáticas de la expedición de Sarmiento de Gamboa, en 1583, con *Puerto Hambre*. Poco a poco el ansia asesina domina a los hombres, que no sólo masacran a los indios luego de aprovecharse de ellos, sino que se matan entre sí. En los momentos más difíciles, los bandidos se acuerdan de Dios y de sus pecados, luego se olvidan del uno y de los otros. Se pide la misericordia divina... y se vuelve a matar. Es la tragedia del hambre, nada más. Los autores poco han tenido que agregar a la realidad de los hechos para evocarla, porque en la historia se dice que en Rey Felipe todo fué así.

HISTORIA DEL LITORAL

La historia del litoral ha brindado argumento para evocaciones novelescas a un entrerriano y a un santafecino. Don Martiniano Leguizamón, el primero, hizo presente su patria chica en la producción histórica y en la teatral. En las tablas, entre los iniciadores de la escena nacional, con su *Calandria*, de alto vuelo. Muchas páginas suyas que miran al pasado tuvieron aliento creador y pertenecen más a la bibliografía literaria que a la histórica, con estar llenas de datos e informaciones, y un libro colocó a ese escritor, como novelista, a la par del dramaturgo: *Montaraz*, evocador del patriotismo primario e instintivo que alentó en buena parte las montoneras argentinas. Leguizamón fué un escritor totalmente regionalista y sus temas no salen nunca del litoral,

casi ni de su rincón entrerriano. El campo suyo está
sente en todo instante, con sus tradiciones, su idioma
personajes. Son sus libros ricos en esencia folklórica
amor por lo nativo vivifica sus páginas. Ahí están,
probarlo, *Recuerdos de la tierra*, *Alma nativa*, *La cinta*
rada y *De cepa criolla*. Como evocación, *Montaraz* e
documento humano de singular valor. Es la historia de
linario Silva, capataz de una estancia a quien los acor
mientos llevan a mezclarse en la lucha de caudillos, la
sostuvieron, alrededor de 1820, Ramírez y Artigas. El a
del gaucho con la hija del estanciero da trama nove
a la guerra bárbara en que se mezclan, con igual insti
pareja ferocidad, los blancos con los indios. Así el p
gonista viene a ser la masa de los que luchan, las par
de gauchos alzados, más que un hombre. Tiempos
aquéllos, ponían callos en el corazón y acero en los músc
No existía la piedad y se desconocían las lágrimas. A
vió Leguizamón, como los viera, en la otra orilla del
Eduardo Acevedo Díaz, el uruguayo.

Mateo Booz (Miguel Ángel Correa), de Santa Fe,
de paseos por el pasado de la tierra de don Estanislao L
quien monopolizó su cariño y le proporcionó temas
libros de sabor local. En *El tropel* se hace la evocació
la capital santafecina en la época rosista y andanzas d
vasquito que llega de lejos le proporcionan al autor
texto para hacer historia y recordar instantes drama
de su provincia, no totalmente fiel al Restaurador, cu
la muerte de López y el asesinato de Cullen.

Más cerca de nuestra época está la trama de otra n
de la misma pluma, *La ciudad cambió de voz*, que es la
toria de Rosario desde 1870 en adelante. Libro agrad
ágil, trata no de indios ni montoneros sino de los que
ron después para formar las poblaciones nuevas que s

potentes por el comercio y la industria. Llega el muchacho inmigrante, cuya vida se liga a la ciudad y va progresando con ella, hasta que una crisis asusta al viejo luchador y lo lleva a la muerte voluntaria. Es otro aspecto de la novela lo que más interesa, y a ella nos referiremos, desde distinto ángulo, al volver sobre el inmigrante.

Evocaciones norteñas

Bernardo Canal Feijóo no escribió novelas pero su *Pasión y muerte de Silverio Leguizamón*, dialogada para las tablas, es casi una novela. En otras manos, el proceso descubierto por el escritor santiagueño habría caído en el drama gauchesco y tendríamos un duplicado de Juan Moreira, provinciano; en las suyas, se dignificó el personaje hasta hacerse de leyenda y de mito, encarnación de un prólogo revolucionario, porque su acción transcurre en las postrimerías del régimen colonial, y si Silverio se hace bandido, lo que no se dice expresamente, lo es porque a ello lo lleva la injusticia de leyes que dan privilegios a unos y humillan a los otros. En esencia, la rebeldía de todos los gauchos que andan en la literatura, como Calandria, el de Leguizamón, y como el de Hernández. El autor lo llama "relato parlante".

Silverio se movió en el monte santiagueño. Más al norte, en las quebradas de las montañas salteñas y en tiempos más recientes, anduvieron otros, puestos allí por Leopoldo Lugones para dar la nota épica de la guerra de guerrillas, de montoneras, que permitió a la patria naciente contener al godo que desde el Alto Perú quería llegar hasta la llanura para retornar las cosas a como estaban antes. ¡Como estaban antes!... *La guerra gaucha* se llamó el libro, tan rico en imágenes como en centauros el pueblo criollo. Cuentos, episodios mejor dicho, de la lucha por la libertad, instintiva, bárbara muchas veces, tienen el sabor de lo heroico y un exaltado patriotismo mueve, como a los indios, a los gauchos, a las mujeres y a los niños, la pluma del escritor. No hay dolor que no aguanten sus montoneros ni fatiga que los venza. Instinto y coraje, más las chuzas, es lo único que tienen para enfrentar tropas que dirigen militares de escuela. Son casi siempre diez contra cien, pero los cerros son sus aliados y los montes sus guaridas. Los pasos que ellos conocen les permiten ganar terreno, para sorprender, para adelantarse, para escurrirse, y la celada vale aquí más que la estrategia. La evocación es digna del escritor. Con esto queda dicho todo, aunque podría agregarse, al margen, que es lástima no tener a mano, en libro, cuentos criollos de don Leopoldo que andan semiolvidados en las páginas periodísticas.

Juan Draghi Lucero escribió *Las mil y una noches argentinas*, que no son relatos fantásticos, de genios y aparecidos, sino cuentos y narraciones de la tradición norteña, tan rica en temas para el enamorado de lo popular, el buscador de documentos y el gustador de las cosas nativas.

Viejos tiempos porteños

La monótona vida colonial fué evocada por Juan Agustín García en narraciones que traen al presente el perfume de esos tiempos. Uno de sus libros, *La Chepa Leona*, se forma con cuadros de ambiente más que con episodios novelescos; nos recuerdan días opacos en que el clero fiscalizaba estrechamente la vida de las familias y se procedía contra la alegría y la diversión. Inocentes papeles anónimos causaban revuelo y el temor de la sospecha acobardaba a todos. Un poco en la nebulosa, en la época de Vértiz se entreveían ya cambios que habían de dar otro rumbo a la vida.

Es también del siglo XVIII *Memorias de un sacristán*, donde el autor de *La ciudad indiana* pinta, con tonos suaves, una tela representativa de la sociedad rioplatense en su faz clerical. La idea del demonio y de la condenación eterna obsesiona a todos los espíritus. Raymundo, el sacristán que redacta las memorias, finamente sutil, erudito y escéptico, tiene poco de colonial y mucho de hombre representativo del siglo siguiente. Obra psicológica tanto como novelesca y de observación social, está emparentada, como la otra novela del mismo autor, con la literatura delicadamente irónica que tuviera como más alto representante al creador de Jerónimo Coignard, por quien Juan Agustín García tuviera acentuada simpatía.

Ricardo Hogg puso la mira en las invasiones inglesas y enredando a un inglés en amores con una criollita fué deshilvanando los acontecimientos, con personajes reales y con tipos imaginarios, Gillespie, que dejó sabrosas memorias, entre los primeros; Patricio Lynch, que dió título al libro, entre los últimos. Éste, que vivió prisionero en Luján, vuelve más tarde de Europa para incorporarse a la lucha por la independencia y llega a guerrear hasta en el Perú.

Recordó Bernardo González Arrili esa misma época en *La invasión de los herejes*, que se desarrolla en vísperas de la llegada de los británicos en su expedición de conquista. En un ambiente opaco, de vida apacible, viven su romance el español recién llegado y la primita criolla. Se presentan en la fábula los que serían pronto abanderados de la Revolución, Moreno y Belgrano entre ellos, y surge el patriotismo criollo en la reacción que se produce ante la agresión extranjera.

También trató de las invasiones de herejes don Arturo

Capdevila en una evocación histórico-literaria, donde hace hablar a los personajes, bailar a las damiselas y conspirar a los patriotas. Son estampas las de *Las invasiones inglesas* y lo son también los capítulos de *En la corte del virrey*, donde destapa con gracia algunos procesos de la época y nos habla de las corridas de toros. Sigue a eso *Las vísperas de Caseros*, donde Manuelita cumple años y el hueco de las ánimas aterroriza a la gente. Y continúan las evocaciones, verso va y diálogo viene, ahora con danza. Se titulan: *Cuando el vals y los lanceros*, y *Córdoba del recuerdo*. Más cerca nuestro. *¿Quién vive? ¡La Libertad!*, desde el Acuerdo de San Nicolás hasta la Constitución.

¿Es novela o no es novela lo de Capdevila? ¡Vaya uno a saberlo! Pero lo cierto es que si queremos historia encontramos la novela, y si ésta, los personajes y los episodios nos indican que estamos en el campo de lo verídico. Pero fábula hay, no cabe duda.

Fábula total tenemos en *La novela de la sangre*, de Carlos Octavio Bunge, que vuelve a los años del rosismo y sigue las huellas de Mármol, sin su animación ni su colorido. Con mano fuerte trata al tirano, que se presenta frío para hacer el mal, vengativo, miserable en las persecuciones. La trama es un tanto simple y se desarrolla en los años que precedieron y siguieron al asesinato de Maza, quien anda en las páginas de la novela, con su hijo, con Diego Alcorta y con otros personajes históricos. Escribió Bunge también unas "narraciones ejemplares": *El sabio y la horca*, relatos breves de la vieja España inspirados por lecturas de la época.

Edmundo C. Smith relató, en *Cecilia*, el episodio de la Revolución del Sur, de 1839, consustanciado el autor con el espíritu antirrosista de sus promotores. Isaac R. Pearson, que dió además novelas de la sociedad argentina contemporánea, escribió *Sangre rebelde*, con los chilenos Carrera en el centro, y J. Cobos Daract *Los fuertes* y *Estrella federal*, de la Restauración. Emilio Gouchon Cané evocó la lucha del 90 y, ahora, Josefina Cruz, asentándose en los afiebrados días de Mitre y de Sarmiento, lleva los recuerdos más atrás por medio de sus personajes, para entretejer lo novelesco con lo histórico, en *El viento sobre el río*, a través de cuyos episodios se reviven momentos dramáticos, como la guerra del Paraguay y la epidemia de fiebre amarilla, con atrayente prosa y bien manejados diálogos.

No novela sino una veintena de cuentos que arracimados casi la forman es *Aquí vivieron*, de Manuel Mujica Lainez, donde en prosa limpia va reseñando la historia de Buenos Aires, enfocada desde fuera, desde sus orillas, al hacer la biografía de San Isidro, pueblo enclavado en la tradición porteña. También hay evocación en las biografías de personajes argentinos que relató, en páginas que se leen con placer, el mismo Mujica Lainez: la de Ascasubi, la de Miguel Cané y la de Estanislao del Campo, los tres con sitio propio en la literatura nuestra.

Don Juan en Chile

Carlos M. Noel siguió la huella literaria de don Enrique Larreta. No cruzó el océano pero sí traspuso los nevados Andes y en su husmear tras viejas crónicas dió en Chile con un episodio picaresco o, mejor dicho, picante, que le sirvió para escribir *La boda de don Juan*, boda celebrada en la ciudad santiaguina en el siglo XVIII. Se trata del matrimonio que don Juan de Molina, viudo, realiza, con asesoramiento canónico, para no cometer pecado, pues su organismo vigoroso le demanda compañera y su moral cristiana le hace huir del goce de una mujer con la que no lo una el lazo de la Iglesia. Pero doña Catalina, la elegida para el casamiento, que parece monstruo bisexual más que mujer hombruna, le defrauda y le obliga a entablar demanda de divorcio. Este es el motivo central de la novela, asentada en incidencias un tanto sucias y que no adquieren, en sus capítulos, categoría literaria. Ricardo Palma hubiera sacado de esto, que no da para un libro, una sabrosa *Tradición*. Prologó el texto don Ramón Pérez de Ayala, ocupando su divagación casi la mitad del volumen. Toca en ella los más diversos temas y dice, al fin, del texto prologado que: "Es castísima prosa castellana, aunque biológicamente adaptada al clima criollo: algo así como el barroco colonial en arquitectura." Bueno, si es biología, demos traslado del texto a los médicos.

Vidas

Son vidas ajenas. Algunos las escriben como biografía y resultan vidas de leyenda, porque llevan muy alto a los héroes, o presentan a los biografiados como personajes de ficción. En todo anda traveseando la imaginación del escritor, a la que se agrega casi siempre (no hay autor, ni libro, sino lector, dicen los estudiosos de la bibliopsicología) la imaginación de quien hace de caja de resonancia. La biografía novelada pertenece a la época actual, pero con las biografías se hicieron siempre muchas novelas. Y si la biografía no fuera un poco novelesca, ¿quién la leería?

En la Argentina, la primera que se leyó y apasionó como una novela, como una novela romántica, fué la que hizo Domingo Faustino Sarmiento del Tigre de los Llanos. Don Domingo, donde el lector busca la consabida frase protocolizada con deficiente ortografía en el registro parroquial,

con la fecha en que el cura de aldea puso los óleos bautis-
males al protagonista, hace estallar el trueno y encaja su
introducción, que parece llamar a las puertas del averno:

> "¡Sombra terrible de Facundo, voy a evocarte, para
> que, sacudiendo el ensangrentado polvo que cubre tus
> cenizas, te levantes a explicarnos la vida secreta y
> las convulsiones internas que desgarran las entrañas
> de un noble pueblo! Tú posees el secreto, ¡revéla-
> noslo! Diez años después de su trágica muerte, el
> hombre de las ciudades y el gaucho de los llanos ar-
> gentinos, al tomar diversos senderos en el desierto,
> decían: ¡No! ¡No ha muerto! ¡Vive aún! ¡Él vendrá!
> ¡Cierto! Facundo no ha muerto..."

La biografía, en nuestra patria, adoptó pronto vestido de
erudición y gustó mucho de los personajes para glorificar-
los, es decir, deshumanizarlos, que es lo malo, aunque los
pedagogos los quisieron así con el propósito de que sirvie-
ran de estímulo y ejemplo. Hubo también las biografías
escritas para la lucha, parciales, exageradas, a favor o en
contra de la víctima elegida como bandera o como blanco.
En este sentido, Rosas fué y sigue siendo el hombre preferido. Sarmiento ha de seguirle, aunque Urquiza y Mitre, en su hora, acapararon la pluma y la tinta de los po-
lemistas.

Uno de los libros influídos por la escuela que Stefan
Zweig y André Maurois tan bien representaran fué *Juan
Facundo Quiroga*, de Ramón J. Cárcano, de tono dramático.
A su vez Manuel Gálvez, inquieto siempre, incursionó en
vidas argentinas, de las que ya gustara en las novelas rela-
tivas a la historia, y brindó biografías que resultan un poco
novelas, con *El gaucho de los Cerrillos* y *El general Quiroga*, y biografías que son libros de polémica apasionada,
como la del Ilustre Restaurador, apología rosista, la de Hi-

pólito Yrigoyen, la de Domingo Faustino Sarmiento y la del tirano García Moreno, todos vistos desde un ángulo militante.

Sustancia en la prosa tienen las semblanzas escritas por Juan Pablo Echagüe, quien evocó protagonistas de nuestras luchas civiles y publicó un libro sobre Monteagudo, tea humana de la Revolución.

Un personaje de aventura, curioso individuo que el azar trajo a la Argentina apenas se decidía ésta a caminar por su cuenta, el norteamericano Juan King, fué tomado por Héctor Olivera Lavié para escribir una novela que es novela y es biografía despojada de literatura a la vez, pues lo que hace el autor es seguir las memorias que el mismo hombre dejara escritas y circulan impresas. *Las montoneras* es el título elegido para este libro, donde se presentan, con las andanzas del forastero incorporado a las partidas de gauchos y caudillos de la época, Ramírez, Ibarra, Paz.

Más poesía tienen las evocaciones de María Alicia Domínguez, que eligió dos figuras femeninas para brindar libros de corte romántico. Una fué Mariquita Sánchez, que da título al que le dedica, excesivamente dulzón a veces pero con buenos retratos y excelente recuerdo de las costumbres de una larga época. La otra fué Margarita Weild, sobrina y esposa del general Paz, que ha servido a la escritoria para realizar una obra de muy buena calidad literaria, que conquista la simpatía del lector hacia esa admirable cordobesita, cuya estrella la llevó a compartir con el hombre que adoraba todas sus penurias. Fué ángel de bondad para el célebre Manco y el ánima de éste encontró en ella el nido tibio donde descansar de la agobiadora lucha y de los sufrimientos que acompañaron todos sus días y todas sus noches. *La cruz de la espada* lleva por título este relato de tan singular amor, que nace en la guerra y tiene en la prisión sus efemérides más importantes: el casamiento, el alumbramiento de los hijos.

Algo se habla de don Estanislao López en el libro de María Alicia. En otro, de Mateo Booz, comprovinciano del caudillo, se evoca su vida con aleluyas. Se titula precisamente *Aleluyas del Brigadier* y tiene gracia, porque no es ni solemne biografía ni novela que lo tome de protagonista sino estampas en que se salpican episodios, amablemente relatados. Así se recuerda la vida del hombre desde que

> Nace pobre ¡días de seca!
> el gran López y Fonseca,

hasta que, cuando

> Alza la invencible mano
> para enfrentar al tirano,

le llega, como a todo mortal, la hora, y

> Fina glorioso y sereno.
> ¡Que Dios lo acoja en su seno!

Otros versos, traídos con olor a viejo de centenarios papeles, utiliza don Arturo Capdevila para recordar las andanzas de aquel fraile rebelde y zurrador,

> Entre todos los cuerdos despreciado,
> entre todos los locos conocido...

que fué camorrero incorregible, pasquinero mayor, polemista de hacha y tiza, predicador desbocado, ordenado sacerdote y desordenado poetastro. En fin, completemos la filiación de su Paternidad con la parte última del soneto que le dedicara don Juan Cruz Varela:

> ese santo, que tanto perjudica,
> se llama fray Francisco Castañeda.

Desborda gracia esta silueta del fraile antirrivadaviano hecha por Capdevila. Se ocupa de la parte risueña de esa lucha terrible entre clericales y liberales y lo hace bien. Con simpatía sin duda por el personaje, que ha de estar a sus anchas en el otro mundo, gozando desde arriba, o desde abajo, con la polémica que todavía anda alrededor de su persona, como peleador de ley. Aclara el autor de este cronicón franciscano: "...no tengo interés en que el P. Castañeda aparezca como un santo ni el menor deseo de que resulte un granuja". En su libro, el santo no aparece. Tampoco el granuja, pero lo preferiríamos sin sotana, aunque perdería gracia. La narración de las andanzas de fray Francisco de Paula lleva por título *La santa furia del padre Castañeda.*

XV

DE NUEVO EL GRINGO

El gaucho no ha muerto, dijo el poeta. El gringo tampoco. Y si murió, ahí está su descendencia, que ofrece motivos para muchas novelas que el gringo tiene que integrar en buena parte. Buenos Aires se mueve aún, como el país todo, con el aliento de inmigrantes, y la fiebre de actividad, la angurria de la fortuna y la ausencia de frenos morales que con frecuencia afloran en el trajín cotidiano, tienen como raíz el espíritu de lucro y el ansia de riquezas de los inmigrantes que tantas páginas ocuparan en la vieja literatura argentina. La historia nuestra está influída extraordinariamente por el inmigrante y hasta podría intentarse una biografía jugosa del país a través de tal personaje. O un canto con la epopeya del "gringo", héroe moderno y anónimo que conquistó creando y no destruyendo y que jalonó con sudor, con dolor y a veces con sangre sus pasos por la tierra de promisión. El ejército de la inmigración tenía de todo, como todos los ejércitos, y no siempre el triunfo había de sonreír a los más puros. Lo normal, como en todas las batallas, a los más fuertes, a los más capaces de adaptarse al medio, a los de mayor iniciativa y en ocasiones también a quienes menos ataran los escrúpulos. Igual que en la guerra...

Su cuartel general fué el inquilinato o conventillo. Del

conventillo nos habló Francisco Grandmontagne, que en él vivió, y era como el segundo paso del inmigrante luego de desembarcar. El primero se daba en el galpón habilitado por el ministerio de agricultura (simbólico es esto de que las gentes vinieran a cargo y por cuenta de las mismas dependencias que atendían los trámites ganaderos), en el puerto mismo. El conventillo, cuyas piezas albergaban cada una a una familia o a media docena —cuando no más— de "hombres solos", fué anclaje definitivo para algunos, pero su función primera estaba en la tarea distribuidora, porque del conventillo salían españoles, turcos, italianos y polacos a los cuatro vientos, a formar aldeas, a cosechar el grano, a abrir canales y a plantar vides. El conventillo daba costureras, lavanderas, mercachifles, masiteros, peones de cocina, rateros y prostitutas. El que iniciaba su industria en una covacha del mismo inquilinato y quien se sentía condenado a manejar el pico eternamente. Salían del conventillo los vigilantes, repartidores de almacén y mayorales que tan bien retratara Fray Mocho, cuyos doctorcitos no habían de ser más que los hijos de esos habitantes de inquilinatos. Por algo fué a la Universidad el vástago de Foronda. Y mientras los retoños de viejas familias pegadas a la tradición y añorantes de lo que fueron en tiempo pasado se iban abajo, los vástagos de estos conquistadores subían arrasando con cuanto se les ponía por delante.

No cuenta aquí el inmigrante "golondrina", que venía a cosechar el trigo del estanciero o del chacarero y el dinero para sí, en una temporada estival que se renovó con frecuencia un año y otro año porque el hombre se acostumbraba a no hacer inviernos en ningún sitio. La novela que lo tomara de protagonista no sería argentina sino italiana, o española, pues el viajero no elegía estas playas más que como las de la propia patria y la aventura era sólo de meses, simple por cierto: bajar a tierra, echarse la bolsa al hombro, anclar en el primer campo donde se pusiera rubia la espiga, cortarla, trillar el grano, embolsarlo y acarrearlo. Como las golondrinas, estas gentes viajaban a veces en cuadrillas para hacer estación. Y el jornal se guardaba íntegro, porque mala cama y abudante comida daba el chacarero y el forastero huía como del demonio de las fiestas que reunían a los hijos del país. Tacaño, miserable a veces, uno; derrochador sin tasa, el otro, ambos, naturalmente, habían de mirarse con recelo, cuando no con odio, porque no se entendían.

Un pícaro y un ahorrativo

Sicardi entró en sus cuartuchos y don Ceferino de la Calle hizo una descripción del conventillo, el de 1880, que tenía su piso alto, "de lujo", seguramente porque desde allí, tomando el olor, se sabía qué cocinaba cada vecina y, apoyadas en la baranda, las inquilinas podían echar la vista sobre las habitaciones de quienes estaban en la escala inferior. Pero no se ocupó el autor de *Palomas y gavilanes* de los extranjeros que allí vivían, entre los cuales podía estar un italianito que Carlos María Ocantos tomó de la mano después. Era Fortunato Lucca, mozo lindo y vivaracho del que se enamoró misia Jeromita, la criolla de la novela del mismo título. Fortunato es totalmente un pícaro. Enamora a la solterona, hace con ella la farsa del casamiento y le funde los ahorritos.

En la ferretería donde trabaja Fortunato todos son italianos, principiando por los dueños. Garibaldi, Mazzini y Víctor Manuel presiden los dormitorios de la casa y entre sus habitantes no se habla otro idioma que el itálico. Llegó el gringuito Lucca con deseos de darse buena vida y así, tan pronto como engatusó a la dama dejó el trabajo y se ocupó de entretener los ocios con más apetitosas conquistas. Como otro pícaro, criollo éste, que se llamó Laucha, el peninsular ideó también un casamiento por detrás de la iglesia. No encontró un padre Papagna pero sí voluntario y codicioso compinche que se pusiera sotana para coronar la farsa.

No fué el único inmigrante presentado por Ocantos, quien, cerca de fin del siglo, publicó una novela cuyos personajes son en su inmensa mayoría extranjeros: *Promisión*. Llegaban todos en busca del Dorado y dieron con él. El argumento desemboca, pues, en el enriquecimiento de los inmigrantes, bien que con trabajo tesonero, perseverante y honrado: la tierra de América hace buenos a los hombres y premia indefectiblemente su fe en el porvenir. Siguió esta novela en *El peligro*, triunfo económico y derrumbe sentimental del italiano Paolo Fiorelli.

Enrique de Vedia atrapó en la campaña santafecina un tipo de esos que hicieron fortuna. Es también italiano, pero no se parece a Fortunato Lucca. Bergalli, que vino con una mano atrás y otra adelante, llegó a rico porque "era de una avaricia insuperable y no tenía más pasión ni más consuelo en su aislamiento que amontonar dinero, sacar cuentas..." Así se hizo dueño de campos y dió carrera al hijo, que fué agrónomo. En éste observa bien de Vedia el descendiente directo del inmigrante: "Víctor Bergalli formaba en el grupo demasiado numeroso de los argentinos modernos que no han conocido abuelos, ni tíos, ni primos, ni más lazos familiares que la madre y el padre, generalmente extranjero, venido al país en busca de dinero y no de vínculos afectivos ni aun con la propia descendencia producida casi ocasionalmente y falta del estímulo recíproco del amor al suelo en que se nace, cuando padres e hijos tienen el mismo origen nacional."

El casamiento transforma a Víctor Bergalli, personaje de *Quintuay*. Roto el cordón que liga al hombre con sus antepasados, la tradición que muere da lugar a la tradición que nace y sobre la tierra nueva se desparramarán no los abuelos ni los tíos pero sí los hijos y los sobrinos...

Pasajeros de tercera

Pasajeros de tercera tituló Juan Francisco Caldiz una novela de estos días, que trata precisamente de inmigrantes. Los suyos, italianos, se hacen fonderos o chacareros. Pasajeros de tercera eran los inmigrantes que se hacinaban en las mugrientas dependencias de sucios barcos, tenían dormitorios colectivos y habían de ir, al toque de campana, cada cual con su recipiente, a buscar el rancho. Era un conglomerado heterogéneo que adquiría carácter propio tan pronto se iniciaba la navegación; sociedad de desclasados y de esperanzados.

La tercera clase de los buques era como un conventillo flotante. Más hacinada la gente y más densa la atmósfera para dormir pero más pura la brisa para barrer los olores y oxigenar los pulmones. Mucha relación existía entre la vivienda sobre el agua y la enclavada en la tierra: en ésta, se daba el caso a veces de mudarse a un palacio; en aquélla, de subir a cubierta para regresar a la patria en primera clase.

Luis Pascarella escribió una novela, hoy olvidada, que tituló *El conventillo* y que conviene leer para tener una idea de esa multitud de gentes de las más diversas nacionalidades que forma una agrupación a la que apenas si el instinto de vivir da una íntima unidad. La biografía del gringo en América destina un capítulo, denso, a este escenario.

En tercera clase no llegaría el padre Papagna, de Payró, porque los hábitos sacerdotales, aunque sucios los de éste, excluían tal promiscuidad, pero sí la italiana Carolina, a a la que él casara sin labrar acta, y don Juan Martín, el afilador enriquecido que biografió Arturo Cancela. Tomó algunos de esos viajeros Juan Goyanarte para llevarlos a la Patagonia y en *Lago Argentino* nos los pinta de cuerpo y alma, al servicio de Martín Arteche, descendiente de vasco y recia estampa de fundador, y se llaman Jonar, el cocinero irlandés, Terren, rencoroso y agresivo porque las amarguras y el veneno que tragara desde sus primeros años fueron cultivo en su alma, y Muranguinic, el yugoslavo taciturno que es allí como una bestia más que se suma a las que la estancia cría. Es curioso sin duda que para enclavar una estancia en el extremo sur patagónico se haya recurrido, en la literatura, al inmigrante, pero no ha de asombrar puesto que, como antes en la llanura bonaerense y más tarde en la pampa o en los mismos territorios australes, lo primero, para el trabajo creador, es el brazo del hombre que viene precisamente para eso, para trabajar y para crear riqueza, porque la riqueza, tras la cual anda afanoso, no es a la postre para él sino para el país mismo.

Un extranjero protagoniza las otras dos novelas de Goyanarte, pero éste, llegado de tierras muy lejanas, no es inmigrante sino emigrado. Tampoco eran inmigrantes otros personajes de novelas, también venidos de fuera, porque llegaron aquí en otras condiciones. Tal el francés Marcel Renault, de *Fruto vedado*, de Groussac, o Mr. James, *el inglés de los güesos*. Para ser inmigrante se requieren otros antecedentes y otra condición social. Para una definición, tal vez lo primero sea establecer si en el buque fué pasajero de tercera...

Un inmigrante fundó *Las Águilas*, estancia en que Mallea enclava la acción de su novela así titulada. León Ricarte llegó aquí cuando se organizaba el país, se fué al campo y acumuló catorce mil hectáreas. Quiso entonces simbolizar en un castillo de piedra levantado sobre los tiernos pastizales de la planicie la solidez de su fortuna, pero sus descendientes, con pujos aristocráticos, se encargaron de echarla a los cuatro vientos.

Linyera al hombro, hacia el horizonte

Metió el gringo sus pocos trapos en una bolsa, le ató fuerte una soga en dos extremos y con ella al hombro se puso a caminar. Sin saberlo, se había transformado en *linyera*. Linyera era el hombre que marchaba de un extremo a otro del país, con su equipaje a cuestas, caminando casi siempre y de polizón en los trenes de carga en ocasiones, buscando trabajo. A veces se asentaba en la primera estación, pero cada día tuvo que marchar hasta más lejos, porque la plaza se iba saturando. Una changa en la chacra y algunas jornadas en el galpón de los cereales; temporadas abriendo canales de riego o nivelando tierras; meses largos construyendo los terraplenes del ferrocarril o un verano en la fonda, como lavaplatos o peón para todo servicio, hacían sus estaciones. Hasta que el gringo (sigamos llamándole gringo, que es lo más exacto) se asentaba en algún lugar: en el pueblo recién fundado, como pequeño comerciante, en el campo, como chacarero, en una encrucijada de caminos, de pulpero. A veces, avecinarse en un sitio no era más que seguir, ahora sobre un manso jumento con dos cargas sobre el lomo: la del fardo y la del hombre que lleva percales, jabón de olor, peinetas y espejos para vender a las chinas, o en chirriante jardinera de mercachifle. Sobre ésta, lo que lleva para la venta y lo que recibe en pago: cueros, lanas o plumas, algún lechón a veces; debajo, en jaulas que cuelgan de los ejes, aves que compra en la chacra y expende en el pueblo.

Así empieza el inmigrante que va tierra adentro, hacia el horizonte. El novelista lo encontró en todos los caminos, en todas las estaciones, en el pueblo incipiente, en la ciudad de provincia, en los obrajes, en las chacras y en las canteras. Elbio Bernárdez Jacques le cantó, en jugosa prosa, como sembrador, en *El gringo*. El hombre lucha tenazmente, levanta su casa en el campo y cría el hijo, pero éste se va para servir a la patria y siente la tentación de la ciudad. Más tarde vuelve, vencido su cuerpo por la enfermedad: la pampa lo recupera y el viejo muere satisfecho porque deja "en el surco de la vida la simiente que ha de brotar acriollada, como la gramilla, llenando de esperanza los campos de la patria".

Aquello sucedió en la pampa. Otros inmigrantes fueron mucho más lejos, a tratar con la piedra, y en las canteras salteñas, en vericuetos serranos donde sólo se imaginan collas y alpacas, Tomás Yáñez dió con un grupo heterogéneo de italianos, alemanes, austríacos, croatas, que hizo desfilar en *La Cantera*. Con ellos, para que la torre de Babel fuera completa, también algunos nativos. Con un nuevo idioma, invento de la necesidad del diario vivir, a veces se entendían entre sí.

No fué tan lejos Armando Cascella con *La cuadrilla volante*, primer relato del libro que lleva ese título. La cuadrilla está en una estación: kilómetro 900. Son italianos casi todos los del equipo, cuyo capataz recibe de Italia, como si recibiera una encomienda, la mujer que allí desposara "por poder". Poner una hembra entre tantos varones es decir que comienza el drama. Su último acto es de sangre, porque se produce el asalto y las puñaladas se dan en la oscuridad. Un magnífico documento dejó Cascella en este libro, en el que hay tipos de sólida estructura y escenas que reviven toda una época de la población argentina, de su construcción mejor dicho, porque en ella el tendido de las vías férreas fué de excepcional importancia. Las reuniones de estas gentes, en veladas de añoranza, al aire libre, sobre la llanura argentina, permiten al autor ofrecer cuadros que son posibles solamente en países que se están formando. Un inglés que esperaba haber ido a la India y le cambiaron el destino, sueña a los acordes de su armónica, el telegrafista criollo toca la guitarra y un italianito el acordeón: he ahí la orquesta. Margarita, oyendo una canzoneta, siente la angustia subir a su garganta, mientras Pepino, el acordeonista, transforma en notas sus lágrimas de añoranza y los italianos retornan al terruño, con el alma, bailando la tarantela.

De la colonización santafecina trata *Surcando destinos*, de Elsa Durando Mackey. Son también italianos los personajes suyos, inmigrantes que hicieron de punta de lanza entre 1860 y 1870, chacareros y "medieros", que experimentan nostalgias y angustias de todas clases. El indio es un peligro y la langosta el enemigo peor, pero el canto que evoca la tierra nativa tonifica los ánimos y nuevas colonias, cada vez más adentro, van jalonando el camino de los extranjeros.

Ya estamos en el Litoral, tierra que abonó el sudor de familias de todas las razas, hasta justificar el arco iris como símbolo de su población. Ahora todos los colonos están casi fundidos en un solo tipo, que es el argentino nativo, hijo de judíos, de sajones, de eslavos, de latinos, de charrúas, de mocovíes.

Mateo Booz se adueñó de un turco acriollado y lo plantó en la zona boscosa santafecina. Es un hombre que se ve con frecuencia en el norte, donde el ejemplar de estampa más gaucha resulta a veces siriolibanés. Salomón Abdala es de esos con sólo cinco años de América. Tiene en cambio en su casa a la madre y a una hermana que llegaron después, quienes no siendo por señas no se entienden con pobladores que ignoran el idioma de su antiguo país. Abdala es tendero y tiene a su servicio, como vendedores ambulantes o clientes, buena cantidad de connacionales. Forman todos una especie de comunidad que juega por sí misma su papel, con exclusión absoluta de los demás, salvo para negociar con ellos. Por eso la muchacha se enamora de un argentino pero se casa con un paisano, uno de esos vendedores que se independiza y se la lleva a otro pueblo. Así tenía que ser. Hay en *La tierra del agua y del sol* otros extranjeros, un inglés sabio y un cura italiano. Cada uno habla el castellano a su modo.

El mismo Booz trató con inmigrantes en otra novela, esta vez para historiar la evolución de Rosario. Ya hablamos de ella: *La ciudad cambió de voz.* Hace la historia de Felipe Bustamante, aquí Talavera, sacado del seminario peninsular por una revuelta en que estuvo complicado el padre, quien se le muere en el camino. En el buque conoce a Margot, una francesita que traen aquí engañada (¡otra vez el infame comercio!), con la que ha de casarse cuando la rueda de la fortuna lo coloque arriba. Felipe va a Rosario, donde hace varios oficios, y de dependiente de santería y dibujante ingenuo pasa a una casa de géneros, de la que llega a ser propietario. Su fin, cuando ha logrado la formación de una familia, es el suicidio, asustado el hombre, esencialmente honesto, por una época de crisis.

Importa mucho esta obra para los rosarinos, porque en ella, como en película documental, vase dando la historia de su pueblo, de aldea grande a segunda ciudad de la República, cuya evolución, en esta época que documenta el libro, mucho paralelo tiene con la primera.

También de Santa Fe, de la llanura del sur, es una novela de Alcides Greca, *La Pampa Gringa*, donde se deja para la historia una época triste de la campaña argentina, la de los desalojos de colonos. Expulsión primero de los criollos para poner gringos en su lugar, desalojo de éstos luego para cambiar de organización o reemplazarlos con animales. En Maciel, pueblo de tierra adentro, se reúne esa gente, entre la cual se cuentan italianos, españoles y turcos. Hay un maestro, César Hidalgo, que encarna el espíritu lírico y soñador del hombre esperanzado en una sociedad mejor y en la armonía y la paz entre los seres humanos. Como es natural, lo persiguen los poderosos, que son políticos o terratenientes, porque para ellos ha de ser comunista y enemigo de la patria. No lo es en cambio Boota, inmigrante que llegó a millonario, ni los que mangonean y hacen trapisondas en las alturas. Sí el pobre galleguito que, un poco lírico y soñador también, no sale de peón de almacén sino para quedar en la calle, como enemigo que es de la sociedad según los otros la entienden y la usufructúan. Hay en esta densa novela de Greca una multitud de tipos en los cuales ha representado muchos de los que poblaron la campaña y la pueblan aún. En ese mundo de angurrias, donde lo que vale es el poder y el dinero, los padres negocian a las hijas, que no otra cosa son algunos casamientos, y los pobres se hunden en la inmoralidad. El grito de rebeldía lo dan los acarreadores y la huelga cuenta pronto a los chacareros que sienten la angustia de sus infructuosas fatigas, tras las cuales no entreven sino nubarrones cuando buscan la aurora que soñaran al venir a América. Los hijos de los enriquecidos forman patotas de salvajes trajeados a la moda, capaces de asaltar un rancho para violar a las mujeres, balear en el camino, por simple deporte, al primer viajero que encuentran, y hasta de llevar una ramera a la cama matrimonial. En el otro plano, el gringo caído en la degeneración, con hijos que son a la vez nietos. Pero aquí las clases es lo que cuenta, no la nacionalidad, porque, alguien lo ha sostenido con buenos argumentos refiriéndose al indio, en América no hay razas sino clases. En este caso puede ser cierto.

El salmo y la vidalita

Samuel Glusberg estudió judíos porteños, que presenta con simpatía comunicante. Uno de sus personajes es el tío Petacovsky, que empieza a acriollarse cuando sorbe mate amargo y calza alpargatas. Vende láminas piadosas a los católicos y les hace sus recibos en caracteres hebraicos, únicos que entiende. La esposa no se adapta con tanta facilidad al ambiente y muere cuando la hija tiene la audacia de casarse con un cristiano. Excelente figura es esta del tío Petacovsky, que fué en su tierra maestro de hebreo y cumplió aquí los más humildes oficios, hasta que una banda de "patriotas", para quienes el judío es siempre, sin excepciones, millonario y maximalista, lo mató. Estos judíos de Glusberg tienen el temor de que les obliguen a afeitarse las barbas y terror a la carne de cerdo. Son todos un poco tristes y hacen, con deleite, citas de Heine. Se reúnen en el libro que lleva por título *La levita gris.*

Judíos de los salmos... También lo son los de otro judío que amó a la Argentina como el que más y escribió el castellano como el mejor español. Se llamó Alberto Gerchunoff, nació en Rusia y vino a parar aquí, en una de esas caravanas de inmigrantes que tan bien recordaría más tarde en algunas de sus páginas. Lo contó en la autobiografía que se introduce en su libro póstumo: *Entre Ríos, mi país*. Primero en la campaña santafecina y más tarde allí, en el escenario donde planta las gentes de *Los gauchos judíos*, aprendió a arar, a sembrar, a conducir las yuntas y a domar potros. En verdad que la suya fué copia de la aventura de muchos, sólo que pocos llegaron como él a la elevada altura que lo destacara como periodista y escritor. Cuadros de la vida en la colonia judía, paisaje que pinta con pocos y firmes trazos, añoranzas, episodios, de todo hay en *Los gauchos judíos*, pero hay allí principalmente emoción. Retratan sus páginas a hombres que traen en las pupilas reflejos de muchos países, la piel curtida por vientos y soles de tierras de bíblica tradición, la mente ejercitada por hondas reflexiones y las manos habituadas a los más variados oficios. Aquí para los más maduros difícil es aclimatarse, pero los hombres tiernos echan raíces en los surcos entrerrianos. La oposición de los viejos se vence con decisión y con un pingo que lleva en ancas, guiado por el peón de la chacra, a la hermosa hebrea que, trabajando, hace evocar al autor las figuras del Antiguo Testamento. Y el canto más hermoso de la gesta surge cuando los unos entonan sus salmos y los otros echan al aire las vidalitas...

Gerchunoff escribió otros libros novelescos, de ensayos y de biografías, y de ellos, de limpia prosa todos, puede destacarse uno pequeñito, folleto humilde, que tituló *Cuentos de ayer*. De estos cuentos, *El día de las grandes ganancias*, de corte autobiográfico y protagonizado por un estudiante pobre que hace de tendero ambulante para pagarse los estudios. Ahí está, con su humorismo triste, el muchacho que sale el primer día del mes con optimismo y con su fardo a cuestas, repleto porque quien le proporciona la mercadería le hizo un pronóstico la noche antes: "Mañana harás mucha plata." Marcha para Barracas en la madrugada, camina de un lado a otro, llama a todas las puertas y nada vende. Regresa cuando se encienden las luces del alumbrado público, sin un centavo, pero oye que alguien dice en el camino:

"—Este muchacho debe ganar dinero. Así se hacen los burgueses."

La fortuna y la ilusión

Regresemos a Buenos Aires, donde se "hacen" los burgueses y donde se "hacen" también los pobres. Como con los nativos, ocurre con los inmigrantes: unos logran la fortuna, otros se quedan con la ilusión, que se renueva cada día. Lo más común y general es que quien viene de fuera siga aquí el ritmo de todas las latitudes, que es la lucha de cada día por el pan de los suyos y la inquietud que nace de la incógnita del mañana.

Gregorio Verbitsky nos habló, en *Es difícil empezar a vivir*, también de judíos venidos de fuera y de judíos que aquí nacen y que pueden dejar, espiritualmente, de serlo. No es de ellos de quienes se ocupa José Gabriel en *La fonda*, lugar de cita de inmigrantes desocupados. Miguel Ángel Speroni tomó extranjeros de todas clases para tratar una sociedad multiforme en *La puerta grande*, de influencia norteamericana en el enfoque del asunto y en la técnica novelística. También la tiene, más marcada, *El financista*, de

Félix M. Pelayo, quien estudia en esa novela el proceso de creación de una fortuna a través de un inmigrante que se prolonga en el hijo alentado por iguales ansias, herencia ésta que no se había revelado en las obras anteriores que trataron el tema, en las cuales lo normal fué que los hijos tuvieran otras aspiraciones que las del dinero. Crudo, frío, objetivo, Pelayo toma a su hombre cuando embarca y lo tiene ahí, frente al lector, hasta que desaparece. El descendiente ocupa su sitio después, con idéntica sed, mayores ambiciones y muchos menos escrúpulos. ¿Es también novela de clave? Sin duda alguna, hasta apenas disfrazarse en ella los nombres. A veces recárganse las tintas para acentuar el espíritu del protagonista, lo que hace extender el relato y perder vigor a la obra literaria, que hubiera ganado si se extremara en ella la sobriedad. Plan difícil de cumplir, desembocó en un episodio policial, de crimen, detectives, huida y suicidio del financista, hijo extranjero que vuelve a plantear la pregunta a que creían responder los viejos escritores que trataron con él, como Argerich y Cambaceres, ¿ha de ser innoble la herencia biológica y moral del gringo?

No llegó a ese momento interrogatorio otro que revivió el tema, Luis María Albamonte, de cuyo *Puerto América* se espera la descendencia con las andanzas del porteñito a que diera vida el inmigrante Luigi Pietra, su protagonista. Albamonte retrata a otro gringo, más lírico y también más real, porque esencialmente es esta suya la realidad del inmigrante, no la del que viene a hacer fortuna, ni la del que produce hijos degenerados sino la del común, de la generalidad, que llega con la ilusión en la mirada pero ha de vivir una vida de miseria, de privaciones, de inquietudes y de angustias, que corona, cuando corona, en apenas un pobre boliche que dará para ir viviendo sin dejar de trabajar todas las horas del día y para brindar una profesión al hijo que encarna otras esperanzas. Con una prosa limpia, labrada, que concreta un plan, un propósito documental, íntimamente poética, la novela de Albamonte es como la biografía no de un hombre sino de una clase. También un poco la biografía del país, cuando manos extranjeras amasaban mucho de lo que es hoy, porque Pietra, colocador de adoquines, aprendiz de sastre y peón de cocina en Buenos Aires, es arador en el campo, y aquí, como allí, no son criollos los que más trata. Ya lo dice una vez, extrañado:

"—Marcelo... ¿dónde están los criollos? En todas partes encontré paisanos míos o de otra nacionalidad. Esto es el campo y los hombres son rusos o italianos..."

Luigi Pietra es analizado hasta lo más íntimo, en sus andanzas, en sus ilusiones, en sus recuerdos, en sus esperanzas y en sus realidades. No lo deja el autor un instante. Cada decisión, cada movimiento, cada gesto se ponen ahí, en el libro, para retratarlo espiritualmente. Quienes lo rodean le hacen marco sin dejar de tener personalidad propia. En el conventillo se mueven seres como él y viven otros que recuerdan los ex-hombres de Gorki. El criollo despreocupado, que va al campo porque tiene ansias de sol y de libertad, es tipo a quien no comprende el inmigrante, todo reflexión y cálculo, hasta en el amor, que echa en su momento al rincón de las añoranzas para suplantarlo con la realidad de una mujer con buenas caderas y que trabaje a su par. Esa es la lucha, que deja de ser por una esperanza cuando se transforma en otra esperanza: la del hijo que nace. Roca Imperiale, perfume del recuerdo; Argentina, lucha y sufrimiento. El amor de la lumbre no entibiecía sus inviernos porque le faltaba, con ella, el amor de la patria. No la tenía en verdad este inmigrante típico, despojado de

grandeza, de aventuras y de goces, como la inmensa mayoría de los inmigrantes, que no volaron muy alto, porque él,
bien lo dice el autor, "nunca había soñado en dar grandes
saltos, como no los habían querido dar Nicola, Faverio y
los demás. Habían avanzado como hormigas, lentamente...
Queriendo "hacer la América", estos inmigrantes, laborio-
sos como las abejas, tenaces, ahorrativos, endurecidos consigo
mismos, pueden ser en realidad los constructores de América.

El inmigrante de hoy no es el mismo de antes y el país
es también distinto, transformado en parte por los inmigrantes de las pasadas épocas. Este de ahora puede dar
lugar a novelas de otra índole, de distinto enfoque porque
los problemas que implique la afluencia del extranjero
pueden ser otros y la resonancia que la sociedad a que se
incorporan ha de tener en el pecho de quienes llegan,
diferente. Mucho ha andado la historia en este siglo que
vivimos y los que vienen no serán labriegos con telarañas
en el cerebro o la inteligencia embotada. Seguramente que
tienen otra psicología, sin duda más complicada, otras
exigencias y también otra sensibilidad, pues no en vano
sufrieron las convulsiones de estos tiempos, pero son esencialmente inmigrantes y aunque ya no será posible que en
ningún centro poblado hagan mayoría sobre los nativos,
su influencia en nuestra sociedad puede hacerse presente.
Eso destaca la importancia del tema para nuestra novelística, que no ha de despreciarlo seguramente, como no ha
de dejar de lado el análisis psicológico del hijo directo
de inmigrantes, cuyo estudio requiere mucha observación
y pareja dosis de intuición, para captar los complejos reco-
vecos del ser humano que reciba la herencia sanguínea,
mental y moral, de los que vienen a tierra americana como
seres trasplantados de otros suelos. A lo mejor, el novelista

concluye en la nada de todas esas influencias, porque la atmósfera parece saturar al que nace de un espíritu que no tiene nada de fuera y hermana a todos los de aquí, hasta a los que vienen con los que arrastran generaciones de argentinos. Porque, puesto el observador a analizar, ¿dónde encuentra al hijo de italiano, de español, inglés, francés o alemán? Cuando tiende la mirada, lo que ve es tan sólo el hombre de América.

XVI

MUNDO Y TRASMUNDO DEL HOMBRE

Hemos entrado en el presente y la tarea del relato se complica y se hace más compleja, porque muchas son las novelas y nutrida la biblioteca que almacena los libros. Falta además perspectiva para observar el panorama en toda su amplitud. Tenemos todo alrededor nuestro, caminamos entre los escritores y por la mañana nos llegan sus producciones, unas con las otras las de todas las tendencias, entreveradas. Imposible clasificar, difícil el juicio, que puede recibir tantas influencias, ajenas a veces y por mejor dispuesta que se tenga la voluntad, a la simple literatura, porque el lector está viviendo en su atmósfera y con ella le penetra en el organismo la idea y el sentir de los círculos en que se mueve, el comentario periodístico que hace en ocasiones un ambiente y crea algo así como una indiscutible valorización de hechos de la cual no siempre logra zafarse quien cada día va enterándose del contenido de sus columnas. Muchas son, pues, las dificultades que se oponen a la apreciación objetiva de la labor literaria que se cumple en el momento en que el escritor hace sus acotaciones. De cualquier manera, quien se dispone a hacer una reseña debe afrontar el riesgo, aunque no sea más que para hacer enumeración de autores y de libros.

La Argentina tiene ahora más novelistas que nunca y pa-

rece lejana la época en que un par de novelas daba mo
para entretejer el comentario del año. La novela toma
chos caminos, recibe las tentaciones más diversas y escud
en la sociedad, en el paisaje y en el alma del hombre
lo habita. Tienen nuestros novelistas todas las inquiet
y se atreven en todos los terrenos, con confianza, con
quietud, con ansias, con pasión. ¡Qué lejos estamos d
prosa intrascendente de fin del pasado siglo o princi
del que corre, época cuyo representante en las letras p
ser el escritor apoltronado, estanciero o diplomático
rrido, que escribía "para matar el tiempo"! Porque si
da unidad a la producción de ahora es precisament
pasión y la angustia que en ella se vuelca. También h
pasión en el pasado, y eso fué lo que dió valor perman
a las producciones de los hombres que en él vivieron y
escribieron mitad con tinta y mitad con sangre sus pág
encendidas. Pero esa no fué la literatura imaginativa
la de combate, la de la polémica, la que puso los sil
de la organización jurídica y política de la nación. El n
lista nuestro de ahora siente la palpitación del pueblo ar
tino, sufre sus intranquilidades y sus dolores, observa
problemas y sus angustias y sus personajes de ficción
como cajas de resonancia, representación de lo que el ex
rador y el buceador encuentran en sus búsquedas. A v
quiere ir tan adentro que hace labor de cirujano y
heridas para encontrar, en lo más hondo, la raíz. O dest
muñecos en el afán de dar con el mecanismo que les
accionar como hombres. Se trata con lo fantástico y s
al pasado para reconstruir episodios, evocar moment
revivir figuras, pero lo que más interesa es el prese
el presente social sobre todo. La novela de ahora, cualqu
sea el tema que trate, resulta documento y ha de servir
analizar los instantes históricos en que fué escrita. D

mental para el ambiente, para los sucesos y para el hombre que los vive, porque hay como una desesperación por llegar a las almas y desentrañar lo que existe en lo más profundo del individuo, por reflejar lo que se ve y sacar a la luz lo que no se ve pero se presiente. La Argentina visible y la invisible, el hombre que anda por la calle y el que se refugia sobre sí mismo. Es una tarea difícil y complicada esta que se ha echado encima el novelista de ahora.

Apasiona la novela de la tierra pero apasiona más la del alma y en el proceso natural de la literatura el escritor se sale de aquélla para penetrar en ésta. La naturaleza de América, cautivante y absorbente, conquistó al novelista y, aun ahora, las más importantes creaciones novelescas producidas en su suelo son dominadas por ella: *La vorágine*, de Rivera; *Canaima* y *Doña Bárbara*, de Gallegos; *La serpiente de oro* y *Los perros hambrientos*, de Alegría; *Don Segundo Sombra*, de Güiraldes; *La raza sufrida*, de Carlos B. Quiroga. Pero la naturaleza tiene un límite y si cuando el paisaje resulta gastado sus efluvios pueden vitalizar al hombre que lo habita, esto ha de hacerse presente con otra sutileza en la creación literaria, desde que es sustancia que sube, oculta, desde las raíces hasta el último rincón del ser humano. En ese sentido, el indio es el único personaje que puede servir ahora de protagonista, porque es el único totalmente autóctono. Los demás, de aluvión cercano o lejano; esto es lo cierto y lo será por mucho tiempo, hasta que el hombre actual, que va perfilándose como americano con rasgos que se acentúan paulatinamente, adquiera el significado que ahora tiene el aborigen. Éste no es mayoría sino en pocos países del Continente y la característica de la vida americana, la tónica de su marcha en la historia contemporánea, no la da él por cierto. Como novela total del hombre de América, savia de su tierra, lo más representativo puede ser *El mundo es ancho y ajeno*, del peruano Ciro Alegría, donde la raza sangra todo el dolor de su derrota.

En realidad y aunque su territorio dilatado pueda brindar motivos para hacer de la tierra misma protagonista de creaciones de la imaginación, en la Argentina el novelista ha mirado más al hombre que a la naturaleza. Ahí está como ejemplo la producción de Benito Lynch, asentada en la llanura pero escudriñadora de tipos psicológicos, de instintos y temperamentos, donde radican sus más firmes valores.

La psiquis del argentino ha sido estudiada por muchos. El mundo del hombre, complejo hasta ser uno en cada individuo, permite explorar, hacer tanteos y trabajar en análisis cautivantes, inagotable como es. Más aun, se puede dar un paso y adentrarse en otra zona que ya ni mundo es para transformarse en el trasmundo de la mente, un sector al que el hombre llega cuando se trastorna su mecanismo cerebral y cuando sueña con lo muy lejano. ¡Qué maravilloso es todo esto!

EN EL ÁSPERO INTERMEDIO

Silverio Boj (Walter Guido Weyland) tituló *Áspero intermedio* a un libro suyo. Excelente el título, pues qué sino un áspero intermedio de la vida es esa época difícil y complicada que se llama adolescencia, donde empiezan los pasos seguros del estudio subjetivo y las confesiones de quienes exploran con el autoanálisis en el espíritu humano. Más atrás de la adolescencia, el recuerdo, cuando ya el escritor domina el método expresivo, se encuentra en la nebulosa y es recuerdo incierto. Por algo al tratar de la psicología infantil ha de aplicarse con preferencia el método experimental.

En el libro de Boj su protagonista, Raúl, de 17 años, siente el dolor de ser tratado como niño y nace en él la rebeldía de la juventud. Se plantea el choque psicológico con sus mayores, la incomprensión de éstos y la angustia del muchacho, cuya vida fracasará si se adapta a la voluntad del padre, quien lo destina para una carrera que odia. Está el despertar del sexo y la liberación final en el amor de una mujer que rompe las cadenas que la amarran al marido, a la vulgaridad. Cada uno se mueve alentado por su rebeldía. Raúl está bien observado y analizado, con sus vacilaciones y con sus impulsos. Establecido el duelo entre dos voluntades, el padre quiere imponer la suya, despótica, y decide enviar el hijo al Chaco, a purgar con el trabajo duro el delito de haber fracasado en los estudios. El joven, fracasado voluntario en aprendizaje que no cuadra a su vocación, se siente vencido. La actitud de mal estudiante que tomara como arma para batirse con el progenitor no le dió resultado. ¿Qué elegirá ahora? La madre podría ayudarlo pero es un ser sin voluntad y sólo sabe llorar con el hijo la incomprensión del padre. El muchacho piensa primero fugarse, pero al fin, entreviendo el fracaso de la escapada del hogar, se decide por el suicidio, que queda en otra derrota y lo deja herido. Se cura en casa de unas tías solteronas, tan incomprensivas como los demás; la madre enloquece y él descubre al fin, en la mujer a quien la familia considera una perdida, el espíritu gemelo con el cual podrá lanzarse a la lucha por la existencia.

Juega mucho también la vocación en una novela de Sylvina Bullrich Palenque, que tiene nudo en episodio policial pero más de estudio psicológico de adolescente: *La tercera versión*. Aquí la mujer culpable de haber cortado la carrera triunfal del marido, gran artista, se empeña en que el hijo ocupe, en el arte, el lugar que aquél dejara, llevando a la

gloria, en los mismos escenarios, el nombre del desapare-
cido. La lucha de voluntades es dura y la redención de
la mujer no es posible porque si el esposo había nacido
para el arte el hijo lo fué para el amor. Tuvo éxito cuando
luchó contra el violín del hombre amado, pues éste cambió
el destino que le señalaba su vocación para entregar a ella
su vida, que fué corta porque le faltó el oxígeno de la música, pero fracasó en la segunda batalla y la rebeldía del
hijo pudo más que la voluntad de la madre. El relato lo
hace ésta. El enigma, que es la muerte del artista, queda
en pie, pues la tercera versión se la llevó un amigo, al morir.
La primera fué el suicidio, la segunda un ataque al corazón.
El amigo, médico, enamorado de la mujer, atendió al muerto
en sus últimos instantes.

Es un excelente relato. Sólo en parte está a su par otro
de la misma escritora —*Su vida y yo*—, donde se va estudiando, con el crecimiento de los muchachos, el nacimiento
del amor en dos seres que se crían como hermanos, sin
serlo. Con maestría va deshilvanando el proceso y descu-
briendo los pliegues del corazón, pero la novela decae sen-
siblemente cuando incursiona en otros temas y se dedica
al mundo exterior, que es la política o el chisme de la
vida social.

Estudios de mujer

Luis María Jordán, poeta y novelista fuertemente influído por la literatura francesa de su época, escribió una
novela, *Los atormentados*, con protagonistas un tanto amorales, dominados por la pasión del sexo, viciosos hasta los
límites de la degeneración. No es la mujer el personaje
principal de ese libro, pero sí el de otro, posterior, *La Bam-*

bina, cuya protagonista, condenada a confinarse en un pueblo del interior, casada con un comerciante vulgar, siente cada día más agudas ansias de volver a los brazos de su antiguo amante, hombre de alta posición social. Pero cuando regresa a Buenos Aires y se encuentra con él descubre que aquellos amores habían sido tan sólo "su aventura", mientras el de ahora, el del matrimonio burgués, es su amor verdadero. Y vuelve a su pueblo de la costa totalmente curada de su mal de añoranza. Hay en esta obra ambiente de pueblo del interior, con sus personajes representativos, quienes forman una sociedad rica en pequeñas miserias.

Estela Canto, que mezcla a veces la fantasía con la realidad y que antes publicara *El muro de mármol,* hizo un estudio de mujer en *El retrato y la imagen.* Aquí, una niña, Ida Ballenten, cree que ha matado a un hombre, el muchacho Juan García, y que el crimen debe expiarse. Su vida ha de ser, pues, como el castigo del delito cometido. Por eso es de dolor, de humillaciones y de sacrificios. El recuerdo del muerto la obsesiona y la enloquece; el crimen nunca está suficientemente purgado, la deuda no se salda. Un día, en sus incursiones en busca de clientela para la empresa cuyos retratos corretea, encuentra al muchacho muerto, hecho hombre y jefe de un hogar. Y aquí está la fantasía, la mezcla de lo real con lo irreal en la novela. Ida Dallesten anda entre estos dos mundos hasta que muere una noche, en el cementerio, buscando al muerto.

Héctor Olivera Lavié, en *La cruz de la vida,* se dedicó al estudio de un carácter de mujer, de mujer de estos tiempos, valiente, reflexiva, que se emancipa de convencionalismos y está dispuesta a luchar contra el destino que la sociedad impone a la mayoría. Su lucha es decidida y franca; en ella arrostra todos los peligros y triunfa en su aventura. Al fin, Magdalena termina como todas, en el casamiento, pero a él llegó por camino distinto, como coronación de una experiencia y consciente determinación y no como un hecho fatal, inconsistente casi, de las demás mujeres.

De mujeres trata Carlos Alberto Leumann, el novelista que más empeño ha puesto en el estudio de caracteres femeninos, realizado en novelas de paciente y bien lograda elaboración. Una, *Adriana Zumarán*, tiene ya lugar propio en la literatura. Mujer en apariencia versátil, dura, fuerte, no es más que un alma generosa y un temperamento extremadamente sensible. Nació para el amor pero también para el renunciamiento y el sacrificio y por eso es capaz de hacerse a un lado y hasta casarse con otro para que su amiga logre atraer hacia sí el hombre que ella, Adriana, ama y que a ella quiere unir su destino. La mujer difícil, incomprensible y hasta insensible para los demás es en lo más íntimo el reverso de todo eso.

También estudia Leumann la psicología femenina en otra novela: *El empresario del genio*. Aquí un hombre, Gustavo Amaya, es la réplica masculina de Adriana Zumarán. Asume el papel de salvador de un escritor y poeta que, puesto a elegir entre la literatura y el amor, se queda con éste, encarnado en una mujer que no entiende su obra. Gustavo quiere salvarlo y eso es lo que da argumento al libro, donde se observa la sociedad porteña y el tipo argentino. Hay muchos personajes, mujeres los mejor observados, en los que encarna Leumann el país mismo, cuando llegaron aquí las resonancias del resquebrajamiento producido por la primera guerra mundial. Se mueven esos tipos entre Gustavo, todo voluntad y equilibrio, y Lucio Paz, el poeta, incapaz de la más pequeña lucha, que naufraga con la primera borrasca. Documenta el libro, además, el momento literario argentino, cuando copias un tanto estúpidas querían hacer arraigar en él movimientos espirituales que en Europa brotaron con la neurosis guerrera y que si allí fueron pasajera expresión de locura aquí resultaron por completo artificiales.

El proceso de los celos abre *La vida victoriosa*, otra novela de Carlos A. Leumann, quien hace en ella un fino análisis de mujer. Juanita Cello logra con engaños llevar al matrimonio al hombre que ama, pero éste se separa luego de ella y se va de San Juan a Buenos Aires, dejando un hijo. Y el hijo que llegó más tarde a la capital para estudiar una profesión le hace escribir estos recuerdos, que forman el libro. Además, que es lo importante, le devuelven, poco a poco, al hogar que abandonara. Es, al fin, el triunfo de la vida, tesis de la novela, seguramente de las mejores construídas por el autor, que la relata entretejiendo recuerdos con sensaciones del momento, hábilmente, sin decaer un instante.

El complejo mecanismo del espíritu

Trae el hombre al nacer, en buena parte, el destino de su vida. Factores de toda naturaleza producirán cambios e incidirán en ese destino, es cierto, pero la herencia psicológica, por ejemplo, continuará pesando en la vida del individuo, cuyo mecanismo mental puede obedecer a influencias ancestrales, de raza, de pueblo, de individuos. Por eso el estudio del hombre no se agotará nunca, y por eso el novelista puede brindar constantemente un mundo renovado, inesperado, absorbente, donde el mismo lector encuentra un poco de sustancia de sí mismo. El espíritu de los personajes, más la imaginación del escritor, más el estado anímico de quien lee, eso puede ser una novela, la novela de la aventura interior del ser humano, rica en sucesos, en accidentes y en angustias como no puede serlo la más densa de las novelas que se llaman de aventuras y lo son de las del mundo exterior.

La novela argentina ha explorado todo eso con suerte diversa y como ejemplo puede citarse uno de sus cultores de mayor categoría en el momento presente: Eduardo Mallea. Olivera Lavié estudió las andanzas de un hombre opaco, sin voluntad, que nació bajo el signo del fracasado. Lo llamó Samuel Lagos, *El caminante*. Trae al mundo la sangre de un inglés condenado a la locura y al suicidio, y la única reacción, la única actitud decidida en su deambular por la tierra, se hace presente en un bodegón, defendiendo de los borrachos a una salvacionista. Después, el propio suicidio. El retrato del personaje está en estos párrafos:

> "—¿Qué quieres? —respondió Samuel—. Yo siempre he sido un pobre hombre, abúlico, sin plan y sin apoyo en la vida... Lo único que me atrae es marcharme, marcharme de todas partes... Siempre la misma sensación en mí, huir de todo, de mi casa, de mí mismo... Es una sensación mortificante, horrible, de vacío y de angustia interior... Creo que es resultante, más que de una falta de armonía mental, de un estado orgánico definido..."

Es el estudio de un hombre en cierto modo normal, de los que se encuentran en todas partes, faltos de voluntad y de espíritu de lucha. Aparentemente, son normales los de Roberto Mariani, amigo de la gente metida en escritorios y dependencias, a la que dedicó el título de un libro, *Cuentos de oficina*, más los capítulos de ese libro y los de otro, *Regreso a Dios*. Los hombres de Mariani esconden tras la figura vulgar del individuo de la calle y del empleado todo un ser humano, de alma complicada a veces, que lucha con su destino, que tiene vida interior y está sufriendo, bajo el saco raído, una existencia distinta. Con Mariani el lector se da cuenta de que ignora totalmente a quienes trata en el vivir diario. Según Rilke, el hombre inicia, el día que nace, el cultivo amoroso de su propia muerte. Mariani cree que cada uno trae, al aflorar a la vida, su propio drama. Oigamos a un personaje razonador y filósofo de su *Regreso a Dios* la explicación de la idea:

"Yo me lo explico todo. A cada uno le toca un día su drama. El drama puede llegar a la desesperación. La desesperación desemboca en tres salidas. Desemboca en la resignación, o el aburrimiento, que es en realidad un estar muerto. Y el aburrimiento no resuelve ningún problema vital del ser humano (...) Desemboca otras veces en el suicidio, y esto es eliminar el problema sin resolverlo. Y finalmente desemboca en algo que resuelve el problema. Eduardo estaba a punto de resolver el problema de su desesperación. Esa necesidad de humillarse me da la explicación de todo. Estaba maduro ya para resolver el problema; tenía, ya, el sufrimiento aparentemente sin sentido, como dicen ustedes... ¡Sin sentido, el sufrimiento!... ¡Oh!... ¡oh!... El sufrimiento siempre tiene un profundo sentido, como que es el comienzo de la salvación (...) ¡Pero este muchacho estuvo a punto de salvarse!...

"—Bueno, don Pedro, pero usted no acaba de decir cuál es la desembocadura que resuelve el problema.

"—Es, sencillamente, Dios."

Mucho de este reflexionar hay en el libro, de evidente inspiración dostoievskiana. Uno de los protagonistas, Borzani, se nos presenta con una filosofía que debió tener mucho de la del propio autor. No destaca igual característica su libro *El amor agresivo*, de relatos más amables, bien realizados, con diálogos y monólogos de personajes que tienen también su propio razonar, pero de intrascendentes temas.

Angustiados son algunos personajes de Mariani. De los

de J. Carlos Onetti podría decirse que todos. Onetti principió con *El pozo*, que es la confesión de Eladio Linares; siguió con *Tierra de nadie*, que amarga el paladar con tipos amorales que se pretende hacer representativos de la juventud argentina y que, de serlo, nos harían perder toda esperanza en nuestro destino. Publicó después *Para esta noche*, donde hay un mundo sombrío, tenebroso podría decirse, que refleja el que vive en esos días de guerra y de incertidumbre (1942) la humanidad. Aunque el autor, al final, quiere insinuar lo contrario, no hay resquicio de luz sino que todo es tinieblas cuando se mira el presente y quiere entreverse el futuro.

Llegaron luego los largos capítulos de *La vida breve*, donde ha de admirarse la capacidad novelística del escritor, que hace dos novelas en una y llega a que sus protagonistas, el de la novela, el de la novela que nace de la novela y hasta el autor mismo, se mezclen en la aventura. Toma el libro a veces aspectos de relato policial y es siempre, en esencia, una novela de angustias, lenta, dilatada por momentos, intrincada y difícil; un verdadero laberinto en ocasiones. Onetti quiere reflejar en sus producciones el complicado instante que estamos viviendo.

Ernesto Sábato no se propone tal cosa, pero lo que Onetti realiza con una docena de hombres y mujeres él lo centra en un personaje, el protagonista de *El túnel*, Juan Pablo Castel, hombre complejo, que es por igual tímido e impulsivo. Él mismo cuenta su historia, la historia de su amor, que es historia policial e historia psicológica, en un principio de novela que es todo un acierto, con frase directa, precisa: "Bastará decir que soy Juan Pablo Castel, el pintor que mató a María Iribarne; supongo que el proceso está en el recuerdo de todos y que no se necesitan mayores explicaciones sobre mi persona."

Es un análisis psicológico meditado y profundo, principalmente en el proceso de los celos del protagonista, nacido para torturarse el alma más que para triunfar en el arte. También se ubica entre lo policial y lo psicológico *Las ratas*, de José Bianco, novela de cuidada elaboración, redactada en primera persona, donde se habla de arte y se va guiando al lector al desenlace, pausada y serenamente, hasta desembocar en ese suicidio, que es homicidio, de uno de sus personajes protagónicos.

DE HUMILLADOS Y OFENDIDOS

Desorienta Roberto Arlt en el primer contacto que el lector establece con sus libros. En parte, en buena parte, como consecuencia del choque que se produce entre lo que se lee habitualmente y lo que se encuentra en sus novelas, tan distintas son. Pero sobre todo por los individuos que caminan en ellas. No es fácil la filiación de este instintivo novelista que por momentos parece encarnarse en esos personajes, desequilibrados, arbitrarios, locos. Son, en la vida exterior, rateros, vagos o proxenetas; en la interior, estrafalarios filósofos y razonadores de lo absurdo. Es una sociedad extraña la de Roberto Arlt, cuyo cerebro anduvo inventando hombres que especulaban con raros inventos y querían destruir, como si tal cosa, la humanidad actual, con cultivos de espiroquetas. Tuvo mucha imaginación este novelista. Imaginación desordenada, indisciplinada, porque Roberto Arlt imaginaba lo absurdo absurdo y no lo absurdo lógico, valga la frase que puede reflejar un poco la influencia de la lectura de sus libros de absurdos y de anti-lógica... Puede establecerse un parentesco recordando a Dostoievski, pero bueno es poner una salvedad: el ruso tomaba a su personaje, le levantaba la tapa de los sesos y hacía la película del funcionamiento de su mente. Los suyos eran estudios, análisis clínicos y disección psicológica de individuos y de castas de individuos. Arlt trata, como Dostoievski, algunos desequilibrados, pero éstos son de veras locos mientras los de aquél eran hombres. Al fin, los del eslavo son almas que se desnudan y los del argentino engranajes mal armados. Ahí puede estar la diferencia.

Trató el autor de *El amor brujo* de humillados y ofendidos. Parecía obsesionado con ellos y compartía sus angustias. Ahí está Ergueta, el de *Los 7 locos*, explicándoselo al capitán que le roba la mujer, y Silvio Aster razonando cuando denuncia a un amigo y cómplice: "Mi vida ha sido horriblemente ofendida... humillada", dice el primero; "Hay momentos en nuestra vida en que tenemos necesidad de ser canallas, de ensuciarnos hasta adentro, de hacer alguna infamia...", razona el segundo. Una canallada de éstas es la que hace un personaje de *El jorobadito* con su novia, cuando lleva al jiboso para que le dé un beso. Y dice el corcovado:

"¡Yo he venido a cumplir una alta misión filantrópica! Y es necesario que Elsa me dé un beso para que yo le perdone a la humanidad mi corcova. La novia de mi amigo está obligada a darme un beso: y no lo rechazo. Lo acepto. Comprendo que debo aceptarlo como una reparación que me debe la sociedad."

Roberto Arlt tenía garra de escritor, pero era anárquico y no pudo dejar una obra de solidez sino apenas la sensación de lo que pudo haber sido como novelista. *El juguete rabioso*, su obra mejor elaborada, fué la primera que escribió y, con individuos que retrató con detenimiento, dió ambientes que reviven los de Gorki, como el tugurio de don Gaetano, el librero de viejo. En *Los 7 locos* la pluma de Arlt corre con la velocidad que le proporciona una imaginación desbocada y un regimiento de individuos hace una sociedad de pesadilla, de locos que son alquimistas, astrólogos y explotadores de mujeres. Al fin, de ilusionados y esperanzados, aunque sea de lo absurdo, pues en esencia todos son, cada uno a su modo, ilusos y líricos.

La expresión más fiel de este novelista puede estar en los relatos que agrupa *El jorobadito*, donde trata, como en las novelas, de humillados y ofendidos. Así es el cuento que da título al volumen y *Ester Primavera*, también con un individuo que agravió terriblemente a la novia, que se horroriza de ello, pero pasan setecientos días, siempre pensando en pedirle perdón, sin hacerlo. Entre ladrones, "cafishos" y asesinos está el argumento de *Las fieras*, mientras *Pequeños propietarios* se refiere a las miserias humanas de la vulgaridad y alcanza honda realidad *Una tarde de domingo*.

La prosa de Arlt se construyó a lo montonero, es anárquica, ruda. No está en el estilo su fuerte y leyéndolo se tiene la sensación de que una urgencia angustiosa le obligaba a escribir apurado para dar salida a lo que manaba de su cerebro, en torrente. Tal vez presentía su temprana partida de este mundo y quería dejar en él su recuerdo. Lo ha dejado en desgarradas creaciones de su afiebrada literatura.

La fantasía en libertad

Llegamos al trasmundo, a lo que el interés, la curiosidad y la angustia del hombre quiere ver más allá de lo que observa con los ojos del cuerpo. Lo que se vive en los sueños y lo que vive el alucinado. También de lo que surge de la especulación artificiosa de la mente, que a veces principia en juego y termina en obsesión. Más aun, hubo quien inició sus búsquedas donde los otros terminaron, como Quiroga, que pareció nacer con la inquietud del más allá.

Carlos Octavio Bunge escribió una serie de relatos fantásticos y si algunos, como *La sirena* y *La madrina de Lita*, pueden entenderse como divagaciones de la imaginación, otros —tal *El perro interior*— adquieren un vigor extraordinario. En el intermedio, *El último Sandoval*, con asamblea de muertos caballeros que salen una noche de sus retratos, *Pesadilla grotesca*, relato del mundo que vive un hombre afiebrado, y *Leczinski*, especie de Cagliostro que se paseara en viejos tiempos por todos los pueblos del mundo y anclara un día en Buenos Aires. *El perro interior* es otra cosa. Lo lleva un hombre dentro de sí y ha de sobrevivir, con terrible figura de bestia feroz, cuando el dueño haya muerto.

Atilio Chiappori, crítico agudo de las creaciones artísticas, gustaba ponerse en trance y llegar al mundo de la fantasía. Escribió cuentos que agrupó en *Bonderland*, pais de frontera. El misterio pone su aliento en esos relatos, con soplo de angustia, de muerte y de tragedia. Tal *Un libro imposible*, historia de sucesos misteriosos, fantásticos, de terror. *La corbata azul* (Emilio Becher apuntó de éste que es el cuento perfecto) se refiere a un hombre que enloquece y estrangula a la esposa, y *El daño* a un caso de hipnotismo.

De *La eterna angustia*, novela escrita por Chiappori, dijo el autor que era "crónica de sensaciones más bien que de hechos". Es libro de misterio y de fantasía pero también de metafísica y de arte, tema siempre presente en sus obras, donde se volcaba la afinada sensibilidad del autor.

Otro que se adentró en lo misterioso fué don Leopoldo Lugones, inquieto espíritu de humanista que no se satisfizo con la sabiduría de las cosas terrenas sino que intentó la explicación de lo que hay detrás de ellas. Dejó como producto de tales inquisiciones *Las fuerzas extrañas,* cuentos con ribetes científicos algunos y emparentados con los que Horacio Quiroga escribiera sobre cosas del trasmundo. Ahí está el relato de una "medium" que explica el origen del mundo y el del jardinero que anda tras la rosa negra y la violeta mortífera. También el hombre que humaniza un mono, hasta que éste habla como una persona, pero sólo en el instante de morir y para pedir agua. Hay búsquedas de alocados y de alucinados que quieren dar colores a la música y licuar el pensamiento. También en *El ángel de la sombra,* libro desigual, incursionó Lugones en ese mundo de pesadilla, con una niña que se muere de amor y un árabe que conoce los misterios del otro mundo.

Más allá... Así precisamente se titula el volumen de Horacio Quiroga cruzado por ese hálito, no ausente de la mayoría de los que escribiera el extraordinario cuentista. En el primer relato, dos novios se suicidan y asisten a sus funerales. En otro, *El vampiro,* la figura robada a la pantalla cinematográfica, eterna, que pasa a través de muebles y muros, es a la postre un monstruo que en la noche deja a su raptor sin sangre. Está el cuento del maquinista loco y *El llamado,* con aliento de tragedia: el esposo, muerto, anuncia a la mujer la muerte de la hija por el fuego. Y así ocurre, porque cuando la madre, luego de no dejar en la casa ni un simple fósforo, desesperada, corre a la puerta para que nadie entre, porque puede venir fumando, la niña abre el cajón del escritorio y de allí cae el revólver cuyo tiro la mata.

No es la fatalidad lo que rige los cuentos, las novelas y las fantasías de Arturo Capdevila sino la ilusión, los sueños y las leyendas. *Advenimiento* es novela de teósofos con nombres raros y diálogos divagadores. *La ciudad de los sueños* nos transporta a ciudades del antiguo Oriente para relatarnos aventuras en Babilonia y extraños negocios de un fabricante de ataúdes; sátira religiosa ésta, donde se explota la industria de unas fantásticas islas de la dicha. Capdevila, siempre poeta, pone perfume en sus páginas.

Emparentados con los cuentos del autor de *Arbaces, maestro de amor*, están los de *Las veladas del ramadán*, de Carlos Muzzio Sáenz Peña, con fantasías y leyendas de la antigua Persia. Distinta característica tienen los de Emilio Lascano Tegui, quien, valiéndose de un naufragio, hizo *Álbum de familia*. Las biografías que surgieron de los papeles que se salvaron del barro hundido son fantásticas y humorísticas y están relatadas con buena prosa narrativa. Antes dió *De la elegancia mientras se duerme*, extrañas memorias de un personaje que cuenta cómo se llega a 44° de fiebre y se rebaja fácilmente tres kilogramos diarios de peso.

Tenemos otro amigo de lo fantástico en Jorge Luis Borges, especie de taumaturgo de la literatura argentina. Borges inventó muchas cosas, como el país del absurdo, otra geometría, otra cronología y una lotería en Babilonia. También soñó con un mago que hizo un hijo de sueño: el hijo era sueño, el mago, soñado, ¿no será Borges también un sueño nuestro?... Todo lo absurdo puede encontrarse en *El jardín de los senderos que se bifurcan*, pariente de esa *Historia universal de la infamia* que recordamos en otro sitio, porque no es lo fantástico de ella lo que nos interesa. Y recordándolo, una duda nos preocupa: ¿Son fantásticos o son reales los hombres, los episodios, los libros que cita este erudito de la bibliografía y de la irrealidad? Está tan seguro al nombrarlos, conoce tan bien sus raros nombres, los enlaza familiarmente con viejos conocidos que ¡vaya uno a saber si no tuvo los antiguos papeles entre las manos! Lo más conveniente, al fin, será aclarar si Borges dió realidad a lo irreal o hizo fantasía sobre lo cierto...

Le sigue de cerca Adolfo Bioy Casares, quien escribió *Luis Greve, muerto*, con breves relatos fantásticos, no del todo comprensibles algunos y un tanto como telas de pintura realista otros, y *La invención de Morel*, ingenioso invento de una isla y, en ella, de un mundo de hombres que se desintegraron y que reviven para la eternidad, gracias a tomas que de su vida diaria se hicieron. La elaboración del argumento ha sido original y cautiva este relato de "fantasmas irreales" condenados a repetir una y otra vez, hasta el infinito, la vida en común que hicieran durante una semana.

Los personajes de Ana Gándara (*Génesis*) viven en otro mundo, del pasado, invisible para los demás. Incluye *La sombra*, donde la muerte acompaña a tres personas fallecidas, *La nada* y *La muerta*. En éste, una persona va muriendo, esperando a la muerte hasta que ella misma viene a su encuentro.

Silvina Ocampo dió un ejemplo de literatura fantástica en *Autobiografía de Irene*, donde una mujer ve lo que ha de suceder y otros personajes recuerdan vidas anteriores o relatan la de gentes que no existieron. Cuentos raros hay en *Viaje olvidado*, de la misma autora. Es, el que da título al libro, un estudio de psicología infantil: una niña se entera del misterio de la nascencia y siente cambiar su mundo; ahora la madre, que le hiciera la revelación, le parece una mujer desconocida que está de visita y aunque brilla el sol ve negro el cielo. ¡Los niños no vienen de París!... Se pierden, para la pequeña, el encanto y la poesía.

Norah Lange, profundamente lírica, subjetiva, personal, tiene relatos de jugosa prosa. Unos son recuerdos de infancia y adolescencia, que han de ser autobiografía íntima y ofrecen al psicólogo una fuente extraordinaria de observaciones. Otros no son recuerdos ni autobiografía pero por momentos parecen ser lo uno y lo otro, porque entre *Cuadernos de infancia*, testimonio de los pasos que se andan entre la niñez y la adolescencia, y *Antes que mueran* existe una unidad íntima, no sólo en el estilo personal sino en lo íntimo de cada página, plenas todas de belleza, subjetivas, esencialmente humanas, producto de un temperamento, de aguda sensibilidad y admirable sinceridad. Otros libros publicó Norah que interesan menos porque éstos no son los que mejor nos revelan un temperamento femenino, y dió a la luz después *Personas en la sala*, vidas que andan entre lo real y lo fantástico; misteriosas a través de los cristales y más misteriosas en el trato personal. Así es todo lo que nos presenta esta escritora, que flota en esa atmósfera de sueño e irrealidad. Y el interés de sus libros está precisamente en eso, en la niebla que los envuelve, en lo desconocido que aletea siempre, en cada capítulo, en cada página y en cada frase. De ahí surge la emoción y el encanto. Al fin, nada preciso, tangible, esto es lo cierto. Pero la prosa se transforma en poema y esto es también una realidad.

Así flotan escenarios y personajes de Luis María Albamonte, cuyos cuentos, de magnífico cincelado, recuerdan la literatura nórdica. Mitad realidad y mitad fantasía, sus creaciones pertenecen a un mundo de sueño y de ilusión, de fantasmas y de personajes vivientes, entristecidos, de llanto contenido, que tratan con la muerte hasta que ésta los toma de la mano para llevarlos a una nueva vida. Bosques y aparecidos en la noche fría, semejan cosas traídas del mundo de hadas visitado por Andersen. El cuento titulado *El pájaro y el fantasma* es casi perfecto. Se le suprimiría el ligero reparo con el párrafo final, pues nada tiene que hacer el amigo que llega cuando el hombre, vuelto de la búsqueda infructuosa, se sienta frente a la sombra del hijo para iniciar su compañía en la otra vida.

Carlos Alberto Leumann dejó una vez la realidad de las mujeres que poblaron libros suyos y ensayó una novela de lo fantástico. La tituló *Trasmundo* y es la autobiografía de un hombre, pero la autobiografía de su vida en el país del sueño y del misterio. Llega este personaje a consustanciarse con la otra, tanto que su convicción de que la vida real es la de los sueños es absoluta: las dudas del personaje de Calderón encarnadas en novela argentina. Hay aquí un desdoblamiento del protagonista y éste adquiere por momentos aspecto simbólico, como cuando ama, pues bien pudiera ser que el amor de la realidad fuera el de la lujuria y el de la otra vida el ideal, el del espíritu. Es alucinante este tema, capaz de absorber y de apasionar. No del todo absurdo es, pues, el pensamiento del personaje que dice: "El hombre debiera cifrarlo todo en la conquista del trasmundo, como cifró su porvenir, hace muchos miles de años, en salir de las cavernas. La vida resulta todavía una caverna."

Andan también en la zona del trasmundo, de la ilusión y del sueño los muñecos que Adolfo L. Pérez Zelaschi pone en su *Más allá de los espejos*, donde se pasean fantasmas y mujeres hay que, condenadas a vestir santos, han de atrapar uno de esos seres impalpables para llevárselo de compañero en la vejez. Aliento trágico tiene el relato *Fuga hacia el mar*: un barco fantasma que se acerca a la costa salva a Silvia de su angustioso destierro entre arenales.

Historias de cínicos

¿Quién es Filloy? Filloy es Juan Filloy, nada más. Con ninguno, aquí, tiene parentesco literario, unos pocos lo conocen de nombre y menor número de mortales trataron con sus libros, que no vende sino que regala a los elegidos. Lleva publicados siete títulos y los títulos tienen, invariablemente, siete letras. Recordamos ahora que no tuvimos inquietud de indagar si el cabalístico siete anda metido en otras zonas que este hombre, vecino de Río Cuarto, Córdoba, visitó con su imaginación y con su pluma, pero podemos adelantar que siete eran los linyeras de *Caterva* y siete letras tienen los nombres de algunos: Katanga, "Dijunto"... ¡Lo que habrá sufrido Juan Filloy ante la dificultad de meter cada uno de los siete libros en siete palabras! Pero ha de vencerla, porque si la historia del mundo se sintetiza en tres, según dijera el maestro de ironía que escribió *Crainquebille*, posible es que encajen en tres más cuatro la biografía de Op Oloop o del Estafador. Las cuatro sobre las necesarias para el relato de la historia de la humanidad no es ventaja, desde que más vericuetos tiene la biografía de un hombre desconocido que la biografía de lo que anda sobre la Tierra.

Las novelas de Filloy producen choque, desconciertan y desorientan. Pero esto es en la primera lectura, porque están repletas de tipos y episodios arbitrarios, irreales. Y de malas palabras. En el segundo repaso, se despeja el ambiente y lo que se insinuara apenas en un principio toma primer plano para descubrir, tras ese cinismo crudo de argumentos y de hombres, una íntima poesía, un humanismo esencial. Pero a pesar de todo Filloy desconcierta siempre y su mundo no deja de ser producto de una fantasía sin riendas ni freno y desahogo de un oculto hombre que ha de haber tras el buen vecino riocuartense. Como ejemplo, tal vez el mejor sea el de *Caterva*, donde se narran las andanzas de hombres que robaron sus ahorros a una mendiga profesional y andan de turistas, viajando en trenes de carga y hospedándose en cunetas de los caminos. La policía los persigue como delegados bolcheviques y lo cierto es que distribuyen el dinero entre los huelguistas pero porque sí no más, como benefactores, de altruistas que son. Y hablan con metáforas, en muchos idiomas vivos y muertos.

¡Estafen! tiene más orden. Hay allí un tipo, "El estafador", que sirve para ir desnudando un poco la sociedad y poner en evidencia que no siempre cobrar un cheque falso es la peor estafa. Entre el que falsifica un documento a costa de la empresa usurera y el médico de la cárcel que deja morir a sus enfermos, no se duda en calificar quién es más estafador. Sobre todo cuando tras el procesado por el delito se descubre un hombre cínico, sí, pero esencialmente humano porque sufre con el dolor de todos los presos y entre ellos reparte su dinero, mientras en la vida del otro no hay sino trampas, a la ciencia y a sus semejantes. Pero, a través del libro de Filloy, ¿quién no es estafador?

Irreverente y zafado es *Op Oloop*, la historia de otro cínico y de unos cuantos tratantes de blancas, que defienden su profesión con tan buenos argumentos como la señora Warren, de Bernard Shaw. Es un libro nihilista, como los anteriores, porque la dialéctica de Filloy es demoledora. No es lo mismo *Aquende*, casi poemas en prosa sobre la Argentina, sobre su suelo y sus habitantes, con una "presencia" de los próceres ante Dios que resulta un tanto confusa.

Habrá que realizar un análisis detenido de la producción de este escritor cordobés, novelista y poeta. Sus libros lo merecen y un acicate para penetrar en ellos es la originalidad y la valentía de su autor cuando afronta el choque tremendo que había de producir esa literatura suya.

XVII

LA GRANDE ARGENTINA

Puede el lector viajar con la novela hacia todas las zonas de la patria. Estudiar la agitada vida de su urbe mayor, recrearse con el colorido de las fiestas de indios y mestizos del norte, presenciar el drama de los hachadores de la selva y contemplar la grandiosidad de los Andes nevados. No ha entrado el novelista aún en algunos rincones ni se movió en escenarios de gran magnitud, como el mar, que recordemos, y se cuentan personajes, tal el pescador, que esperan al novelista que fije en ellos la mirada, pero la Argentina está presente en la literatura imaginativa —poética, dramática y novelística—, como presente está su hombre, que parece el mismo en todas las latitudes pero que puede no serlo, desde que la tierra pone su sello en el ser humano y éste ha de forjar su temple según las exigencias que la lucha por la subsistencia y la supervivencia tenga en cada zona. En esto no cuentan las fronteras políticas y bueno es recordarlo por si hay que establecer diferencias entre connacionales y semejanzas entre gentes cobijadas por distintas banderas.

De la Argentina, de su tierra y de su hombre, trataron las novelas que ya se han recordado y tratan las que se citarán después, pues Argentina es la de Mármol, la de Payró y la de Gálvez, pero agrupar aquí escritores que

eligieron distintos escenarios de un mismo país ha de ser
útil porque reunirá libros de sabor regional y permitirá
recordar que si en todas partes el poblador lleva su drama
sobre las espaldas también está allí quien tiene la mirada
atenta para captar ese drama, que medita y siente la necesidad de volcar en el impreso sus inquietudes y sus ambiciones. Y no sólo la Argentina visible quiere documentarse
sino que el escritor, inquieto, disconforme con la realidad
que todos ven, anda indagando sobre la otra, sobre la que
puede haber detrás de la Argentina visible: la Argentina
invisible.

Un fecundo novelista

Hugo Wast es como la despedida de otra época y tiene
muchas virtudes. Tal vez la más importante sea la de haber
hecho leer obras argentinas a la masa de la población,
pues fué el primer escritor que llegó a ella. Hasta que
él escribiera, pocas centenas de ejemplares bastaban para
atender compromisos de amistad más que demanda de
lectores, y él mismo, buen psicólogo, hubo de recurrir a
una treta para que sus libros se compraran, treta de la
que nació el pseudónimo. Mientras la novela publicada por
Gustavo Martínez Zuviría quedó poco menos que ignora-
da, la misma, con otro título y con distinto nombre en la
cabecera, se multiplicó en ediciones. Desde entonces, se
sucedieron los títulos y el novelista vió colmada su natural
ambición de llegar a todos los hogares.

Martínez Zuviría incursionó en muchas zonas de la geo-
grafía y de la historia y de su pluma surgieron novelas de
la ciudad y del campo, de Buenos Aires y de las provincias;
de tiempos lejanos y de la época presente. Las suyas son

novelas sin complicaciones, de intriga, de argumento, de pasiones y destinos humanos que cumplen totalmente su trayectoria. Ninguno de sus personajes queda ahí, con futuro ignorado, al ponerse fin al cuento: o se casan o se mueren... Es nuestro novelista más fecundo, el de más extensión aunque no el de mayor hondura, y si los creados por él son personajes un tanto simples, desdibujados a veces, los maneja bien y tiene la habilidad de una narración suelta, atrayente y cautivante especialmente para el lector femenino. Se adueña de él a veces y sabe llevar el argumento hasta culminar en una tragedia. Ahí está *La casa de los cuervos* como ejemplo. Novela santafecina que refleja la lucha enconada del caudillismo, tiene intriga y desemboca en un drama de sangre y de dolor. Se recuerda en la obra, a través de personajes que bien la representan, una época turbulenta, de luchas fratricidas.

Novelas de costumbres son la mayoría de las que publicó Hugo Wast. En ese sentido, puede ser la más representativa *Flor de durazno,* poblada por gentes ingenuas y humildes y que cuenta como telón de fondo sierras y pueblos cordobeses. En todas se retratan costumbres y se manejan con soltura los títeres, pero a veces su relato cae en el folletín de lamentaciones, lacrimógeno, de huérfanas y desventuradas, con tufillo a Luis de Val. Como cuando la protagonista va dando uno y otro traspié y se lamenta: "¡Dios mío, qué hondo he caído!" Y sigue cayendo...

Cuando Martínez Zuviría, a principios de siglo casi, publicaba su primera novela (*Alegre*) aparecía otra que se leyó mucho y se sigue leyendo en nuestros días: *Stella,* escrita por César Duayen, nombre desconocido que ocultaba el verdadero de Emma de la Barra. Constituyó en esos instantes todo un acontecimiento literario y la obra puede colocarse en el activo de nuestra novelística, sin olvidar la época en que fué escrita. La autora, que editó después *Mecha Iturbe*, está a la par del autor de *Desierto de piedra* en cuanto a la difusión de la novela argentina. Duayen volcó en personajes femeninos toda su simpatía y emoción.

María Alicia Domínguez publicó a su vez, mucho tiempo después, *Redención*, sin duda superada en otras obras de la misma autora, delicada poetisa que escribió las biografías noveladas de Mariquita Sánchez y de Margarita Weild.

Biografía de Buenos Aires

Desde *El matadero*, Buenos Aires está presente en la novela y el cuento. En *Amalia*, en *La gran aldea*, desde luego, en *La Bolsa*, en las obras de Ocantos y en los cuentos de Fray Mocho. A través de esos libros podría ir haciéndose su biografía (La radiografía, o parte de la radiografía, está en otros, no novelescos, como *La cabeza de Goliath*, de Martínez Estrada, y *El hombre que está solo y espera*, de Raúl Scalabrini Ortiz), porque relatos fueron de la aventura porteña. Mucha parte de esa aventura ha sido narrada por Leónidas Barletta a través de la vida de uno de sus habitantes, en *La ciudad de un hombre*, que documenta épocas no tan lejanas pero que parecen esfumarse en la leyenda y el recuerdo. Es que siete décadas de su trayectoria, por ejemplo, pueden significar la transformación total de ese conglomerado caótico que con tan singular agudeza calificaría el autor de *Radiografía de la Pampa*. Suponga el lector la partida en 1870 y la llegada en 1940 y se dará cuenta cabal de todo lo que puede ponerse de historia de la ciudad entre el principio y fin de la vida de uno de sus vecinos. Eso es lo que escribió Barletta.

Mucho de Buenos Aires está presente en *Tutearse con el peligro*, donde Álvaro Yunque, dejando a un lado los pibes del doloroso mundo de sus cuentos, trata con ladrones y pandilleros. Vicente G. Quesada, firmando Víctor Gálvez, evocó una época ya lejana en sus *Memorias de un viejo*; Santiago Calzadilla fiestas y saraos en *Las beldades de mi tiempo* y José Antonio Wilde anotó añoranzas en *Buenos Aires desde setenta años atrás*. Payró en sus últimos años recordó viejas costumbres, como recordaron ambientes donde se cultivaba el diálogo y las letras Enrique García Velloso, Manuel Gálvez y Vicente Martínez Cuitiño. Éste hace historia en *Café de los inmortales* y Bernardo Verbitsky novela de la ciudad en *Café de los angelitos*, reunión de reos y vividores. Es distinto ese libro a otros dos que publicara anteriormente el inquieto periodista. Uno, *Es difícil empezar a vivir*, documenta momentos difíciles en la vida de la ciudad y en la vida del hombre, un poco dilatado y algo periodístico a veces, pero que nos pone ante los ojos la angustia y la desesperanza de la juventud que ve cerrado su camino por las dificultades económicas. Está la generación que empieza y presente también la que termina, en una época dramática para el mundo y que en nuestro país tuvo natural repercusión, resonancia terrible en la conciencia de los hombres que sufren con los dolores de los seres que pueblan la tierra: la guerra europea del 14 en el primer aspecto; la revolución de setiembre y los movimientos estudiantiles, en el ambiente local.

Hay también resonancias del mundo en la otra novela de este autor, *En esos años*, especie de película hecha con las noticias que fueron llegando sobre la revuelta española: el drama que nace del drama, porque esa lucha entre dos mundos la protagonizaban allí con las armas los militares y los milicianos y la sufrían aquí, a su par, hombres y mujeres que tenían iguales angustias y parejas ansias de libertad.

La juventud porteña, juventud de cualquier gran ciudad seguramente, es la que preocupa a Roger Pla, quien en *Los Robinsones* estudia una serie de tipos arrancados de ese ambiente variado, multiforme y cambiante. Es la misma sociedad de Verbitsky y la misma juventud, vista por otros ojos y enfocada desde otro ángulo, pero sustancialmente idéntica, con iguales inquietudes y similar angustia. También de la misma época, de esos "años conmovidos" cuya huella se destaca cada día más honda, con el crecimiento de las generaciones jóvenes de entonces, como más amplio es el rastro de la herida hecha en el árbol tierno, a medida que va tomando corpulencia.

No había ido tan adentro Julio Fingerit con su trilogía de *Destinos*, que observa la sociedad a través de casas de citas y de pensiones. Es una de las figuras del calidoscopio, con maridos que tienen apéndices frontales y mujeres que gustan de amantes en serie. Tampoco gustó de honduras Héctor Pedro Blomberg, que ancló en los cafetines.

Otra faz ha sido la de Isidoro Sagües, que primero se fué al canal para escribir *Banco Inglés*, con la vida en el pontón, y luego regresó a Buenos Aires con intento de dar postales de su vida diaria, opaca por fuera, variada en el interior de cada hogar y de cada individuo. El temple de la mujer porteña, que ahora ha de luchar, hombro a hombro, con el otro sexo para lograr su sitio en la vida, está en *Mal de ciudad*, la novela. Se encuentra esa mujer en *44 horas semanales*, de Josefina Marpons. Es la que lucha por la vida y también la que lucha contra el destino triste que tiende su garra hacia el cuello de las que trabajan sin divisar más que un oscuro horizonte. Encandiladas, las empleaditas de tienda se transforman en lujo de hombres ricos. Contra eso se subleva la autora, de cuyas páginas surge una rebeldía social que puede ser la característica primera del libro.

Otra mujer, Renata Donghi de Halperín, hizo una novela de Buenos Aires, con un matrimonio italiano que lucha para implantar una industria y es estafado por el vividor que ronda la fábrica y corteja a la mujer: *El sol sobre las manos.* Narra el episodio de un adolescente que va dejando el documento de su psicología y relatando vidas y costumbres de gentes honradas y de individuos de tortuosos procedimientos.

Mientras se escribía y publicaba todo eso, Leopoldo Marechal, poeta laureado, afilaba su garra para dar a luz *Adán Buenosayres,* que quiere ser escandaloso y muestra lo mejor donde se le filtra la poesía como de contrabando. Tal el capítulo de las memorias del protagonista. Vuelca Marechal en su olla podrida todo lo que encuentra en la ciudad capital y al infierno arroja por último a cuantos no le cayeran en gracia en su deambular por avenidas, callejuelas, círculos y circulitos. Retorna con él la novela de clave para zarandear a la gente, sin peligro de acusaciones judiciales ni riesgos de padrinos que demanden reparación de injurias y calumnias...

Sobre el asfalto andan los muñecos de Marechal. Fuera, en el suburbio, los de Fernando Gilardi, especie de Güiraldes del arrabal porteño, cantor de orilleros, malevos, compadres y cuchilleros, quienes se mueven en un escenario que ahora desaparece tapado por las cenizas de la Quema: el bañado de Flores. Hábil en la fijación de tipos, éstos quedan limitados a lo puramente artístico, pues arbitrarios son en relación con la realidad, tan estilizados como la forma literaria que les da vida. Prosa preciosista, con frases a modo de sentencias y refranes, apena un poco verla malgastada para hablarnos de asaltantes de "gayineros". Fuegos artificiales entre los que se desvanecen Silvano Corujo y sus amigos de la novela que lleva su nombre, o de *La mañana*, relato de pescadores de mojarritas y cazadores de jilgueros.

EL RÍO COMO MAR

A un paso de la capital, otro escenario, visto y despreciado antes (no olvidamos *El Tempe argentino*, de Marcos Sastre, pero éste no reza con la novela), ha servido ahora para poner en él otros tipos. Lo explotan dos novelistas de instinto guiador y ojo que escudriña y está enclavado en el Río, personalizado por ellos, como sus islas. Max Dickmann, que escribió otras novelas pero ha de quedar según parece con *Madre América* como la suya más representativa, es uno. Ernesto L. Castro, con *Los isleros*, el otro. Aquí, el medio y el personaje son todo uno y las islas toman a veces el papel de protagonistas.

Max Dickmann es uno de nuestros escritores que mejor manejan la moderna técnica novelística y con ella su ventaja cuando se pone a escribir es mucha, según lo muestra *Los frutos amargos*, tal vez la obra suya más hábilmente construída. Pero la técnica por sí sola no salva otra, posterior, que se llama *El motín de los ilusos*. Los personajes más humanos, más reales, son los otros, los que campean en *Madre América*. Monótonas como la vida del río, sus vidas, opacas, van también, como las aguas, por el camino ya hecho, hasta llegar al mar, que es llegar a la muerte los seres humanos. Hay psicología de tipos bien observados y pinceladas que presentan el paisaje isleño, como esta que tomamos al azar entre las muchas que podrían entresacarse de sus capítulos:

"Sobre su cabeza, en el aguaribay, hay una estrecha comunión entre los pájaros, el árbol y el cielo, que se resuelve en un concierto de trinos, en un fondo de leve murmullo que tiene el follaje, bajo el alto cielo de la mañana."

Pero la corriente es la bruma y en la bruma andan los habitantes del libro.

Los personajes de Dickmann están ahí, sobre la tierra barrosa, entre las aguas, pero son de muchos sitios, de cerca y de lejos. Los de Ernesto L. Castro en cambio pertenecen, como los árboles, los pájaros y las alimañas, totalmente a las islas. Son *Los isleros,* los que no saben de más vida que ésa, porque si algunos conocieron otra la han olvidado. Así los captó el libro, un poco salvajes tal vez pero reales, esencialmente humanos. Y la naturaleza misma es personaje de la novela, que desecha técnicas y rebuscamientos para resumir su importancia total en el drama humano. Como en las de Conrad es el mar, aquí es el río y son sus islas lo que ocupa primer plano, y los títeres, principiando por La Carancha y continuando por Leandro hasta llegar a Koheler, el refugiado de tierras extrañas que ha de ser absorbido por el ambiente, son de realidad total. Libro de pasiones, de lucha con el agua que a veces es dócil y otras torrente que arrasa con plantas y ranchos, eso y mucho más es esta novela de Castro, quien dió vida después a otro personaje, en *Desde el fondo de la tierra,* que se crió en ese mismo lugar y se hizo hombre en andanzas que lo llevaron muy lejos. Rodolfo Vergara había de descubrir, tras andar de titiritero ambulante y de poblador de la selva, que su vida estaba ligada para siempre al río, y a él volvió luego de la aventura. En esta novela, a la inversa de lo que ocurriera en la otra, hay un protagonista que supera, como creación, a todos los que lo rodean. Es cierto que tra-

tando la aventura de un hombre, su biografía literaria había
de asumir tal representación.

Remontando el Paraná

Paraná arriba, pronto llegamos a la tierra de don Estanislao López, el de las aleluyas que recogiera Mateo Booz,
comprovinciano suyo. En la ciudad, Alcides Greca gustó
hacer política en el papel de "dotor" presidente de comité
y escribió un libro con su experiencia, que podía ser de
otro pueblo, porque en la Argentina no hay nada más
uniforme que la política, y sus comités fueron iguales en
Salta que en el extremo sur bonaerense. Multitud de
tipos desfilan en un sucederse de episodios de la política
criolla, entre elecciones y en días de comicio, bien observados los "pechadores", los de los discursos capaces de
enardecer a las masas y los aprovechadores de todo eso.
Los "cuentos" son variados y están los que hacen los "chicos" a los "grandes", es decir, los "clientes" a los políticos
y los otros, de éstos a aquéllos, porque todos son, en el
manejo de esas cosas, tipos de cuentos.

Cuentos de comité es la otra cara de *Viento norte*, porque
éste no es libro de ironía, de buen humor y hasta de gracia, como aquél, aunque también anda la política de por
medio, en su faz dramática, de lucha enconada, a muerte
muchas veces, sobre todo porque se mezcla con intereses, a
cara descubierta, sin disfraces ni disimulos. Sucede esto en
un pueblo del norte santafecino, adonde llega Almandos
Montiel, médico joven, lleno de bríos y de ilusiones. Tiene
amores con una muchacha del lugar, pero ésta es hija de
quien dirige el sector político al que no puede pertenecer
el nuevo vecino. La joven, obligada, se casa con otro, pero

antes, como acto de rebeldía, se entrega al novio del corazón. Al final, al dar a luz su hijo, muere.

No es eso lo que interesa sino el medio que se estudia. Se documenta la masacre de pobres indios y se asiste a la lucha de uno de éstos con un yacaré, en el agua. Es un ambiente feudal, donde el patrón ejerce el derecho de pernada, hasta con la hija propia. ¡Tantas son las criaturas que tiene diseminadas en sus dominios! El político logrero y rumbeador anda por allí, encarnado en don Celedonio Godoy, buen gaucho para caer parado cuando lo echan al aire los corcovos de la política. Claro está que, como siempre, la esperanza de mejoras para el pueblo y sus habitantes dura hasta que se produce el cambio de gobierno. Luego, a empezar de nuevo porque todo sigue como estaba antes. Esta es la realidad.

No lejos de allí ocurrieron cosas que nos relató Mateo Booz en *La tierra del aire y del sol*. Nos acordamos de la novela al citar a Salomón Abdala, inmigrante sirio. Pero no todos son aquí extranjeros sino apenas unos pocos, entre ellos un inglés que llamaban "el Sabio" (¿el *inglés de los güesos* casado con Bibiana y con descendencia?), aplastado por el ambiente, y un cura vasco que en los sermones amenaza a los aborígenes con todas las plagas si no votan por el gobierno. En sus manejos lo ayuda un confrade italiano con parla pintoresca. Los demás son gauchos, patrones e indios, uno de éstos universitario que estudiara en los Estados Unidos y anda tras el rastro de sus padres, atendiendo el llamado imperioso de la sangre. Descubre a la madre cuando muere, leprosa, y se entera de que el padre verdadero había sido muerto precisamente por el adoptivo. La lucha, piensa, es inútil, porque su raza es ya raza vencida, sin reservas para recuperarse. Final amargo, pero real.

Otro tipo de novela es *La mariposa quemada*, del mismo

autor. Trátase aquí de una familia que se trasplanta de su provincia a Buenos Aires, donde el torbellino hace juguete de ella. Se pierde la pequeña fortuna y se pierde la honra de la mujer, que muere en el accidente que sufre cuando la acompaña su amante. La aventura de los provincianos se matiza con sucesos de la vida porteña, de agitación política, social y religiosa, y muchos personajes de avería se retratan con acierto. Es en realidad una novela de la capital argentina.

Con *Santa Fe, mi país* Mateo Booz regresa a sus pagos y brinda una serie de relatos que van de la ironía al drama y de lo pintoresco a la realidad más cruda. Son cuentos de las ciudades, los campos y selvas, de los pueblos y de las islas, ya lo establece el autor. *La inundación* presenta a una familia de inundados que toma gusto al vagón de ferrocarril y pasa una larga temporada viviendo y viajando gratis, por cuenta de la solidaridad social. La selva ofrece a Booz oportunidad para cuentos de extraordinario vigor, como ese que relata la partida de la mujer y los hijos, en busca del hombre perdido: un niño es víctima de las fieras y cuando se encuentra a la mujer con los otros, los pequeños —muchos años pasaron— ni siquiera saben hablar; tal fué su crecimiento como bestias.

La ingenuidad de las gentes está presente en el episodio de las vacas de San Antonio: si la necesidad los lleva a carnear una, quienes comen su carne mueren. Es, naturalmente, la venganza del santo, aunque el animal estuviera enfermo de carbunclo. Tienen sabor folklórico estos cuentos, que completan una labor literaria realmente ejemplar en las letras argentinas.

De Rosario fué Abel Rodríguez, que se inició con un manojo de relatos en *Claridad* y mostró madurez en *La barranca y el río.* Prosa firme y cortante, atmósfera de tragedia. Original en la técnica narrativa, sus personajes son siempre resaca humana, seres vencidos, pero del barro en que están enterrados afloran a veces burbujas de poesía. Su ambiente son las orillas, los islotes y las aguas turbias del Paraná. *Historias crueles* es el título de otro libro de Rodríguez, pesimista, amargo, como todo lo de este cuentista, quien no puede ocultar empero un íntimo sentimiento de bondad y de ternura, que se refleja en su piedad hacia los caídos y su emoción ante la naturaleza. Son los suyos hombres víctimas del pesimismo, de la abulia y de la lujuria.

Pinceladas, brochazos, casi fotografías son los relatos santafecinos de Luis Gudiño Kramer, con puntas de intención social. Pueblo del interior, gente pobre, indios explotados por las compañías, por los bolicheros y por funcionarios venales. El paisano habla su crudo lenguaje y el problema de la tierra se enuncia hasta en el título del libro: *Tierra ajena*. Su hermano menor, en la literatura, se llama *Señales en el viento*, de igual paisaje y parecidos cuadros, similares tipos e idénticos propósitos.

Germán de Laferrère reunió en *Alto Paraná* una serie de episodios misioneros, en uno de los cuales se cuenta la odisea de un mensú fugado del feudo patronal, desde que toma la decisión de huir hasta que cae, perdido y hambriento, para alimentar a las hormigas. También las hormigas se presentan en *Muerte en el Chaco*, relatos del Chaco paraguayo firmados por Homero Guglielmini. Se tituló el cuento *El monteador* y relata el encuentro de un piquete de soldados con el ejército de hormigas-leones, que todo lo devora. Los hombres hacen una excavación donde se recogen con sus animales y alimentos y prenden fuego al campo en todas direcciones. Así logran que quede sólo en angustia y terror lo que pudo haber sido horrorosa muerte de hombres y bestias.

Federico Gauffin hizo una novela de ambiente chaqueño que tituló *En las tierras de Mabú Pelá*, y entre Formosa y el Chaco está el escenario elegido por Domingo Pascual Barreto, correntino, para plantar algunos comprovincianos suyos, que son allí forasteros al principio pero que se amoldan perfectamente a las costumbres del lugar. Hay en *Las chaqueñas*, que tal es el título de la novela, tipos bien observados y sabor folklórico, sin disfrazar la realidad de una vida monótona, que a veces se acompaña de roña y de miseria. Los indios aparecen generalmente en el segundo plano, víctimas de los blancos unas veces y pretexto para que éstos hagan sus manejos otras. Barreto escribió otras dos novelas, de escenario correntino ambas: *El guerrero del Paraguay* y *Los correntinos Azcona*.

CON TONADA CORDOBESA

Con Martín Gil, el de las conversaciones con los astros y las crónicas sobre caprichos climáticos, tomamos el camino de las sierras cordobesas, famosas. Don Martín pone de buen humor con sus relatos y anécdotas, vaya uno a saber si ciertas o inventadas. Así, lo que cuenta en *Modos de ver*, con una sonrisa en los labios e ironía en la intención. Allí están unas páginas (*Sobre el rastro*) de la cacería del puma y está esa encantadora *Noche de perros*, deliciosa al fin pero que al lector le ha producido escalofríos.

En Córdoba se desarrolla el argumento de *El chúcaro* de Fifa Cruz de Caprile. Trata de un muchacho, huérfano, criado con el cura del pueblo, adolescente a quien hace hombre una mujer casada. El padre Manuel es el personaje más interesante aunque algo contradictorio en su psicología

A las serranías va a parar el maestro Alejandro Pardo

con su familia, luego de haber caminado con los bártulos desde Buenos Aires hasta Misiones, sembrando alfabeto. El hombre está, con su mujer, en *La novela de un hombre* y su recuerdo, de René Astiz, quien ha brindado a la literatura de ficción una pareja admirable. Pardo, hombre libre, queda sin empleo y decide ir a trabajar el campo que la mujer heredara. La lucha es dura, contra la pobreza, contra las plagas, contra la naturaleza. El maestro y su mujer hacen la difícil experiencia, que es roturar la tierra y fabricar adobes, pero el triunfo final llega, con la mejora económica que permite a los hijos seguir estudiando. El proceso de la vida y de la muerte se lleva al hombre, y la mujer, de acerado temple, sigue la senda del destino elegido por ambos. Mientras tanto los hijos crecen y uno, periodista que dice su verdad y brega por las ideas que alentara el progenitor, es muerto en revueltas estudiantiles. La madre, con otro hijo, vuelve a la tierra, de la que se alejara un día para estar cerca de ellos en sus vidas de estudiantes. La acompaña en el regreso, también, el cuaderno donde asienta sus conversaciones con el muerto, porque ella no se resigna a interrumpir el diálogo, que es ahora monólogo. Poesía y sentimiento tienen sus páginas, en las que ha de estampar una vez la llegada de cuatro alumnos de los días primeros del maestro, quienes vienen a ese rincón de la tierra nativa a revivir el recuerdo de la niñez. Es un libro de emoción y de ternura.

El balcón hacia la muerte, de Ulises Petit de Murat, lo es en cambio de tono dramático y angustioso. Córdoba está presente aquí como refugio de enfermos esperanzados o ganados por la desesperanza. Cada uno con su angustia y con su drama, deja el tema de la muerte para referirse a la enfermedad, que obsesiona y no es sino el balcón desde donde se mira el final. Hay aquí mucho recuerdo de *La montaña mágica*, de Thomas Mann, con excesos de incursiones en la clínica y en la terapéutica. Sin embargo, la influencia de la enfermedad en los seres humanos se refleja como producto de aguda observación y cada uno de los que se ponen en la novela, con su desesperanza y, valga el término, con su pasión por el proceso de la enfermedad y hasta de la de los compañeros de vivienda, trae al lector el conocimiento de un mundo, el mundo de los tuberculosos que tanto tentara a Marcelo Peyret.

Pero dejemos los enfermos y tratemos con un médico. Nos lo presenta Arturo Lorusso en *Fuego en la montaña*, novela de suave humorismo, con paisajes de serranías y protagonistas de singular realidad. Cuenta el doctor, don Pedro Cruz, hombre maduro, la historia de su pasión con la maestrita de veinte años. Arde el fuego del amor en el pecho del hombre que se siente reverdecer y tras la muchacha cruza las sierras, afiebrado y obsedido. Así llega al rancho perdido entre montañas y pencas donde funciona la escuelita y donde salva a la niña de una peligrosa enfermedad, pero cuando puede satisfacer su pasión, compartida por la muchacha, la reflexión se impone y decide el destino renunciando a lo que no podía ser, a la postre, más que una llamarada final del fuego que ardiera en la juventud del hombre.

Es esta una novela totalmente argentina, por los personajes y por el ambiente. Entre los primeros los hay de buena factura, consustanciados algunos con el medio. Y vale la pena recordar a un viejo "Don Ferna", tres veces casado, filósofo a su modo, quien aconseja al médico que "atropeie", aunque la chica "seia" medio parienta de quien da el consejo. Bien puede ser que el enamorado tenga suerte y llegue a casarse con ella. Claro que ya tiene mujer, pero "a lo mejor enviuda"...

De Santiago al Norte

Tierra de tradición y de leyenda, Santiago del Estero inspiró a Ricardo Rojas un libro de sabor nativo, bello, encantador, que recoge capítulos de mitología aborigen y fragancias de la selva. Es una de las primeras obras del maestro y se titula precisamente *El país de la selva*. Anda en él Zupay tentando a las almas, Juan el zorro hace de las suyas y el mito del Cacuy se revive y se renueva. Juan Carlos Dávalos tuvo tratos con Juancito, en *Los casos del zorro* y Bernardo Canal Feijóo habló de estas cosas; éste unas veces (*Los casos de Juan*) como folklorista, otras (*Mitos perdidos*) con ojo inquisidor en busca de lo que puede haber detrás. Pero Santiago, que sepamos, no ha dado aún su novelista. Carlos Bernabé Gómez, de allí, incursionó en los obrajes y Blanca Irurzun escribió relatos de emoción y simpatía, donde los changuitos, los humildes y desamparados niños de su provincia, gritan su dolor. Manan ternura sus cuentos y hay sentimiento en los episodios que Blanca, maestra, relata en *Changos* o en *Emoción y sentido de mis llanuras*. Sabor nativo tienen los libros de Juan W. Ábalos: *Suko* y *Cuentos con y sin víboras*.

Tucumán inspiró a Mario Bravo, poeta y luchador, su única obra de ficción: *En el surco*, novela de amor, de fondo romántico, de política y de esencia social. También la tiene *Hasta aquí, no más*, de Pablo Rojas Paz, con trabajadores de la zafra, indios y criollos. El mismo autor tomó un personaje histórico, le cambió nombre y le hizo vivir, en tarea de sabio, con sustancia de humanista y corazón grande, en montes y selvas. Se titula la obra *Raíces al cielo*. Esas son novelas, y también otra, reciente, *Los cocheros de San Blas*, de distinta factura y diferente escenario. Cuentos los que agrupa *El patio de la noche,* de depurada prosa y buenos retratos, con sabor folklórico en ocasiones.

Novela de ambiente es la de Alberto Córdoba, *Don Silenio.* Se desarrolla en una estancia tucumana, a fines del siglo xix, y el propósito de su autor es personalizar al criollo de la tradición en ese hombre, capataz de la estancia a la que vuelve el hijo del patrón, su heredero, médico, con su mujer. El matrimonio, que sufre el contraste al principio, es al final conquistado por la tierra. Don Silenio simboliza la nobleza del gaucho tradicional, dócil con el patrón, hasta recibir de él, resignado, las más humillantes ofensas. Es hombre que tiene su modo de encarar la vida, reflexivo, simple, duro, supersticioso, dueño de una rica sabiduría popular y capaz de acertar, con ella, el secreto de las cosas, mejor que quien recibiera lecciones en los libros y en las aulas. Es en el fondo panteísta y está consustanciado con la naturaleza. Por eso, cuando la patrona, enterada de que algún chango tumba a la chinita entre los pastos y dice, despreciativa: "¡Como las bestias!", contesta el gaucho: "¡Como los pájaros!" Y tiene razón.

La tierra salteña emocionó la pluma de Juana Manuela Gorriti y, más acá en el tiempo, impregnó de heroísmo las páginas de *La guerra gaucha,* de Leopoldo Lugones. Es la tierra de Juan Carlos Dávalos, que incursionó también en la mitología aborigen con el zorro Juan y el tío Tigre y que ha de quedar con *El viento blanco* como su libro más representativo y sobre todo más difundido. Son cuentos donde la naturaleza está presente con su papel propio, como en el relato que da título al volumen, donde la lucha contra la nieve y el huracán resulta vana. Hay muchas páginas de sabor nativo en estos episodios de arrieros y de gentes pegadas a la tierra, entre ellas los indios, que resultan a través de los cuentos de este escritor salteño infelices seres humanos, sin un gesto de rebeldía, aplastados por el destino.

Ahí están los aborígenes, que siguen interesando a investigadores, folkloristas y etnógrafos más que a los novelistas, según lo recuerdan trabajos recientes, entre ellos el escrupuloso y severo de Augusto Raúl Cortazar sobre el carnaval calchaquí, motivo antes de muchas páginas, entre ellas las siempre actuales y frescas de Carlos B. Quiroga y las del otro Quiroga, Adán, inspirador.

Entre las montañas anduvo Atahualpa Yupanqui para traernos las coloridas escenas de su *Cerro Bayo*, poético y documental sobre la vida de esos aborígenes, que otrora se agruparan en el gran imperio incaico. También en este escenario trabajó, aunque escribió más sobre el oeste, Fausto Burgos, amigo del relato corto y del diálogo bilingüe entre indios, explotados, vejados, engañados, amigos de la chicha, la coca y el alcohol, tres narcóticos que dan título a uno de sus libros. Hay en Fausto Burgos un noble afán de reivindicar al nativo y se ubica entre quienes, en América, luchan con fe en su salvación.

Juan Pablo Echagüe trató otros temas, del terruño sanjuanino, del que evocó costumbres y recuerdos ciudadanos. Y es curioso recordar, al arrimarnos a este escenario, que muy cerca estuvo el de una vieja novela: *El médico de San Luis*, de Eduarda Mansilla, publicada hace ochenta años, cuyo argumento tiene por igual protagonistas argentinos y extranjeros.

Entre piedras y cardones

En las páginas de *Mis montañas* Joaquín V. González evocó el paisaje pedregoso de su tierra riojana, que se hizo presente en la literatura a través de su espíritu de artista y de pensador. La novela ha tratado también este ambiente y ya hemos recordado que una de las señeras de Gálvez (*La maestra normal*) tuvo allí su escenario. La Rioja está en los capítulos novelescos de Rosa Bazán de Cámara, entre La Rioja y Catamarca anduvo César Carrizo y trepando las sierras de ésta se encuentran los personajes telúricos de Carlos B. Quiroga. Queda allí aun mucho del espíritu primitivo y no es extraño que los buscadores de documentos relativos a lo autóctono se arrimen a las agrupaciones humanas que viven en el paisaje de piedras y cardones para recoger lo típico y tradicional.

Dramas y tragedias del amor son los relatos de Rosa Bazán de Cámara agrupados en *Collar de momentos*. No más que breves escenas algunos, tienen el sabor de lo regional y el titulado *En el silencio inmóvil de la noche* trata de un episodio que pudo ser real en las tierras del Chacho y 'de Facundo en su tiempo y más acá: el asalto a dos enamorados. Los bandidos atan al varón y se llevan con ellos a la mujer.

De amores y de celos trata *El pozo de balde*, de la misma autora, que remonta su argumento a la época de las correrías montoneras en los llanos de su tierra. Hay reflejo de costumbres y personajes delineados con precisión, entre ellos una bruja y una hija de gitana que echó raíces allí.

César Carrizo revivió con mucha luz y vivos colores costumbres de la región y en *Llama viva* los amores y la lucha dura de Senén Campos para triunfar del destino le permiten fijar instantes de la vida catamarqueña. Como del ambiente, Carrizo gusta del estudio de personajes y los tipos femeninos le atraen. Aquí se detiene en tres mujeres: Elisa, novia pura; Martha, la amiga, que tonifica el ánimo, e Isolda, que naciera para la lujuria. Senén Campos, con

vocación de escritor, ha de sufrir todos los contratiempos
que se oponen al triunfo, hasta que lo alcanza y, en Buenos
Aires, establece una familia asentada un poco en el dolor
y un mucho en el amor. Es obra de corte autobiográfico. Puede tener mucha autobiografía también *El dolor
de Buenos Aires,* la novela que popularizó el nombre del
escritor riojano, pero nos interesan más sus libros de tierra
adentro. *Santificada sea,* un tanto romántica, nos traslada
a Catamarca para hablarnos de rivalidades entre viejas familias y del espíritu localista que puede llegar hasta recibir
a tiros a las fuerzas del gobierno central. Se pone el amor
de dos muchachos, hijos de sectores enemigos y se relatan
costumbres, en las que se asienta a veces la finalidad económica, como la fiesta de la recolección (*la minga*), que
fomentan los propietarios porque les permite recoger su
cosecha con sólo el gasto de la bebida. Hay a veces sabor
pastoril y cae por momentos en un romanticismo simple.
El fin es un tanto convencional: Jaime, el novio, quiere
dar pruebas de hombría y se interna en la Cordillera llevando un arreo que arrasa pronto el temporal, con hombres
y bestias; la muchacha se hace monja y el alemán defraudado en sus aspiraciones con ella se encierra en su casa y
le prende fuego...

Mucho valor folklórico tiene *El domador,* personaje éste
que ablanda la boca de los más rebeldes potros y se adueña
de la voluntad de las más ariscas riojanas. Doma mulas y
amansa mujeres, pero encuentra una de éstas (excelente
figura femenina de un ser primitivo) que cabestrea hasta
el final, hasta que el domador queda domado. Cuenta
mucho en este libro el relato de costumbres y el retrato
de algunos personajes, como la vieja Chacoma, que en su
mocedad bailara con el Chacho, hombre para ellos de leyenda.

Hay ambiente regional en *Viento de la Altipampa*, donde el autor incluye un negociante "turco", representando la raza de fuera que tal vez más ha incidido en la economía del norte.

La montaña del noroeste ha tenido su más vigoroso novelista en Carlos B. Quiroga, cuyos libros están impregnados de la naturaleza, hasta ser ésta y no los hombres protagonista primero, que todo lo domina puesto que no es en sus libros tan sólo escenario o paisaje. Consciente, inteligentemente, pone Quiroga rocas, viento, nieve y sol, dominantes, absolutos, deidades que rigen allí la vida. Y en ese medio, donde la roca se despega y aplasta, el sol enloquece, el viento arrasa y la nieve juega con hombres y bestias, los arroja al abismo, los enceguece, les congela el cuerpo, deshilvana el novelista los argumentos de todas sus obras. Bravíos son los hombres que luchan a brazo partido con ese medio, que absorbe, domina y templa a la vez. Surge de la prosa a veces poética de Quiroga un panteísmo casi ancestral. Todo tiene vida, todo tiene espíritu. No siempre el ser humano es quien mejor lo demuestra, porque éste, al fin y al cabo, no es sino algo que completa el drama con el cóndor que planea en lo alto y la mula que no yerra un centímetro el sitio exacto donde, en el sendero estrecho, sobre el abismo, ha de poner la pezuña.

Quiroga ha vivido en su montaña y para describir su montaña. Como los personajes de sus historias, él ha de volver a ella siempre, porque fuera le falta el oxígeno. Cuando publicó *Cerro nativo* se tuvo la sensación de estar frente a un escritor genuino, encarnación literaria de una región. Allí se da su *Carnaval de Belén*, tantas veces citado y siempre fresco, y otras páginas que satura el espíritu sencillo, primitivo mejor dicho, de los valles y las sierras calchaquíes. Eso no es novela sino documento, folklore. Las novelas vinieron luego. Una, *La raza sufrida*, es la aventura del hombre conquistado por la montaña. Se llama Ventura Quinteros, que va a un pueblito perdido entre sierras a curar su enfermedad. Y tanto se cura que disputa un día con los Andes su derecho a vivir. Se adentra en sus quebradas, camina por los desfiladeros, trata con los chinchilleros y cazadores furtivos y hace, a la par de cualquiera, alardes de hombría. Ese es el hombre de la ciudad, que a ella vuelve un día, transformado. Los del lugar son otros y se llaman César Vargas, con cuatro años de universidad y el destino en la Cordillera, o Inocencio Quipildor. Éste, con estar presente pocas veces, domina la escena y es, entre los seres humanos, lo que la montaña para la escena: quien domina y hace su voluntad. Ante su mirada el paisano se humilla y a su requerimiento la hembra se entrega. A veces, hasta sin el requerimiento, pues la mujer, a su lado, siente la llamada misteriosa y la sigue sumisa. Ahí está la paisanita Alicia en un principio de amor con el forastero pero que no puede resistir el influjo del otro y una noche ha de ir tras el bandido, que bandido y asesino es este Quipildor, cuya grandeza surge, simplemente, como la de un animal, por ley biológica casi.

Hay en este libro viva descripción de costumbres, como la minga tradicional, y episodios dramáticos de la lucha con la montaña. Oigamos cómo relata una tormenta terrible:

> "Todo el espacio, el cielo, la tierra, los abismos, las laderas, son una 'obscuridad' blanca, un infierno blanco en el que no se ve sino la informe, la siniestra blancura. En ella estamos todos poco menos que disueltos."

Esta tormenta, descrita magistralmente, se llama "el viento blanco". El viento blanco también se hace presente en otra obra de Quiroga, *Tormento sublime*. Esta es segunda parte de *Almas en la roca*, y en ambas está relatada la vida de otro hombre, Jacinto Quijano. La primera es la historia de sus amores; la segunda el proceso de su espíritu religioso, que no tiene descanso en la celda de monje que alguna vez eligiera y de la que hubo de escapar para volver a la tierra, con la cual estaba hermanado. Hay aquí personajes hondamente humanos, universales, sin dejar de ser del lugar. El patrón, Pedro Quijano, representa bien el amo y señor a quien los pobres sacrifican si es necesario su vida. Entre éstos, Erasmo Churraspi, que aguantaría una vez la tormenta y tras ella la pérdida de un brazo, congelado, que se le cercena allí mismo.

Dió también Carlos B. Quiroga *El lloradero de las piedras*, donde se ocupa del trabajo de una mina y pone hombres de otra clase, que se hacen multitud y tienen así su juego. Pero hay también tipos individuales y tal vez el más interesante sea Vicente Recio, revolucionario que va, como Sócrates, haciendo que cada uno busque su verdad, con sus contradicciones y con su dialéctica. En síntesis: el derrumbe de todo lo que creara la ambición del hombre y el triunfo final del Cerro, porque toda la lucha, los dramas y las muertes, ¿qué modificaron? Nada. La montaña sigue lo mismo y apenas si fué un rasguño en ella todo el trabajo de máquinas y piquetas. La tierra ha de ser para la paz y no para la lucha entre los hombres; la que indica el sentido de la vida. La tierra del agricultor, en suma.

La naturaleza está presente en un libro de narraciones breves, *La montaña bárbara y misteriosa*, que abre un relato sobre el banquete de los cóndores y tiene estampas animadas de esos lugares geográficos, retratados entusiastamente por su pluma de enamorado, enamorado reflexivo, consciente no impulsivo ni solamente instintivo. En sus novelas hay color y hay también un realismo vigoroso, sano, esencial

mente optimista, con el optimismo de un creyente en la
tierra, los vegetales y los animalitos que la pueblan. Entre
ellos, el hombre...

EL SUR DE LA ESPERANZA

Al tratar de las regiones no hablaremos de la pampa,
porque la pampa está presente en todas las novelas del campo
argentino y mucho hemos tratado de ellas. Iremos más al
sur, a las puertas y al corazón de la Patagonia, tierra magnífica para que la novela elija escenarios y tome personajes.
Por cierto que la Patagonia espera aún su novelista y hasta
su dramaturgo. Bien observó el venero don Roberto Payró
cuando escribió *La Australia argentina*, de donde, en los
últimos días de su vida, surgió remozado el payaso que se
transformó en pioner y, en las tablas, se llamó *Alegría*.
Y Fray Mocho, que por referencias y como simple alarde
de escritor, hizo estampas coloreadas del extremo sur en
El mar austral. Eduardo Talero, colombiano, fué uno de los
que primero olfatearon temas, ambientes y personajes de
la cordillera neuquina, pero lo suyo no pasó de boceto o
crónica periodística. En *Ecos de ausencia* hay un relato de
la creciente del río y se refleja algo de la áspera vida que
allí, en sus tiempos, llevaban los hombres, y *La voz del desierto* presenta pequeños cuadros y aparece el paisaje de la
montaña sureña. Hombres que formaron en el ejército de
la conquista del desierto andan ahora haciendo la conquista
de la paz y se mezclan con los mineros, que son chilenos
y de muchas otras nacionalidades. El boliche es centro de
reunión y allí se cobra un grano de oro por litro de vino.
Un poco más las mujeres por sus caricias. Se puebla así el
sur, con trabajadores, con aventureros, con más lágrimas

que alegrías. Documenta Talero el desalojo de primitivos pobladores por los personajes con influencias en la Capital, quienes, sin conocer las tierras, logran títulos de propietarios del suelo, lo que fué frecuente en esos tiempos.

Más cerca nuestro, Félix San Martín, en *Entre mate y mate*, en tono patriótico casi siempre, refleja la lucha del hombre con el medio. Habla del gaucho en el prólogo pero muchos extranjeros toman rol en los capítulos suyos, como no podía ser menos tratándose de una tierra esencialmente de colonización. Cuenta San Martín lo que ha visto, adobado por su pluma. Asistimos así a los arreos a través de las montañas y a través de las llanuras, que de lejos se llevaron los primeros ganados; al bloqueo de la nieve y a la ayuda que el poblador presta al delincuente en desgracia.

Liborio Justo, que firmó Lobodón Garra, captó bien dramas de la soledad patagónica en *La tierra maldita* y supo observar aventureros, buscadores de oro y de fortuna, logreros y cazadores. El escenario, los episodios y los personajes dan valor a los relatos, dramáticos. El material fué excelente y pudo haber servido —servirá algún día— para que un cuentista de fibra (más que para la novela, esta zona del extremo sur es magnífica para el cuento) realice una tarea de excepción, digna de un escritor con la garra de Jack London.

Silvia Fernández Beschtedt escribió unos relatos en los que se refleja el dolor y la tristeza del autóctono y la miseria del pobre, cuyo único consuelo está en emborracharse. Tiene el libro más piedad que rebeldía y se titula *El dolor de la montaña*. Otro tono tienen los cuentos de Antonio F. Tarnassi agrupados en *Persecución*, de intensidad dramática y acentuado realismo. Está el Sur en *Pampa nevada y otros relatos*, de Mauricio Rosenthal, cuyas páginas pueblan tipos variados, de avería y turbia historia unos, latifundistas otros, y documentan a veces la ingenua mitología aborigen.

Hacia la cordillera enfiló la proa de su pluma Juan Goyanarte. El escritor se dió a conocer con dos libros que son del campo nuestro luego de ser de tierras extrañas: *La semilla que trae el viento* y *La semilla en la tierra*, desde las cuales arriba a la pampa un extraño tipo, que sufre primero el contraste del ambiente y ata amarras al fin, conquistado por el suelo y por el amor. La novela patagónica de Goyanarte se llama *Lago Argentino* y es un documento admirable de la lucha del poblador primero, del pioner, con el ambiente hostil. Refleja un mundo cercano y a la vez extraño, áspero en la naturaleza, duro en los personajes, que son de carne y hueso, cada uno con su carácter, que es todo voluntad en Arteche, artería en Cuesta, rencor en Terren, ingenuidad primitiva en Biguá y sensibilidad en la delicada mujer que el estanciero se trajo de sitio lejano en civilización y en distancia. Con ellos, ese falso doctor que mata a Susana. Y la mujer de éste, aventurera que siente por momentos volver a su pecho la ternura del corazón femenino. Están los pobladores, los que se empeñan en producir riqueza allí donde el viento y la nieve hicieron siempre su capricho, pero está, sobre todo, la naturaleza, grandiosa, terrible, contra la que no puede al fin ni la voluntad indomable de aquel descendiente de vasco, vencido en la lucha, de la que sale viudo y pobre, derrotado por el desierto que quiso dominar. Vencido, aunque él crea que su destino está en seguir, en otro sitio, cumpliendo su misión de fundador. En síntesis, un gran escenario para una gran novela, pues gran novela es ésta, que pudo sin embargo mejorar si se sintetizara un poco en algunos sitios. Goyanarte pone demasiadas cosas en sus libros. Novelista temperamental, pinta, narra y crea personajes. Su técnica, aquí, es la de una serie de cuentos que une una trama, según lo asienta el prologuista de la novela, Ezequiel Martínez Estrada, pero si los capítulos en buena parte pueden leerse sueltos como piezas separadas es indudable que el lazo de unión entre todos es estrecho y la novela perfectamente hilvanada desde el principio hasta el fin.

No fué tan lejos en el sur Miguel Ángel Torres Fernández, que partió de la capital puntana con su personaje, de corte autobiográfico, y se llegó andando hasta el brazo manso del Atlántico que penetra en Bahía Blanca. Está bien elaborada esa novela que titula *Hay otro cielo en el sur*, con capítulos jugosos, como los que se refieren a la niñez del protagonista y a las andanzas de éste, ya adulto, cuando se transforma en linyera pampeano.

La "otra" Argentina

Eduardo Mallea, en quien el ensayista triunfa casi siempre sobre el novelista, se preguntó un día dónde está y qué es la Argentina, lo argentino y el argentino. Claro que veía todo, como cualquiera, pero lo que él veía y lo que vemos los demás, ¿es la Argentina y su hombre? Creyó que eso es tan sólo lo exterior, porque le falta sustancia y espíritu, y descubrió que había una Argentina visible y otra invisible. Su lente anda desde entonces tras lo que muchos no vemos y él intuye. Lo exterior es la púrpura, lo que brilla; debajo ha de estar el sayal humilde, realidad de la Argentina y su habitante. Ahí está el título de un libro suyo, de ensayos (*El sayal y la púrpura*) y el tema sobre el que giran sus obras de imaginación. Punto de partida fué *Historia de una pasión argentina*, autobiografía espiritual de un hombre que no se conforma con el manto de púrpura ni con la Argentina visible. Encarnan sus ideas y exponen sus pensamientos

los personajes de *La ciudad junto al río inmóvil,* relatos
de seres que se angustian a fuerza de razonar, de inquirir, de
buscar en lo hondo. Cada uno expone sus argumentos, cada
uno establece su disconformismo, cada uno hace su análisis, da su interpretación, discurriendo, dialogando, pero
con calor, poniendo el alma en ese continuo inquirir sobre
lo nuestro, porque la argumentación de Mallea se hace pasión y llega a obsesionar a los personajes, que sienten en su
espíritu una como tortura que refleja el dolor y el drama
del país buscándose a sí mismo. Por cierto que estos personajes pueden simbolizar también lo que hay detrás de los
hombres y mujeres que vemos en la calle. Contra éstos, mejor
aun, contra su exterior, se rebelan, porque son a la postre
seres en soledad, que protestan contra el aburguesamiento
y les subleva lo convencional. Sienten ir ellos mismos madu-
rando poco a poco, a medida que hacen conciencia de sí.
Lo dice en *Solves, o la inmadurez:*

> "Mira esas gentes: no hay más que observar sus fiso-
> nomías, su actitud, reservados y serios. Reservados y
> serios... son como yo: un pueblo inmaturo. Un pueblo
> que está madurando: que va a ser otra cosa diferente
> de esa sentimentalidad difusa, que va a nacer de las
> cenizas de este reservado silencio."

Pero donde más se bucea sobre "la otra" Argentina y se
anda tras el sayal que existe debajo de la púrpura es en
La bahía de silencio, novelación sin duda de la *Historia
de una pasión argentina.* Siempre andan sus protagonistas
en su búsqueda, urgidos, angustiados:

> "Aquel país no era el *país.* Aquel país que veíamos
> no era el país que queríamos. Aquel país que tocába-
> mos no era el país que esperábamos. Debajo de la
> púrpura queríamos ver el sayal."

Y el monólogo ininterrumpido que es todo el libro, salvo cuando se hace diálogo, continúa:

> "Buscábamos en la fruta del espíritu no la forma espectral, sino su sabor y su salud. Por eso éramos partidarios de una literatura esencialmente humana, de una moral consistente [...] Rechazábamos la sombra de la literatura, la sombra de la moral, la sombra de la gente e íbamos en busca del cuerpo mismo de esas categorías."

Lo exterior no es lo genuino. Buenos Aires no es el ánima sino la cara de la Argentina y sus hombres no son los hombres argentinos sino por fuera. Pueden hacerse sobre los personajes creados por Mallea estudios interesantes, por su psicología y por su humanidad, pero seguramente que en los libros que recordamos no es eso lo que más interesa sino la prolongación del Mallea de la *Historia...*, del hombre que piensa, que quiere encontrar sentido y espíritu a su patria, sentido y espíritu también a la vida de quienes en ella viven. Son algo así como la ininterrumpida disquisición metafísica del escritor. Como creaciones novelescas pueden interesar más las obras que siguieron. Y no olvidamos, sobre todo, a *La ciudad junto al río inmóvil*, cuya prosa, ya densa, se depuró mucho después, en las otras producciones novelescas.

Fiesta en noviembre es un relato dentro de otro relato. ¿Cuál es el primero? Ambos por igual. Uno, que se corta cada pocas líneas para dar entrada al más extenso, dice que en un rincón del mundo la patrulla va a buscar al poeta para llevarlo al muro del fusilamiento. El otro, que en un salón de otro rincón de ese mismo mundo se celebra la fiesta fastuosa. Ha de haber muchas fiestas en esa noche de noviembre, pero también puede haber muchos fusilamientos de hombres idealistas y creadores de belleza. Esto es lo doloroso: que siga la fiesta y se mate a los seres que tienen ideas o sueñan con otro mundo. ¡Cuánto dolor hay en este párrafo!:

> "—'Conque tenías tus ideas, tú...' La voz del oficial, el mal aliento, le quemaron la cara. '¿Qué quiere usted decir?', preguntó él y clavó los ojos en los ojos del militar y soportó ese aire, esa sonrisa de odio, de burla y recelo. 'Ideas, eh... ideas, eh...' Los de la patrulla reían."

Tal vez sea este contenido social, este reflejo de la angustia del hombre libre en una época del mundo, la época en que ideas de violencia y opresión querían adueñarse de él (la data del libro es de 1938), lo que da más sustancia a esta novela de humana pasión.

Algo se aparta Mallea de todos esos temas para centrarse más en los personajes en otras novelas que escribiera. En *Las Águilas*, que hemos citado en otro sitio, hace el estudio de una familia que echa abajo lo que un hombre levantara con miras a lo perdurable. Vale aquí, en la historia del Castillo y su maligna influencia, el análisis de quienes lo habitan y vale tanto la prosa henchida de savia. Lo primero se puede destacar más aun en *Todo verdor perecerá*, donde se hace el estudio radiográfico y hasta la disección de un hombre y una mujer que viven en el escenario donde el autor pasara sus años de infancia y adolescencia: Bahía Blanca, sus médanos y sus salitrales. Los personajes son Ágata y Nicanor Cruz, capaces de asentar por sí solos el prestigio de un escritor. Vida frustrada la de la mujer, es el del hombre un destino encadenado a la áspera tierra. La esencia del varón quedó reflejada en pocas líneas: "Le gustaba la mala palabra, el vino seco, el naipe desafiante, la ropa oscura, el mate amargo, la hembra dócil." Con él la mujer que no fuera sumisa troncharía su destino, como ocurrió con Ágata, que creería renacer con la viudez cuando había de terminar perdiéndose en escapada de locura. La tierra, la tierra esterilizada con el salitre que desde la costa llevan los vientos del sur, sería la vencedora del personaje.

También enclava Mallea en su ciudad nativa, castigada por el viento y dominada por el médano, los habitantes de su última novela, *Los enemigos del alma*. Es ésta trabajo de laboratorio, amasada con afanes de descubrimientos psicológicos y penetración en las almas de personajes que quieren hacerse un tanto simbólicos. Minuciosa es la descripción de individuos, cuyos retratos, cuyos análisis físico y anímico evidencian por sí solos la extraordinaria capacidad creadora del novelista, y detallado el inventario de cosas, de casas y de objetos. La obra se torna por momentos pesada, extremadamente minuciosa y meticulosa y el lector camina con lentitud y hasta con fatiga por sus senderos. Esa extremada minuciosidad y tan intencionada lentitud inciden en el estilo mismo de su prosa, que pierde vigor. El escenario y sus gentes están mejor en *Todo verdor perecerá*. Estos de *Los enemigos del alma* podrían ser puestos en cualquier otro lugar, porque con fijar nombres geográficos y letreros de hoteles conocidos no se asienta un ambiente y el propósito del autor, al crearlos, no fué por cierto hacerlos representativos de zona geográfica sino de otras zonas, más escondidas y más difíciles de describir porque se esconden tras los rostros y los pechos de los hombres. Es novela sustancialmente amarga, de íntima tristeza y de desolación, como la otra.

NOVELA SOCIAL

La sociedad argentina ha ido retratándose en los libros de sus más prestigiosos novelistas, desde el primero, que recordó los matarifes de la Restauración, hasta los de la época presente. Novela social hicieron Payró y Gálvez, Grand-montagne y Sicardi. Pero no fué la suya novela social en el sentido que ahora se da a esa palabra, aplicada a la literatura y que podría hacerse arrancar, en la Argentina, del grupo Claridad. Álvaro Yunque documenta en su libro *La literatura social en la Argentina* la intención social de muchas viejas páginas firmadas y anónimas, pero la de estos días es una especie de milicia, un tanto política, excluyente. Antes no fué así, como lo prueba una simple ojeada a la revista *Ideas y Figuras*, de Ghiraldo, donde se publicaron muchas producciones, con rima y sin ella, rebeldes, libertarias, y se dedicaron a la vez números especiales a literatos muy alejados de todo eso, como Julio Herrera y Reissig, lo que sería inconcebible ahora en una de estas publicaciones de izquierda. Entonces se separaba la literatura de la prédica ideológica.

La novela social que se acerca a nuestros días penetró en los frigoríficos, en los calabozos, en los obrajes, en las fábricas y en los vaciaderos de basuras y nos hace andar entre cuereadores, peones, ladrones y cirujas.

¿Dónde empieza y dónde termina la novela social? Es como preguntarse qué novela no es social, porque al fin y al cabo toda novela refleja, directa o indirectamente, un momento de la sociedad en que ha nacido. Más que una definición, este de la novela social es un concepto que está en el entendimiento de todos.

Elías Castelnuovo podría ser, en la novelística, el representante de la más extremada tendencia del grupo de Boedo. Es la suya literatura descarnada, amiga de purulencias, de tarados, de hospitales y de locos, que a veces trata con libros sacros y pone en los capítulos un protagonista con raro misticismo. Se adentra este escritor en lo más bajo y en lo más sucio, en lo que repugna y en lo que asquea. Así ve el mundo y sus habitantes, pues anda en las tinieblas y revuelve larvas en lo hediondo. Si penetra en un taller, las emanaciones y la falta de luz ponen tuberculosos a los hombres; si va a un saladero, descubre que los desolladores no pueden aguantar más de diez faenas sin enfermarse. En la ciudad, pocilgas; en el campo, sarna y piojos. Siempre dolor, siempre sufrimiento, siempre lisiados, siempre hospitales y hospicios, siempre muerte...

Leyendo a Castelnuovo se comprende que lo autobiográfico de muchas de sus narraciones no lo es sólo en la ficción y que un fondo de realidad, un sedimento de amargura y de dolor es lo que va inyectándose en los cuentos y en las novelas. La imaginación y el propósito de rebeldía social pone lo otro, lo que se aumenta, lo que se exagera podría decirse, si no fuera que no es exageración sino realidad vista a través de un espíritu, de un temperamento. En *Tinieblas* están los *Trozos de un manuscrito* y *De profundis*, que es como su prolongación: la vida, exterior e interior, de un niño humillado por el padre y el cuñado, que lo castigaron hasta romperle las vértebras al arrojarlo por una escalera. Quedó jorobado y el llanto sería su compañero fiel. El relato que da título al libro tiene también una mujer jorobada. Con ella se une quien relata el episodio y un monstruo terrible es el fruto de tales amores.

Hay en *Entre los muertos* un reformatorio que presenta al lector su procesión de niños anormales y el cuento *Ánimas benditas*, donde una tísica se escapa de la sala de hospital para presentarse en la mesa hogareña, pero allí, en su silla que siempre estuvo esperándola, se queda muerta. Y otro hospital... En *Entre los muertos* precisamente, donde los médicos tienen emanaciones pútridas, como todas las dependencias, y donde la alucinación hace ver una macabra procesión de lisiados:

> "Unos corrían devorados por la lepra, otros se arrastraban con las tripas colgando, otros se retorcían como gusanos con la nariz rota por la sífilis o los labios partidos por el cáncer..."

El enfermo que fué a operarse se escapó. No era para menos.

En *Calvario* hay ya otro horizonte, aunque aparecen también escenas de ese tipo. Aquí, siempre relatando en primera persona, el protagonista hace su vía crucis desde un rincón correntino hasta Buenos Aires. Realiza sus marchas a pie, hambriento y sediento, entre el fango, pero hace estación larga en una aldea donde llega a tener ribetes de santo: cura a los enfermos, fabrica cunas y ataúdes, liberta presos y se amiga con los animales, aunque sin meter fieras ni alimañas en su cuarto, como hiciera el personaje de *De profundis*, quien hasta dormía con ratones y serpientes. En cambio éste, en la noche oscura, dentro de una carreta que da tumbos, tiene comercio carnal con una leprosa...

Ese es su mundo y tales sus personajes. Mundo negro y sucio, hombres tarados y hermanas prostitutas. Con todo eso, no con pulida prosa, Castelnuovo fué por momentos abanderado en las guerrillas célebres de Boedo contra Florida.

Un escritor que se fué de la vida terrena demasiado joven, Juan Palazzo, dejó una obra breve y anunciadora de un novelista de garra. Se titula *La casa por dentro* y sus personajes viven en el conventillo, entre la mugre y el vicio. Con crudeza se tratan los temas, el de la prostitución entre ellos.

Otro enfoque tienen las novelas de Leónidas Barletta, que lleva su honda simpatía a los humildes, los de destinos opacos y vida incierta. Una novela es *Royal Circo*, de ironía triste alrededor de la vida de seres a los que el oficio les pone por delante un horizonte casi siempre dramático. Gusta Barletta de cuadros de ciudad y de barrio, de organilleros, vendedores de hortalizas y maniseros. También de los animales y, entre éstos, de los perros. Una *Historia de perros* le sirve para hablar de canes pero también para tratar con seres humanos. Se humanizan aquéllos para hacer con sus amigos una familia, que cuenta los padres, tres hijos, el matrimonio perruno y dos cachorros. En total, siete personas... Hay una profunda simpatía por estas gentes ignorantes, tras cuyo gesto de enojo se oculta la extraordinaria bondad de sus corazones. El autor trata a todos por igual: a hombres, a niños y a animales, y con ellos, en largos paréntesis, se mezcla a veces. Puede no haber sido un acierto usar el procedimiento con frecuencia.

El trabajo en los mataderos tentó a Bernardo González Arrili y en *Los charcos rojos* estudia no sólo la tarea de matar y embutir sino el movimiento de rebeldía que se gesta y el levantamiento proletario, vencido a sangre y fuego. Hay interesantes figuras de agitadores y de trabajadores, una de aquéllas la del catalán Gregori, revolucionario rabioso que proclama la violencia con los amos pero es capaz de penetrar en una casa en llamas para salvar a la hija del patrón. González Arrili escribió también *Protasio Lucero*, donde se reflejan los intrincados vericuetos de la política en un pueblo de provincia. Lucero, que va allí en expedición periodística, choca con los poderosos del lugar, acostumbrados a robos y violencias. Políticos venales y policías bravas en un sector, ilusos muchachos en el otro, éstos serían, naturalmente, los vencidos. Hay en *Protasio Lucero* mucha influencia de *Pago Chico*.

También se adentró en los corrales de la hacienda y en las playas del frigorífico Luis Horacio Velázquez, con *Pobres habrá siempre,* donde abundan escenas de proletarios explotados que viven miserablemente en casas de vecindad. Hay un saldo de hombres mutilados por las máquinas y hay mujeres heroicas que sostienen un hogar, las humildes "fabriqueras". También una huelga, con la toma de la fábrica por sus operarios, y el relato que se refiere a uno de éstos que se congela en la cámara fría. Otra novela escribió este autor, *Los años conmovidos,* con fondo de crítica política y social. Lo que más importa aquí no es eso sino el proceso del amor que sufre su protagonista, Roberto Indart, y de su lucha con el destino, que hacen de él un buen personaje.

Novela social hizo Ismael Moreno, en *La huerta* y en *El matadero.* La primera plantea el problema de una familia de quinteros (treinta y tres bocas que alimentar), amenazada con el desalojo, y la segunda trata —el título lo indica— el trabajo de los frigoríficos, como lo hicieran González Arrili y Velázquez. El argumento de los tres es parecido: explotación, rebeldía que desemboca en huelga, deportaciones, etc. Se agrega aquí el desalojo de esos obreros de sus viviendas enclavadas en terrenos ajenos, que quiere recuperar el propietario cuando adquieren valor.

Centra Juan Carlos Moreno *Tiempos amargos* en una época difícil de la Argentina, la de la caída de Yrigoyen, con muchos discursos de ideas no siempre claras y excesivo pesimismo. La miseria acompaña a la desocupación obrera, las quiebras son, para él, siempre fraudulentas, y los judíos malas personas.

Otro ambiente describe Rosa Wernicke: el barrio del basurero y del matadero rosarinos, con sus taperas de latas viejas, sus enjambres de moscas y sus piaras de cerdos. Crudo es el relato de *Las colinas del hambre,* donde hay un porquerizo que traga y escupe los insectos, huele peor que los cerdos y asalta a las muchachas para tumbarlas en la zanja. De tanto piojo, de tanta sarna y de tanta triquina se salva un personaje, Martín Fuentes, hierbero y curandero, lleno de bondad, que hace contraste con el empresario, que se enriquece con los productos salvados de la quema.

De la desocupación obrera trata Juan M. Prieto en *Hombres sin destino*, con un protagonista que se ve empujado de la ciudad al campo, en busca de ocupación. Se hace linyera y con linyeras trata, pero uno que encuentra en la oscuridad de un vagón de carga se nos presenta personaje atrayente, un tanto filósofo, razonador y esencialmente rebelde. Ambos caminan por tierras agrícolas y se llegan en su deambular hasta los quebrachales del Chaco. Perseguidos unas veces por la policía, maltratados por patrones y capataces, no son espejo de bondad los hombres que encuentran a su paso. Matías Dando, el compañero, cae como consecuencia de un tiro recibido en el obraje; José Miguel, el muchacho iluso del principio, salta a un barco inglés que parte en tiempos de guerra, ansiando la muerte que lo libere de sus dolores: es el destino triste de dos proletarios.

Puede ser Alfredo Varela quien mejor haya logrado realizar una novela de esta naturaleza, con *El río oscuro*, que renueva el aliento de la tragedia de los yerbales, cuyo régimen de explotación del hombre azotara la pluma de Rafael Barrett y retratara con esa maestría tan suya Horacio Quiroga en algunos de sus cuentos. Vida dura, áspera, de escoria social es la que se da a las peonadas misioneras, que explotan sin piedad las empresas y han de dejar en la selva casi siempre su vida, encadenado como está su destino a la tierra y a sus patrones desde el instante en que, tal vez borracho y seguramente con el propósito de "hacer" una sola temporada, aceptó el anticipo que se le diluyó en la primera visita a la cantina.

Sin tan definidos propósitos, tiene mucho de todo eso

La Caá Yarí, de Alejandro Magrassi, novela de los yerbales misioneros que principia en Corrientes con la contrata del infeliz peón y muestra algo de lo que es la vida de trabajo, sufrimiento y explotación en los campos yerbateros.

En parecida zona anduvo Roberto A. Vagni con su *Tierra extraña,* tierra de obrajes y de hombres ganados por la violencia. Es una novela despareja, que habría ganado mucho si se eliminara de ella lo superfluo. Se presenta un tipo, el protagonista principal, Ireneo Sosa, de buena estampa, figura romántica que siente la rebeldía y gusta de los discursos. Sus andanzas sirven al autor para hacernos recorrer campos, estancias, pueblos y aserraderos. A veces hay aparato teatral o se toca la simple crónica periodística y en ocasiones la observación es penetrante; se roza el episodio policial y se hace alegato político, pero también hay muy bien logrados cuadros de ambiente y escenas que adquieren vigor. Las incidencias políticas, sangrientas, se recuerdan con su falta de grandeza, que la tiene en cambio el desahogo de la masa laboriosa en el movimiento huelguístico. En el elemento humano prima el criollo, casi el aborigen: correntinos y santafecinos que se entienden en guaraní.

En cercanías geográficas de esos lugares anduvo Alcides Greca con una novela que citamos en otro sitio (*Viento norte*) y al Chaco se llegó Raúl Larra para reflejar el drama de la tierra en capítulos que tituló *Gran Chaco.* Quedándose en el centro urbano, el mismo autor escribió *Encuentro en la noche,* episodios de la vida de un luchador bien engarzados en el relato, de excelente elaboración.

Carlos Ruiz Daudet, que en sus libros anteriores centrara la mira en los manejos de la política criolla, volcó en *El pueblo* su más amarga tinta, para hacer crítica de lo presente y exaltar el apostolado de los luchadores de tiempos nuevos. Es esta una novela de propaganda. Como reflejo de modalidades, vicios y episodios de la política del interior, Ruiz Daudet dejó un buen documento en *El caudillo*.

Mucho documental hay también en *El hombre desconocido*, de Carlos Mastrángelo, libro denso, dramático, doloroso y desgarrador, hasta parecer por momentos no una novela sino la confesión real de una vida que desbordara sufrimiento. Personajes tiene que son espiritualmente arrancados de la realidad y si Ada Bercheztche encarna un alma de mujer, Leonardo Leonardi, el protagonista, puede muy bien sintetizar el drama de muchos hombres de esta hora. El libro se fuga a veces del campo novelístico y en él se han metido tantas cosas que tal vez hubiera necesitado más de uno para desarrollarse totalmente el pensamiento y los propósitos del autor. Crudo realismo se enseñorea de sus páginas, como en todas esas novelas de luchadores, y puede ser, en esencia, el reflejo de años difíciles, que por algo los pasos de Leo se dan en etapas que señalan los cinco que van de 1932 a 1936.

Con *La casa trágica* penetró Mario César Gras en la cárcel de Gualeguaychú para documentar el drama de los presos en una prisión que parece sucursal del infierno. Corrido por la desgracia, es encerrado allí Atilio Soria, un joven agrónomo. Los vejámenes a los detenidos, a quienes se humilla y se castiga bárbaramente, y los robos de los funcionarios, son relatados en sus capítulos con crudeza y sin adornos de estilo.

Más complejo y variado es el mundo de Jorge Newton, con libros novelescos de tendencia libertaria. Retrató en *Avanzada* un líder obrero, Rolando Bulnes, de corte romántico, y reflejó episodios de la lucha de clases en la Argentina, localizándola en los frigoríficos platenses. En *Avanzada* sus latigazos van contra la guerra y contra el ejército. Ambos libros, dirigidos a la masa proletaria como manifiestos de rebeldía social, relatan el proceso de la propaganda ideológica revolucionaria entre los obreros y los soldados. Es una dialéctica simplista para estos tiempos y tiene más parentesco con la que realizaban los agitadores anárquicos de medio siglo atrás. En *La tierra virgen* el escritor ha depurado su estilo y alzado la mira. Su argumento se desarrolla en un pueblo entrerriano castigado por la inundación, al cual envía dos idealistas que quieren hacer el experimento de la distribución de tierras del estado, para que las trabajen los desposeídos. El pueblo está dividido en dos sectores, como muchos: el del "alto", donde vive la clase acomodada, y el del "bajo", de los humildes, cuyos ranchos arrasan los desbordes del Paraná. Se relata una de esas inundaciones, que cubre por completo las islas y barre las míseras viviendas del bajo. En cuanto a la materialización de los ideales de los jóvenes Aldana y Mendoza, queda en la nada, porque si los de arriba ven sus iniciativas propicias para el medro político, los del otro sector no los entienden y los rechazan. Hay un drama con viejos odios de familias avivados por rivalidades amorosas que refleja el espíritu primitivo de esas gentes.

XVIII

EL CUENTO

De la mano con la novela caminó el cuento. En éste nació aquélla, pues *El matadero* careció de la extensión y del argumento que lo convirtiera en novela. Con otras pretensiones, no pasaron de breves relatos los intentos novelescos de Juan María Gutiérrez, Mitre y demás proscritos, salvo López y Mármol, autores éstos de novelas de más aliento. Pero, con tener tan noble origen y sólida base en las páginas de Echeverría, escritas al mediarse el siglo xix, el cuento no merece especial consideración, en nuestro país, hasta la centuria actual, salvo propósito de erudición o documentación bibliográfica [1].

[1] Renata Donghi de Halperin ha publicado una selección de cuentos de la pasada centuria (*Cuentistas argentinos del siglo XIX. Antología.* Buenos Aires, Estrada, 1950) en la que se documenta la ausencia casi absoluta de cuentistas en la Argentina de esa época. En realidad y hasta haciendo abstracción de su carácter de pieza iniciadora, *El matadero*, de Echeverría, es muy superior a todos los otros relatos que se incluyen, algunos de los cuales podrían haberse reemplazado, seguramente con ventaja. Tuvo que recurrir la recopiladora para formar un modesto volumen a relatos sin ninguna sustancia y a crónicas que por momentos se duda merecieran lugar en simples columnas periodísticas. Hay páginas de sátira, como los escasos e infantiles párrafos de José Tomás Guido (*Fantasía*) y esas *Escenas criollas* de José María Cantilo, que poco tienen que hacer en una selección de cuentos. Si para documentar, bien puede servir la *Antología*, pero en la afirmación de lo negativo. El cuento argentino, bien se ve, tiene su expresión en el siglo xx, y el mismo Fray Mocho, aquí representado, se encargaría de darnos entrada en la centuria que vivimos. Afortunadamente, la

Representante de una generación que llevó sus inquietudes a todos los terrenos, Eduardo Wilde, médico, político y literato, escribió un cuento (*Tini*) que hizo llorar a muchos y que ahora nos parece un tanto sensiblero, al llevar a la agonía y a la muerte a un niño atacado de difteria, el terrible crup que tantos estragos hizo y que muchas veces se filtró en la literatura. De su tiempo son periodistas y hombres públicos que probaron suerte en la narración corta, entre ellos Bartolomé Mitre y Vedia, José Tomás Guido, Vicente G. Quesada y José María Cantilo.

Olvidado está Carlos Monsalve, que publicó su primer libro, *Páginas literarias*, en 1881. Se aparta allí, quien muchos años después novelara la leyenda de Ollantay, de la senda trillada y fácil que anduvieron los diletantes de la literatura. Su inquietud fué más lejos, como lo demostrara el crítico Roberto F. Giusti en un ensayo sobre los precursores del modernismo en la Argentina. Recogió Monsalve influencias

gran mayoría de los autores seleccionados reviste importancia mucho mayor por su labor en otra zona de la literatura o de la cultura. Eduardo Wilde inclusive, a pesar de estar su *Tini* entre lo mejor que el libro recoge.

Mucho sugiere sin embargo el trabajo de Renata Donghi, y a ella no se le escapa a juzgar por las frases del prólogo. No es su reflexión de menor importancia la que se refiere al encandilamiento de los escritores nuestros de esa época por los fanales parisienses, como ocurriera con la burguesía argentina contemporánea. Hay también una conclusión y es que la literatura era para muchos un simple pasatiempo, un modo de matar horas de aburrimiento, entretenimiento a veces de diplomáticos abúlicos, representantes de un oscuro país *soudaméricaine*.

El lector puede recoger una impresión panorámica del desarrollo del cuento en la Argentina consultando la *Antología* de Renata Donghi y las siguientes selecciones:

Manuel Gálvez (selección y prólogo), *Los mejores cuentos*. Buenos Aires, ed. Patria, 1919; Miranda Klix (compilador), *Cuentistas argentinos de hoy. Muestra de narradores jóvenes (1921-1928)*, Buenos Aires, Claridad, 1929; *Cuentistas rioplatenses de hoy*, Buenos Aires, Vértice, 1939; *El cuento argentino. Contribución de los escritores nuevos a la literatura nacional*. Buenos Aires, Club de difusión del libro americano, 1944.

de la nueva literatura y Poe se recuerda en algunos de los relatos incluídos en ese libro o en *Juvenilia*, formado tres años después con páginas del primerizo y nuevas producciones del autor. Lo fantástico se mezcla con lo exótico y a veces con lo policial; hay intentos psicológicos y pretensiones filosóficas denuncian con frecuencia al escritor aún en período formativo, reflejado hasta por la inclusión, en *Juvenilia*, de dos poesías que contribuyen a dar al volumen tono de misceláneas.

Entre los cronistas hispanoamericanos que hicieran de París la Meca de la literatura está Manuel Ugarte, cuyos cuentos, como sus famosas campañas antiyanquis, parecen ahora de épocas mucho más distantes de lo que están en la cronología. Escribió Ugarte, en los paréntesis de sus luchas, novelas y relatos. Son de ambiente porteño de la primera década del siglo los que agrupa en *Cuentos argentinos*, de tono dramático unos (*La leyenda del gaucho — El tigre de Macuzá*), humorísticos otros (*Totota*). El tomo de *Cuentos de la pampa* agrupa algunos del libro citado con otros que tienen escenario en el interior. Habla en ellos de malones y de gauchos, pero todo es convencional, visto desde el gabinete del escritor, a lo mejor desde París. Sólo así se explica que los indios pampas hagan la guerra a flechazos y maten a sus rivales a golpes de maza.

En sus días de más acentuada variedad de individuos, contó Buenos Aires con uno de sus cronistas más sabrosos, que supo captar los personajes del diario vivir porteño y documentarlos en relatos breves, que a veces son solamente diálogos y en ocasiones escenas que demandan las tablas, pintorescos, de gráfico lenguaje que es documento vivo de ese tiempo, en lo exterior y en la sustancia misma, pues la heterogénea sociedad porteña está allí, en los cuentos de

José S. Álvarez, que firmara Fray Mocho, vista en su faz humorística. Gringos con su jerga, orilleros piropeadores, mayorales, agentes de policía, canfinfleros y doctorcitos hacen sus diálogos y tejen sus amores o sus amoríos con planchadoras, cocineras, mucamitas y comadres en las esquinas, en el conventillo y en el boliche. Juegos de palabras afloran con gracia y el retruécano pone pimienta en las conversaciones. Lo que el sainete es en el teatro, la producción de Álvarez es para la novelística y parejo valor documental tienen para estudiar tipos y ambientes de la metrópolis.

Pero mucho más allá fué Fray Mocho, de quien ya dijimos que un día se llegó al sur, con la imaginación. Otro, se acordó de su selva montielera y de sus habitantes, que tienen cicatrices en el rostro y durezas en el corazón, y allí trasladó su pluma, que pinta el escenario y retrata los hombres. De ella nos dejó una descripción geográfico-literaria Alberto Gerchunoff, pero la representación de las gentes que en la selva andan, huyendo de la justicia generalmente, está en el *Viaje al país de los matreros*, el libro de Fray Mocho, entrerriano aunque no lo creyeran los compadritos de Buenos Aires ni los milicos que él tratara en la policía e hiciera dialogar en las *Memorias de un vigilante*. Allí, entre las breñas y los delincuentes que huyen de la justicia, están él y su estilo para hablarnos de maleantes, tipos de avería, cuatreros con historia de crímenes que ahora juntan plumas y asaltan ranchos. Presentes con sus hábitos y con todo su ser, con la puntería precisa y la muñeca ágil. Viven estos individuos diez peligros cada día y la pelea, como la muerte, es familiar porque andan metidos en el baile y bailan al compás de la música que allí se toca. Brota el humor del relato ágil y de la frase vivaz, pero los hombres tienen otras uñas que los porteñitos de compadre andar con quebradas de milonga, y la frase deja de ser alarde y juego de palabras. Oigamos cómo cuenta uno su primera "desgracia", la que lo llevó a la selva:

"...¡Fué por cosas de hombres!... Estábamos en una pulpería y llegó un mozo que le decían *el surero* y comenzó a chocar a los presentes... Yo era entonces un muchacho farfantón y medio ligero de genio y le contesté feo. Nos trenzamos y yo vine a dar a estos pajonales."

Así le contaría a Horacio Quiroga su resbalón un brasilero de otra selva, porque en esencia los personajes son los mismos.

Siguió las huellas de Fray Mocho, en el enfoque del ambiente porteño, Félix Lima, de época posterior, pero, al igual que el Quijote y que las Tradiciones de Palma, esta pluma resulta también inimitable, porque es totalmente personal, reflejo de un espíritu. El humorismo y el pintoresquismo de José S. Álvarez llegó en buena hora, en la hora en que el hervidero era mayor, cuando la sociedad era más heterogénea y no había adquirido aún su característica de masa que ahora tiene. Frente a quienes miraron ese conglomerado con espíritu dramático, el suyo, juguetón, irónico, vivaracho y burlón, descubrió otra faceta, nada sombría. Los otros miraron bien y tenían razón, pero él también miró bien y también tenía razón. Así se retratan los pueblos, en el drama y en el sainete.

DE LOS CAMPOS PORTEÑOS

Escenario de muchas novelas, el campo no podía ser desperdiciado por el cuento y la pampa bonaerense ha brindado asiento para algunos que tendrán sitio definitivo en la literatura nuestra. Ha de cargar la llanura y su personaje, en la prosa como en el verso, con el lastre de tantas insustanciosas producciones, de cuentos revisteriles y poemas para declamar a gritos, plenos de interjecciones y abusivos del facón y de la taba. Pero eso se limpia con lo otro, que es metal noble. Porque esencialmente tenemos dos gauchos, el de carnaval y el de la realidad, y varias pampas, desde la que fué cancha para la pelea con el indio hasta la del labriego que la hiere con el arado; además, la del ciudadano que vocifera su tradicionalismo y canta a los centauros de la llanura sin haber visto nunca el campo.

También en el relato corto de la pampa uno que escribió en inglés está primero. Éste no nació en ella pero casi como si hubiera nacido, porque muy joven vino, cuando faltaba una década para iniciar la conquista del desierto, vivió aquí muchos años, peleó con los indios y tuvo que volver atraído por la llanura nuestra como por irresistible imán, a dar sobre su suelo el último suspiro. Fué don Roberto Cunninghame Graham, criollo de alma y andariego infatigable, quien contaría en los libros, en su idioma nativo, cuento y charlas de los fogones. Andan en ellos indios y cautivas revueltas y degüellos, payadas y desafíos. Conoció mucho la pampa porque el sur de las sierras bonaerenses, hasta adentrarse en la Patagonia, lo anduvo todo de a caballo, durmiendo al sereno, departiendo con Facón Chico, Facón Grande y Cortaplumas, sus amigos, mateando con los matreros, peleando contra los infieles y huyendo de ellos cuando daban sus malones. Sabía don Roberto que la pampa no se pinta sino que se siente, porque al fin y al cabo en la pampa "todo es pasto y cielo y cielo y pasto, y más cielo y más pasto". ¿Quién puede decir más de ella? También vió de cerca los alzamientos de montoneras y conoció la institución del degüello, según cuenta de tiempos de revueltas en el Litoral. En páginas de añoranza y con un dej de nostalgia ha evocado muy bien una época de nuestra campaña.

Otro extranjero, francés de origen pero asimilado totalmente a nuestro suelo, fué Godofredo Daireaux, que adaptó al campo argentino el estilo de la fábula y escribió relatos de costumbres, con paisajes y tipos que impresionaron su retina. Su asimilación total a nuestro medio y su encariñamiento con lo criollo es una muestra más del poder de absorción de esta tierra. Como le ocurriera a gentes de otras naciones, este parisiense agauchado saboreaba el mate amargo con tanta delectación como el nativo.

Se produjeron en esa época relatos costumbristas, como los del entrerriano Leguizamón, y en el período álgido de su fiebre anarquista Alberto Ghiraldo, poeta exaltado, escribió escenas bárbaras, donde había de correr sangre para evidenciar rebeldía. Guardando distancias, de tiempo y de enjundia literaria, los cuentos de Güiraldes tienen con los del autor de *Gesta* evidente parentesco. Como en las tablas, Ghiraldo mostró aquí su predilección por el drama rural.

Güiraldes dejó unos *Cuentos de muerte y de sangre* que tienen profundidad dramática. Cuentos del campo bárbaro, de hombría y de violencia, los alienta un realismo vigoroso y reflejan psicología del nativo muy bien observada. Por ejemplo, la del soldado que se animó a enfrentar a don Justo José de Urquiza, ¡nada menos que a don Justo José!, y luego se dejaba castigar como el más infeliz muchacho. ¿Por qué fué la rebeldía? Él mismo se lo diría al patrón asombrado: la china estaba presente. Por la china, dice bien, porque, presente ella, está en juego la calidad de varón, como cuadra a seres primitivos que han de hacer, forzosamente, culto del machismo. Y tal es, violento, desesperado y enceguecedor, el que guía a otro personaje, capitán de frontera, cuando echa su mujer a la turba de milicos para que sacien su angurria. Todo porque a ella, que fuera antes cautiva de indios, la sospechara infiel. Son las pocas mujeres que andan allí, como pocas son también las que acompañan a *Don Segundo Sombra*. Breves, precisos, con ahorro de palabras, estos cuentos presentan, definido, el drama de sus personajes.

Como antes, al hablar de la novela, se presenta otra vez Güiraldes y otra vez viene don Benito. Pero si el recuerdo de aquél era obligado el de Lynch ha de pasar de referencia, porque éste es cuentista por antonomasia y tal vez el primero entre los costumbristas del campo bonaerense. En este campo se desarrollan sus relatos cortos, a algunos de los cuales bien se puso, en volumen, el título general de *De los campos porteños*. El campo vive en ellos y sus personajes principales son pequeños paisanitos. Tanto pone en éstos la mirada que bien podría el libro, sin defraudar al lector, titularse Cuentos de niños. Un niño que sale de las mantillas, ausente pero motivo central del argumento, está en el primer cuento; y un niño que va dejando de serlo protagoniza el último. Y si no niños, potrillos. Es Lynch captador de los más íntimos sentimientos y relata, mago en el arte, con un encanto que nace de la sencillez pero también del conocimiento y del estudio paciente de sus personajes. Hay en todos una mezcla de humor y de drama que se ligan, como en el diario vivir, para ofrecer al lector piezas de exacta elaboración, plenas de realidad, de vigor, de humano sentido. El ambiente geográfico les da perfume, pero lo principal no es eso, con destacar siempre el campo su presencia, sino los seres que lo habitan y que, esencialmente, podrían estar plantados en cualquier sitio, pues cambiaría el argumento y la escena pero los protagonistas serían siempre los mismos, tendrían iguales reacciones, idénticos impulsos y parejas ambiciones. Contra lo que ocurre con otros cuentos camperos (recuérdense los de Ghiraldo y los mismos de Güiraldes), el drama y el dolor no derivan, como no derivan en las novelas del mismo escritor, en escenas truculentas. El momento elegido para los relatos, no época de aventuras, de matreros ni fortines sino la de la estancia organizada y el trabajo inteligentemente ordenado, no aconseja otra cosa. Lynch no es narrador frío, con ser objetivo. Mana de los cuentos un cariño íntimo por sus personajes, por los niños primero, por los mayores después y al fin por los animales: por el potrillo roano, por el perro Limay y hasta por el petizo resabiado que hubo de disciplinarse a la fuerza, nada menos que como "varero" de la chata arrastrada por toda una tropilla. Es, este, un cuento de caballos con mucho sentido para los hombres.

Volvemos al campo de la tradición con Justo P. Sáenz. En sus libros *Baguales* y *Campo puna*, ásperos ya en el título, tratamos con gauchos duros, hombre de afrontar peleas, ambientados en un medio que no salió totalmente de la barbarie. El argumento es generalmente dramático, como en *Frontera*, donde relata el encuentro del capitán con la mujer que los indios le robaran quince años antes. Cuando aquél cree recuperar a la esposa, oye que ésta le dice:

"¡No puedo! Tengo allá mis hijos... mi hombre...
¡Por el amor de Dios, Damián, dejáme volver a ellos!

Es un drama de frontera. Lo completa el hijo que la mujer llevaba en el vientre cuando cayera en poder de los aborígenes, quien se aparece y de un lanzazo da muerte a su padre, precisamente en el instante del encuentro. Está en *Baguales*. En el otro volumen que citamos andan también

los indios, pero no son los que le dan característica. Hay
aquí mucho de tradición y de folklore, como en el cuento
del gaucho viejo convencido de que el hijo se transforma
en lobisón. Los hombres afrontan la vida con coraje y
decisión en un medio un tanto bárbaro aún, pero por ahí
despuntan estudios psicológicos interesantes. Tal en *La
gama*, donde el cuatrero y el policía que lo lleva preso se
hermanan, como gauchos que son ambos, cuando encuentran
una gacela, y el vigilante no sólo desata al delincuente, sino
que le da su pingo corredor y le deja el cuchillo. El malevo
no se fuga ni pelea al milico: es hombre "de ley". Uno y
otro, hombres de campo. Otro relato, *Un gaucho*, hace recordar por momentos los criollos que aparecen en *Don
Segundo Sombra*. Se trata de un hombre pobre que quedara
sin pilchas ni tropilla y encuentra en la faja de un indio
muerto cuarenta mil pesos, producto del saqueo. Contento
y feliz con el hallazgo, da pronto con un timbero y juega y
pierde, como es de rigor, hasta el último centavo. Queda
el hombre tan tranquilo, feliz al fin porque se quita de
encima las preocupaciones que le llevara la fortuna.

Sáenz linda a veces con la literatura dirigida al grueso
público; abusa del lenguaje gauchesco, de sus interjecciones
y de sus frases, con el propósito de reflejar el ambiente y
los personajes pero que no siempre influyen para que el
lector siga con naturalidad la lectura de los cuentos, pues
le recuerdan, aunque tienen distinta calidad, tantos como
anduvieron y andan en revistas y en baratas ediciones ra-
diales.

Guillermo House hace incursiones en el pasado (por
ejemplo, en el cuento *El mangrullo*, de la vida de fronteras,
donde los caranchos planean sobre dos pobres soldados he-
ridos, hasta caer sobre ellos para destrozarlos) , pero gusta

más del ambiente campero de época cercana, que es la del Ford y la bicicleta. Sus dos libros de relatos se titulan *Cuentos argentinos* y *El ocaso de los gauchos* e incluyen páginas de diversas regiones de nuestra tierra. Hay capacidad de narrador, colorido y por momentos humorismo, del que se alejan generalmente las estampas campesinas, muchas veces truculentas. Alarde de habilidad es *Noche de angustia*, donde se relata la de una mujer que descubre, a la luz del candil, desde la cama, una víbora colgada del techo. Distinta trama tiene *El día del sordomudo*, episodio de pueblo incluído, como el anterior, en *Cuentos argentinos*. Aquí es el invento de una dama ingeniosa que necesita ayudar a la economía casera y lo hace con colectas para los niños pobres que ni oyen ni hablan... hasta que el ejemplar que lleva de muestra recobra ambos sentidos y reacciona al sentirse burlado por el amigo.

Héctor I. Eandi, que dió, en *Errantes*, cuadros de islas y litoral de los grandes ríos argentinos, en zonas correntina y chaqueña, mostró su dominio del género narrativo penetrando con decisión en el drama rural, drama que es de personajes y también de la tierra misma, dura y esquiva para quien la trabaja, hasta dominarlo y derrotarlo muchas veces. El de *Hombres capaces* es campo de tiempo presente y labriegos de lomo encorvado, su escenario mejor y sus hombres más representativos, pero si aquél retoma por momentos su arisco paisaje de la literatura de otras épocas, éste acciona a veces con la rudeza y la violencia de los viejos protagonistas de la novela pampeana.

En el gaucho sobado de la tradición cayó un poco Bernardo González Arrili con sus cuentos criollos reunidos en *Mangangá*, donde recuerda amores violentos, traiciones y puñaladas. En esto fué especialista Arsenio Cavilla Sinclair, de argumentos para recitar con calzoncillo cribado y facón al cinto. Lejos de lo teatral están en cambio los personajes de Victoria Gucovsky, cuyos breves relatos lo son del campo con gringos en las estancias y de personajes que mezclan el idioma gauchesco con el que recién va traduciendo palabras al castellano. Hay contenido social e influencias de la tradición en *Tierra adentro*, su libro.

Eso es campo de ahora. También lo es el de Fermín Estrella Gutiérrez, autor de *Memorias de un estanciero*, con paisaje y poesía. Cuentos tiene donde la ternura se transmite, de niños a veces, como en el que titula *El horno de carbón*, donde el perro fiel salva a la criatura, en último instante, cuando va a caer en la boca del horno. Y como una oración por la paz es otro, *La cacería*: el muchacho, enemigo de la guerra, sale de caza y de un solo tiro mata cinco palomas. Siente entonces el dolor de haber sido asesino; el cielo, antes brillante, se le presenta opaco y el verde de pasto y árboles, que le hiciera sentir la alegría de la vida, pierde para él todo su color.

Hay también ternura y poesía en *Sombra de ñandubay*, de David Kraiselburd. Son pequeñas estampas que protagonizan a veces niños y animales. Entre éstos, adquiere humanidad la vaca que cuando van a ordeñarla esconde la leche para dársela al hijo. Como castigo por ser buena madre, se la destina al matadero: en el tambo no se la alimenta para que piense en los hijos.

La selva de Horacio Quiroga

Nació uruguayo pero su obra fundamental la escribió aquí, con paisaje de selva misionera, y, si eso no bastara para darle sitio en nuestra literatura, sus años más fructíferos en la creación literaria los pasó en la Argentina. Si no totalmente nuestro, bien podemos gozar el halago de colocar en el haber del capital literario argentino a Horacio Quiroga, relator de lo afiebrado, lo misterioso y aun de lo extrahumano. Encadenado a suicidios y muertes trágicas, hasta ser autor involuntario de la de uno de sus íntimos amigos, lo más hondo de su espíritu tenía el sello del dolor y de la muerte y con ésta fué de la mano hasta aplicarse la propia y dejar el suicidio como herencia para la hija. En lo externo y en lo más íntimo, la vida y las obras de Quiroga están perfectamente ligadas. Eso en esencia, como aliento de sus relatos. En la técnica, parece referirse a ellos el octavo mandamiento de un decálogo que escribiera para el perfecto cuentista:

"Toma a los personajes de la mano y llévalos firmemente hasta el final, sin ver otra cosa que el camino que les trazaste. No te distraigas viendo tú lo que ellos no pueden o no les importa ver. No abuses del lector. Un cuento es una novela depurada de ripios. Ten esto por una verdad absoluta, aunque no lo sea."

Así son los suyos, directos, "contados", sin aditamientos, sin paisajes, crudos, torturantes. Son las cosas vistas, sentidas, observadas y estudiadas. Surgen en los cuentos los tipos de la selva, tipos humanos y tipos del reino animal o del vegetal, que todos desempeñan en ella su papel. Entre los primeros, desterrados voluntarios, maniáticos unos, alucinados otros, huídos, perseguidos, aventureros de rara catadura, hachadores con músculo de acero, mensúes, contratistas de látigo y revólver. Un desfile extraño. Además, otro mundo que el conocido nos trajo Quiroga, ya lo hemos recordado. Porque él sabía incursionar en el más allá, donde el padre puede regresar al rancho caminando del brazo con el hijo muerto. De ese mundo envió el proceso de su enfermedad el hombre mordido por perro rabioso. La tragedia se enseñorea de la vida en la naturaleza salvaje de la selva y la tragedia es compañera de sus personajes, como ocurre en el terrible cuento de *La gallina degollada* o en *A la deriva*, agonía del hombre al que la yarará inyectó su veneno. No le preocupa el estilo a Quiroga. ¿Para qué va a adornar sus relatos si la fuerza está ahí, en el episodio mismo? ¿No basta por ejemplo, para saber lo que ocurrió, que el brasilero diga, sencillamente: "Después tivemos disgusto... E dos dois volvió um solo"? A veces pequeñas cosas llevan a la muerte. Son cosas que ocurren a menudo, como el percance que acaeció al hombre que cayó sobre su machete. En otros casos, es un tiro escapado de la carabina. Pero en la pluma de Quiroga el episodio adquiere una dimensión distinta, tiene otro aliento y una causa oculta lo va elaborando, cuidadosamente, amorosamente.

La selva protagoniza casi todos los relatos y muchos lo son de animales, de víboras y serpientes. Una de éstas, Anaconda, dió título a dos cuentos que recuerdan los de Kipling. Tierra salvaje, animales dañinos, seres con pasiones primarias, todo se hermana en esta prosa sin adornos, seca a veces, sin palabras de más, de frase que va directamente a su objetivo, que no juzga ni comenta. Relata, da cuenta de hechos, del episodio. Tampoco hace retratos, pero los tipos se ponen ante el lector, por su traza, como el brasilero elegante, o por su idioma, como ese peón que "habla una lengua de frontera, mezcla de portugués-español-guaraní, fuertemente sabrosa". Estos hombres arriban a Misiones y vienen de todas partes, pero ¿se conciben fuera de ese ambiente? Seguramente no, y ahí está, en lo heterogéneo, el típico poblador de la selva misionera a través de Horacio Quiroga.

Se presenta el cuchillero

Jorge Luis Borges, lector de lenguas extrañas y amigo de lo fantástico, de quien ya nos hemos ocupado, aterriza con frecuencia en el suburbio y con orilleros se trata mano a mano. Gusta de cuchilleros y matones del arrabal y sabe muy bien sacarles el ánima para sus relatos. Ahí está ese que se llama *Hombre de la esquina rosada,* de barrio de fin de siglo. No es de Borges sino del manco Jiménez o de Tito el Sereno, que algún nombre de ésos tendría el taita que se lo contó, en una sesión de espiritismo en que Jorge Luis apenas si hizo de médium. Para saborear el cuento, hay que ponerse ante el personaje y pedirle no más que cuente. Y, naturalmente, el manco Jiménez o Tito el Sereno principiarán su relato, luego de escupir por el colmillo y encender el pucho: "A mí tan luego, hablarme del finado..." Así tendría que empezar el malevo su recuerdo de cuchilleros del norte y pegadores del sur. Al fin, un simple episodio, un matón que cruza la ciudad sólo para ver si el del otro extremo es de veras guapo. El guapo no lo es de veras y el "pendejo" rehabilita el prestigio del barrio. Total, una puñalada bien dada y una mujer que cambia dos veces de querencia en una noche, porque ella, compañera de taitas, desprecia a los maricas y marcha sumisa a esperar a quien pega último.

A Borges el relato le salió redondo. Fué cosa de brujería, pero sospechamos que hizo mal al darle amparo en un libro que se llama *Historia universal de la infamia.*

Tres cultos del criollo

La burocracia es una institución y se le rinde fervoroso culto. También se rinde culto a la patria y se venera a los héroes del trabajo, si han hecho fortuna. Así lo vió Arturo Cancela, quien escribió tres relatos para glorificar esos cultos del habitante de la Argentina. El primero, *El cocobacilo de Herrlin,* es nada menos que una historia de la burocracia nuestra, centrada en la oficina de defensa contra una inexistente plaga leporina. El segundo, *Una semana de holgorio,* documento de una revolución fantástica, y el tercero, *El culto de los héroes,* la biografía de una fortuna que tuvo origen en humilde carrito de afilador y terminó en lujoso palacete de barrio aristocrático.

Hay en los tres relatos una ironía fina y son tal vez el mejor reflejo que aquí hayamos tenido del estilo que sirviera a Anatole France para retratar a la sociedad de su tiempo y de su patria. Incisivo, Cancela hace la sátira de nuestras costumbres administrativas y nos deja entrever cuánto hay de artificial y de mentira en el trasfondo de muchas cosas. En el relato de la semana de enero, tras la ironía, el sarcasmo trágico de los patoteros asesinando a un pobre manco porque no levantaba las manos. El otro cuento, coronado con el artefacto del afilador adquirido a última hora, para mostrarlo con orgullo después de haber quemado el que diera cimiento a la fortuna, retrata bien a muchas de nuestras familias aristocráticas, avergonzadas primero del humilde inmigrante que las fundara pero que ponen después su bronce en la plaza pública del pueblo, cuando llega la hora de exaltar la memoria de los héroes del trabajo. Trata Cancela estos temas con la sonrisa en los labios, pero los tres relatos tienen sentido humano y castigan severamente a quienes él elige como blanco de su sátira. Son observaciones agudas sobre costumbres muy criollas las que hay en esas páginas, donde se azota, como si fuera en broma, a la barbarie primitiva que se esconde detrás de esos jovenzuelos dedicados a la agresión bandálica, con el pretexto de salvar a la patria ("Haga patria, mate un ruso por día", fué el texto de sus proclamas, en la realidad), chauvinistas amparados por los de arriba.

Escribió este autor otros libros. Entre ellos *El burro de Maruf, La mujer de Lot* y la *Historia funambulesca del profesor Landormy*, pero es este que titula *Tres relatos porteños* el que ha quedado como más representativo del escritor.

Vilanos al viento

Quienes manejan la pluma han ido dando preferencia al cuento y al relato breve y ahora podrían citarse decenas de nombres, con peligro siempre de dejar algunos en el olvido. Qué hay de valor en todo eso no podría establecerse con precisión, pero escritores tenemos que pueden señalarse en el activo de la literatura nuestra. Por vocación unos, estimulados los más por la publicación relativamente fácil de sus producciones breves en revistas y "novelas semanales" [1], que les permitan satisfacer sus deseos de comu-

---

[1] Apareció en 1917 *La novela semanal*, publicación que se difundió rápidamente y que fué imitada por otras de títulos similares. Era en sus comienzos un pequeño folleto, con una novela corta, y fué paulatinamente transformándose en revista. En ella se publicaron numerosas novelas y relatos de autores argentinos, muchos de ellos recogidos después en volumen. Pudo ser esa publicación un estímulo para los escritores, que contaban en ella con la seguridad de amplia difusión. Pero *La novela semanal*, que publicó en sus primeros tiempos colaboraciones de firmas como las de Benito Lynch, Ricardo Rojas y Enrique Larreta, fué formando una clientela especial, que tenía sus preferencias y contó con escritores que fabricaron, valga el término, la mercancía

nicarse con los lectores, muchos produjeron y producen cuentos. Es dispar su valor y la mayoría de los que corren en publicaciones dirigidas al lector femenino insulsas o

---

que se cotizaba en ese mercado. Las costureritas fueron las primeras víctimas: de amantes engañosos en los argumentos y de plumas fáciles en la literatura. Josué Quesada narraba la caída de la vendedora de tienda y Héctor Pedro Blomberg se metía en los bodegones del puerto y en los cafés cantantes del Paseo de Julio y desde allí, en la densa atmósfera de los subsuelos, evocaba la nostalgia de dársenas lejanas y contaba las puñaladas vengadoras de la amante traicionada. Fué una promesa grande la de Blomberg, que se hizo conocer con libros de marineros, denunciadores de un temperamento afinado (*Los peregrinos de la espuma*, *Los soñadores del bajo fondo*), pero su paso a otro campo y la exclusividad que se adjudicó de la época rosista nos llevó la esperanza. Juan José de Soiza Reilly, que se hizo célebre con reportajes a grandes hombres del mundo, se valía del chico que robaba un pan para apostrofar a una sociedad injusta...

Como técnica, general era el relato en primera persona, hecho al firmante del texto por el amigo que vivió o presenció el drama. Y éste lo fué de amores desgraciados, de viudas jóvenes con un hijo que criar, de obreros explotados o desocupados que se dieron a la bebida. A veces, de aparecidos... Pero hubo colaboraciones de calidad. Arturo Cancela publicó allí sus relatos porteños y Benito Lynch *La evasión*, que es su incursión en la tierra patagónica, con algo de ambiente y mucho de estudio psicológico de una pasión, como todo lo suyo; José León Pagano, *El hombre que volvió a la vida*, título de un libro suyo de cuentos donde se incluye *La revelación*, que tuvo el mismo origen, novela ésta de amores escondidos en los repliegues más ocultos del alma y de lucha "cuerpo a cuerpo" entre el espíritu de la muerta y su amante, por la posesión de un libro de memorias. También trató con lo fantástico, con tanteos en lo científico, Ricardo Rojas, en *La Psiquina*, mientras Horacio Quiroga cedía para esa empresa *El peón*. Carlos Muzzio Sáenz Peña estudió con ironía un personaje en *Tribulaciones de un marido tímido*, y Pilar de Lusarreta trató con el inmigrante enriquecido, con obligado suicidio final, en *El precio del triunfo*. Otra novelita dió la misma escritora: *Hacer carrera*, y Marcelo Peyret, en *El deber de matar*, se ocupó del tan debatido tema de terminar con los sufrimientos de un enfermo que no tiene salvación. Entre otros novelistas argentinos publicaron en *La novela semanal* Enrique García Velloso, que fué el primero, Alfredo R. Bufano (el poeta de Cuyo contó el drama de la niña hermosa que se murió de amor), José Antonio Saldías (una de sus novelas fué la biografía de un actor, desde sus pininos de gaucho carnavalesco hasta el triunfo en el escenario de gran espectáculo), Atilio Chiappori, Bernardo González Arrili, Belisario Roldán (*El bastonazo*, incluído luego en su recopilación de *La Venus del arrabal*), César Carrizo, Manuel María Oliver, Julio Fingerit, Ciro Torres López, Julián de Charras, etc.

tontas, pero frente a ellas se cuenta con el relato de calidad, cuidadosamente elaborado, pacientemente trabajado y hasta "transpirado" por su autor en largas vigilias. El cuento encierra dentro de su aparente simplicidad una serie de problemas que el literato no siempre resuelve con éxito. Fácil es contar un episodio que termina en suicidio, meter en el ataúd a una niña que murió tísica por amores contrariados o poner fin a una carrera cuadrera con el duelo criollo que deja marcado a quien ganaba con trampa. Difícil en cambio delinear en cuatro páginas un tipo humano, reflejar una angustia, plantear un drama que no se soluciona a tiros o documentar un ambiente de tal modo que pareciera vivido o revivido por el lector. El terror y la alegría pueden estar en un breve relato, pero lo difícil es hacer el relato, dejarlo ahí, como cosa natural, con un instante de la vida de sus personajes, con sus pasiones, con sus tragedias o con sus sainetes adueñados del espíritu de quien lee. Hay que tener la garra de Quiroga para escribir *A la deriva* y no cualquiera puede pulir *Hombre de la esquina rosada*, de Borges.

Muchos cuentos se han escrito. Algunos fueron fuegos fatuos de escritores que incursionaron en este terreno como entretenimiento o desahogo de otras tareas; otros, ensayos juveniles de quienes se dedicarían después a actividades distintas. Anticipos a veces de lo que no vino porque el firmante se quedó en promesa. Cuentos y relatos breves que no se reunieron en libros y entre los cuales puede haber pequeñas joyas olvidadas, hay muchos. Tal vez se recuperen, pero es posible también que queden definitivamente en el olvido. Vilanos echados al viento, hay que andar tras ellos, a los saltos, para atraparlos. De los que se recogieron y se aprisionan ahora en hojas cosidas y encuadernadas nos ocuparemos un poco, porque con extensión no es posible, y sólo para fijar algunos nombres, pues la buena voluntad no basta para hacer un inventario total. El estudio del cuento, en la Argentina, justifica ya un denso volumen.

Espíritu juguetón tienen los relatos porteños de Enrique Méndez Calzada, pero éste no agregó al humorismo de sus cuentos la ironía y la crítica social que campea en los de Cancela. Puede despuntar esa crítica en algunos, *El doctor Schwarzesbier* por ejemplo. Es un personaje inventado para satisfacer el afán muy nuestro de alardear erudición y admirar cuanto tenga extraño origen.

Otra mira, otra arquitectura y otra intención tienen los cuentos de Álvaro Yunque (Arístides Gandolfi Herrero), quien tomó a los niños como personajes de una literatura descarnada y dolorida. Es la de sus relatos una humanidad desgarrada y si su fondo tiene aliento moral no siempre han de resultar buenos para modelar una juventud constructiva. Eso, si son cuentos que han de leer los niños, porque dejan en el espíritu un sedimento de dolor, de amargura. Por cierto que cumplen acabadamente el propósito del autor en cuanto a estimular la rebeldía social, de clase, porque no es compasión sino protesta y grito rebelde lo de Yunque. Sus libros se titulan *Jauja, Tateti* o *Zancadillas,* pero todos caben en *Barcos de papel,* pues barquichuelos librados al capricho de la corriente son los relatos que han de recoger las manos que se estiren a su paso. Entristecen los niños con su dolor y su prosa sin adornos, esquemática a veces, un tanto seca y con dirección precisa, emociona y conquista.

Yunque representa la tendencia social del grupo de Boedo. Del otro sector, el de Florida, surgió Augusto Mario Delfino, de buena prosa evocativa, con la cual revivió el Buenos Aires de fin de siglo, el de los salones de baile, organillos y damas encorsetadas. Tienen más valor humano los cuentos suyos agrupados en *Márgara, que venía de la lluvia* que los recogidos en *Fin de siglo.*

Al fin y al cabo, muñecos todos, los pibes doloridos de Yunque y las señoritas de los tiempos de la loca del Bequeló que recordara Delfino. Los muñecos tienen a veces aliento humano, es cierto, pero es el aliento que les da el autor, porque eso son en realidad: un poco del espíritu de quien pone sus nombres sobre el papel. Y éste, el autor, los hará jugar según su modo de ser o su estado anímico en el instante de construirlos. Para que no hubiera engaño, Roberto Giusti lo puso claro en el título: *Mis muñecos.* No dijo si eran títeres o marionetas, pero lo cierto es que el lector no piensa en ellos cuando lee los relatos sino que se siente frente a seres humanos, hombres y mujeres con sentimientos, con corazón. Así le nace simpatía por la gorda del contrabajo, relegada a vivir en sueños amores que no ha de lograr nunca en la realidad, y penetra en el dolor de la mujer que sale de la cárcel y va tras el hijo de quien fuera padre del muerto por ella, con la ilusión de acariciar al que salió de sus entrañas. Hay dos hombres maduros que se enamoran de jóvenes muchachas; uno, el de *Las canas,* se da cuenta del absurdo por sí mismo; otro, *Hombre experto,* debe sentir la burla para enterarse del ridículo, cuando la hija del jardinero, objeto de sus amores, le pide dinero para fugarse con el novio. Cuentos de amor y de amores, son sondeos en el corazón de seres humanos.

El cuento social, intencionado, lo escribieron muchos de los novelistas que hemos citado en su sitio. Espíritu de rebeldía hubo en la mayoría de los que elaboraron los hombres del grupo de Claridad, y Abel Rodríguez, rosarino, de quien ya nos hemos ocupado, podría representar bien la tendencia libertaria en la literatura, contra los burgueses, los curas y los militares. Así se dirigían los relatos de *La Protesta* y de cantidad de periódicos que tenían estos militantes de la lucha proletaria. Como ejemplo de literatura antimilitarista, el cuento *Allá lejos,* de Rodríguez. Se trata de un soldado que está de centinela y se duerme en su puesto. El muchacho, cuyo cuerpo cansado no entiende de tales violaciones a las leyes del cuartel, sufre la correspondiente condena.

No ha sido esa una característica destacada del cuento argentino. Intrascendentes, de entretenimiento, son los de Rodolfo Rodríguez Guichou agrupados en *El bastón* y *El cigarrillo,* algunas narraciones de Roberto Gache y los cuentos de Ernesto Mario Barreda. Algo como esgrima literaria fué la de Belisario Roldán, que escribió una serie de pequeñas novelas, no desprovistas algunas de sentido. Así, *Madama Francine,* donde se destaca el patriotismo de los franceses y el heroísmo de las francesas, y *El bastonazo,* de aguda ironía. Tirso Lorenzo puso buen humor en *El celibato del doctor Antonio* y humorísticos son los cuentos que publicó Conrado Nalé Roxlo en *El muerto profesional,* con el pseudónimo de Chamico. Fuegos de artificio parecen los *Espantapájaros* de Oliverio Girondo, contorsionista de la literatura imaginativa, amigo de los juegos de palabras y capaz de colgar perros en los tendederos. Es Girondo el ejemplo mejor para recordar la secta *Proa* de los martinfierristas y para evocar a éstos Macedonio Fernández, aunque no escribió propiamente cuentos ni novelas sino unos *Papeles de Recienvenido,* del mismo almacén que surte a don Ramón Gómez, el de las greguerías, ingenioso, con ansias de posteridad, con una teoría de la humorística y con páginas de sabor clásico, como de novela picaresca.

Muchas imágenes tienen los cuentos de Eduardo González Lanuza incluídos en *Aquelarre,* de imaginación y fantasía.

En los de Enrique González Tuñón (*El cielo está lejos*) ronda la muerte y la locura y se hace presente el dolor de los niños. Lirismo, irrealidad y poesía tienen los muy breves de Enrique Wernicke incluídos en *El señor Cisne* y tipos extraños andan en *Miseria de quinta edición*, prosa agitada, impresionista, con sensación de urbe, escrita por Alberto Pinetta.

Varias escritoras han puesto sus afanes en la narración breve, centrando generalmente sus argumentos en tipos femeninos que envejecen rápidamente. Rosalba Aliaga Sarmiento (*Una mujer siglo XX*) les dió espíritu romántico y su enfoque del feminismo puede ubicarse en la época en que la mujer empezó a independizarse porque empezaba también a ganarse la vida. Otras búsquedas hay en Pilar de Lusarreta (*Celimena sin corazón*), donde una mujer fracasa y pasa por alocada precisamente cuando resuelve accionar al ritmo de su corazón. Ethel Kurlat (*Los días oscuros*) estudia personajes que sienten el vacío de la vida. Unos pasan por ser los más felices de la tierra pero sufren la angustia de verse rodeados por lo vulgar y otros se hacen los cínicos para engañarse a sí mismos, pero todos quedan con su soledad y su desamparo.

De amor y de ternura son las *Astillas de sándalo*, de Adelia Di Carlo, cuyos relatos afirman en los niños la preferencia de la autora. Mujeres son en cambio las protagonistas de los que firma Herminia Brumana, esencialmente femeninas pero rebeldes, que no han echado a un rincón ternezas aunque están dispuestas a tomar su lugar en la vida, con amor pero con dignidad. Hay en las páginas de Brumana un fondo social y los problemas de esta hora, los problemas de la mujer argentina, afloran constantemente. Sentido humano tiene *Más difícil terminar de vivir*, del libro *Me llamo Niebla*, donde una mujer que quedara sola se encuentra con la hija y el yerno cuando regresa con su amante de una excursión. ¿Pueden los jóvenes comprender el drama de esa mujer, no vieja aún sino en período de madurez, que la sociedad condena a vivir solitaria, hasta la muerte?

Las mujeres de Herminia Brumana conquistan la simpatía del lector. Tal esa muchacha de *Casa de pensión*, incluída en el tomo de *La grúa*, quien, a punto de casarse, descubre amores fáciles del novio y decide libertarse, hacerse dueña de su destino, rompiendo con la moral corriente, que deja libertad al varón y esclaviza a la mujer. Maneja bien el diálogo y sus cuentos no son a veces más que pinceladas y esbozos de la vida real, la vida de la urbe donde va afirmándose cada día la igualdad de los sexos, como se afirma la igualdad en los deberes y en las responsabilidades.

Luisa Solovich, en otro estilo, sin tales miras, dió breves relatos en *La sonrisa*, amiga de metáforas, en *La gruta artificial* y más tarde en unas humanizadas *Historias de ciervos*.

Gustó de la fantasía Víctor Juan Guillot, quien puso en sus relatos un hálito de terror comunicante, de fiebre y de pesadilla. En *El alma en el pozo* da un cuento, *Anestesia*, en que refiere cómo, mientras es operado, un individuo hace el viaje en tren con un amigo que muere al producirse el choque del convoy. Lo real fué que murió, suicidándose, precisamente el mismo día, a la misma hora y en el tren soñado.

El drama y la tragedia predominan en su pluma. En *El guardarropa* el terror se apodera de la gente, en la noche, porque del mueble, construído con madera de féretros, salen los muertos y se pasean para estirar sus miembros entumecidos. *Terror* es el título de uno de sus libros de relatos, alentados algunos por el misterio del mundo desconocido;

el cuento que da título al tomo, por ejemplo, pues aquí el llanto de los perros va anunciando la llegada de la muerte. Se incluye un mensaje del más allá, donde hay quien conversa con un hombre treinta y cinco días después de muerto. El único cuento amable, juguetón y humorístico es *El alma en el pozo*. Cuento de varones duros *Cazando nutrias*, y de sufrimiento, *El vado*. En éste, un padre con su hijo enfermo de difteria es arrastrado, con el auto, por la correntada en noche de tormenta.

Armando Cascella publicó *La tierra de los papagayos*, con relatos poéticos y vuelo de la fantasía. De distinto tipo son los de *La cuadrilla volante*. En éste, con el que da título al volumen, hay un interesante relato, *Viento Sur*, que destaca la resonancia del tiempo en el estado anímico del hombre.

Influído por *El horla*, de Maupassant, Nicolás Olivari hizo un relato alucinante con *La mosca verde*, que recuerda por momentos a Kafka. Son los suyos cuentos con fondo de tragedia, dolor y llanto. Mucha ternura hay en *El caballito de madera*, del mismo libro. Aquí, un soldado francés cuya familia fuera exterminada por el enemigo, encuentra un enorme boche abstraído en la construcción de un juguete de madera, usando la bayoneta como herramienta. Emocionado, el francés no mata al enemigo sino que le da su propio uniforme para que se fugue. Él se queda, enternecido, con el juguete.

Alucinación hay en *La inundación*, de Ezequiel Martínez Estrada, seguramente reflejo anímico de lecturas kafkianas. Es una reunión de 1.200 personas en la iglesia del pueblo, único lugar libre de las aguas que arrasaran con todo. Un mundo de pesadilla, donde no basta la inmundicia de los seres humanos sino que se agrega la de los perros, que aúllan fuera y se meten pronto en la casa del Señor. Miseria por fuera y miseria por dentro. La peste hace estragos y las anatemas de un idiota torturan al sacerdote. El desastre es un castigo divino. El cuento parece capítulo inicial de un relato más extenso.

El paisaje áspero, de sol, de viento, de arena y salitre está presente en los cuentos de Gregorio Scheines que reúne *El gigante de arena*, con el cual este escritor se coloca decididamente en lugar de primera fila entre los cuentistas nuestros. Pero no es el paisaje lo que le interesa sino el ser humano, que es un poco su encarnación. Sus personajes, cada uno con su drama a cuestas, cada uno con sus problemas y con sus angustias, se analizan en lo más íntimo, en su soledad, en sus presentimientos. Están saturados de ambiente y tienen en el alma un poco de la desolación —¡siempre sal, siempre viento, siempre arena!— de los médanos costeros del sur bonaerense.

No hay influencia de la tierra sino análisis y observación psicológica en los cuentos de Salvador Yrigoyen, quien realizó con acierto un estudio de regreso espiritual a su antecesor biológico en *Monólogo del retorno filial.*

GUÍA BIBLIOGRÁFICA

El mejor elemento para el estudio de la novela argentina es, naturalmente, la lectura de las mismas novelas. En este libro no se ha tratado más que de fijar su trayectoria pasando la vista sobre el panorama que ofrece este género literario en la Argentina y no excluye sino que obliga a quien quiera ahondar en el tema la consulta directa de las fuentes. Pero el conocimiento y la valoración se pueden completar con el manejo de textos que analizan esas producciones, con lecturas de obras, tratados e investigaciones que permitan reconstruir la época para la mejor ubicación de una novela, por ejemplo, o conocer la atmósfera que rodeó a un autor y saturó sus libros. Simple en apariencia, la tarea es compleja y complicada por momentos. Como guías de conjunto contamos con los textos de literatura argentina, principiando por el de Ricardo Rojas, que es lástima no se haya actualizado en las últimas ediciones. La novela, en visión panorámica, ha sido estudiada por Jorge Max Rohde, Antonio Aíta, Ángel Acuña y Roberto F. Giusti, Antonio Pagés Larraya publicó ensayos sustanciosos y eruditos en la prensa periódica y afinados críticos incursionaron en aspectos parciales de esta novelística. La prensa diaria y periódica y sobre todo las publicaciones de índole literaria reflejaron en su momento la inquietud cultural del país y juzgaron oportunamente las novelas que iban saliendo de las prensas. Ya las primeras revistas, como la sólida *Revista del Río de la Plata*, que escribieran casi solos Juan María Gutiérrez, Vicente Fidel López y alguno más, y la *Revista de Buenos Aires*, que dirigieron Miguel Navarro Viola y Vicente Quesada, con el *Anuario* de Navarro Viola, nos proporcionan informaciones y comentarios. Vinieron luego otras, y de ellas *La Nota*, del emir Arslam, y *Nosotros*, consustanciada ésta durante cuarenta años con las letras argentinas, para no citar sino algunas ya desaparecidas, son obligada fuente de consulta. Lo es también, desde 1925, *Sur* con sus comentarios, que llevan habitualmente la responsabilidad de la firma.

En general, la crítica firmada merece destacarse por su enjundia, por su objetividad y a veces hasta por su pasión, que más vale en ocasiones, pero en la noticia periodística, anónima, ha habido excesiva complacencia y esto poco sirve para orientar al lector. Esa complacencia llegó a veces mucho más arriba y no siempre premios y recompensas podrían servir para una exacta valoración de nuestro acervo literario. Todo esto desorienta mucho, pero los firmes valores de nuestras letras, con distinciones académicas o sin ellas, van paulatinamente asentando su prestigio, al par que caen en el olvido tantos escritores un día laureados.

Resulta prácticamente imposible ofrecer una lista completa de críticas, comentarios y monografías sobre cada uno de los autores y de los libros citados. Por eso nos concretamos a dar a continuación una bibliografía general, donde el lector podrá guiarse para el estudio de la novelística argentina, excluyendo los textos escolares:

Aíta, Antonio. — *Algunos aspectos de la literatura argentina.* Buenos Aires, *Nosotros,* 1930.

—*La literatura argentina contemporánea, 1900/1930.* Buenos Aires, L. J. Rosso, 1931.

Bonet, Carmelo B. — *Gente de novela.* Instituto de Literatura Argentina de la Universidad de Buenos Aires, 1939.

Club de difusión del libro americano (ed.). — *El cuento argentino. Contribución de los escritores nuevos a la literatura nacional.* Buenos Aires, 1944.

Donghi de Halperin, Renata. — *Cuentistas argentinos del siglo XIX* (selección). Buenos Aires, Estrada, 1950.

Gálvez, Manuel. — *La Argentina en nuestros libros.* Santiago de Chile, Ercilia, 1935.

—*Los mejores cuentos* (selección y prólogo). Buenos Aires, Patria, 1919.

García Mérou, Martín. — *Libros y autores.* Buenos Aires. F. Lajouane, 1886.

Giusti, Roberto F. — *La novela y el cuento argentinos.* En *Nosotros,* t. 57, núms. 219/20, año 1927.

—*Ampliación de la historia de la literatura argentina* en: Prampolini, Santiago, *Historia universal de la literatura,* t. 2º. Buenos Aires, ed. Hispano Argentina, 1941.

Miranda Klix (compilador). — *Cuentistas argentinos de hoy. Muestra de narradores jóvenes (1921-1928).* Buenos Aires, Claridad, 1929.

MORALES, ERNESTO. — *El sentimiento popular en la literatura argentina*. Buenos Aires, El Ateneo, 1926.

PAGÉS LARRAYA, ANTONIO. — *Una etapa de la novela argentina. El naturalismo y el tema del inmigrante*. En *La Nación*, 1º de abril de 1945.

—*La novela experimental y la juventud argentina del ochenta*. En *La Nación*, 13 de abril de 1947.

—*La crisis del noventa en nuestra novela. El ciclo de "La Bolsa"*. En *La Nación*, 4 de mayo de 1947.

ROHDE, JORGE MAX. — *Las ideas estéticas en la literatura argentina*, 4 vols. Buenos Aires, Coni, 1921.

ROJAS, RICARDO. — *La literatura argentina. Ensayo filosófico sobre la evolución de la cultura en el Plata*, 4 vols. Buenos Aires, La Facultad, 1924/25.

VÉRTICE (ed.). — *Cuentistas rioplatenses de hoy*. Buenos Aires, 1939.

YUNQUE, ÁLVARO (Arístides Gandolfi Herrero). — *La literatura social en la Argentina*. Buenos Aires, Claridad, 1941.

ÍNDICE DE NOMBRES

TABLA DE MATERIAS

SE TERMINÓ DE IMPRIMIR EL DÍA
VEINTIOCHO DE ABRIL DE MIL NO-
VECIENTOS CINCUENTA Y DOS EN LOS
TALLERES GRÁFICOS DE LA COMPAÑÍA
IMPRESORA ARGENTINA, S. A., CA-
LLE ALSINA Nº 2049 - BUENOS AIRES.

DATE DUE

PQ
7697
G21

García, Germán.
La novela argentina, un itinerario. Buenos Aires, E
torial Sudamericana ₁1952₁

317 p.   21 cm.   (Historia y crítica literarias)

1. Argentine fiction—Hist. & crit.

PQ7697.G27   863.09   52—67401

Library of Congress   ₁59b½₁